edexcel
advancing learning, changing lives

Edexcel GCSE
French

Written by Clive Bell,
Rosi McNab and Gill Beckett

Higher

A PEARSON COMPANY

Published by Pearson Education Limited, a company incorporated in England and Wales, having its registered office at Edinburgh Gate, Harlow, Essex, CM20 2JE. Registered company number: 872828

www.pearsonschoolsandfecolleges.co.uk

Edexcel is a registered trade mark of Edexcel Limited

Text © Clive Bell, Rosi McNab and Gill Beckett 2009

First published 2009

14

12

British Library Cataloguing in Publication Data

A catalogue record for this book is available from the British Library

ISBN 978 1 846904 84 4

Edited by Catriona Watson-Brown
Original design by Ken Vail Graphic Design, Cambridge
This edition by Oxford Designers & Illustrators Ltd.
Original illustrations © Pearson Education 2009
Illustrated by Beehive Illustration (Theresa Tibbetts, Ellen Hopkins), Graham-Cameron Illustration (David Benham), Ken Laidlaw, Bill Ledger.
Picture research by Rebecca Sodergren
Cover photo © photolibrary
Printed in China (GCC/12)

Acknowledgements

We would like to thank Richard Marsden, Sylvie Fauvel, Anne French and Michel Groulard for their invaluable help in the development and trialling of this course.

The author and publisher would like to thank the following individuals and organisations for permission to reproduce photographs:

Alamy Images p. 54 (townhouse), 50 (stadium, pool), 99, 111 (police, post), 166 (hunger), 184 (concert), 194, 196 **Alamy/ Channel Island Pictures** p. 130 (surf) **Alamy/Digital Vision** p. 156 **Alamy/Geoffrey Morgan** p. 130 (farm) **Alamy/Hugh Threlfall** p. 130 (car) **Alamy/Image Source Black** p. 24 **Alamy/Jean-Yves Roure** p. 64 (castle) **Alamy/Jupiter Images/Pixland** p. 97 **Alamy/ Mike Goldwater** p. 100 **Alamy/nagelestock** p. 118 **Alamy/Peter Bowater** p. 72 **Alamy/Richard Cooke** p. 6 (TGV) **Alamy/Roger Bamber** p. 62 **Alamy/Sally and Richard Greenhill** p. 95 **Alamy/ Rubberball** p. 76 (party) **Axiom** p.128 (Excelsior) **Bananastock** p. 157 (Thomas), 170 (3) **Corbis** p. 18 (drama, judo), 21, 32 (kung fu, singer, dance), 38 (Batman), 39, 40 (skater), 76 (fireworks), 75, 110, 111 (farmer), 120 (top), 124 (Disneyland, Dordogne, Brittany, Futuroscope, Riviera), 166 (AIDS), 175 (forest), 187, 191, 193 (cashier) **Corbis/Stockbyte** p. 151 (Valentin) **Digital Stock** p. 178 (bird) **Digital Vision** p. 166 (polar), 175 (orang-utan), 178 (frog) **Digital Vision/Photolibrary** p. 80 **Fotolia/ant236** p. 139 (hiking) **Fotolia/france jean-sebastian** p. 139 **Gallimard Jeunesse** p.38

(book) **Getty Images** p. 120 (bottom), 166 (terrorism), 193 (paper boy) **Getty Images/Dominique Charriau** p. 78 (catwalk) **Getty Images/Jasper Juinen** p. 40 (cyclists) **Getty Images/PhotoDisc** p. 12 (child), 26, 109 (Lin), 151 (Charline), 157 (Karima), 158, 166 (Elea, Blanche), 170 (4) **Grand Canyon National Park** p. 132 **Image Source Ltd** p. 111 (doctor), 192 (nurse) **ImageState** p. 124 (Loire), 184 (circus) **ImageState/Photovoir** p. 190 **iStockPhoto.com/ Anna Yu** p. 178 (lake) **iStockPhoto.com/Craig DeBourbon** p. 166 (war) **iStockPhoto.com/Kati Neudert** p. 170 (2) **iStockPhoto. com/Kelly Cline** p. 111 (chef) **iStockPhoto.com/Phillip Lange** p. 130 (camping) **iStockPhoto.com/Sean Nel** p. 18 (ballet) **iStockPhoto.com/Jean-Yves Benedeyt** p. 12, 124 (Mont Blanc) **Kobal Collection** p. 192 (stunt) **Marvel/SONY Pictures/The Kobal Collection** p. 46 **Max PPP** p. 70 **Panos Pictures** p. 166 (poverty) **PA Photos** p. 40 (rugby) **PA Photos/ABACA/Gouhier Nicolas** p. 40 (footballer) **PA Photos/EMPICS Sport/Joe Giddens** p.20 **Pearson Education/Chris Parker** p. 78 (Clement), 151 (Louise), 166 (Tariq) **Pearson Education/Debbie Rowe** p. 50 (rink) **Pearson Education/Gareth Boden** p. 91, 109 (Guillaume), 116 (Shazia), 170 (1) **Pearson Education Ltd/Jules Selmes** p. 6 (basketball), 7 (girl), 8, 9 (girls), 11, 12 (teenager), 36, 42, 43, 54, 57, 50 (store, library, hospital, park), 52, 71, 78 (Liane, Damien, Julie), 79, 82, 92, 93, 98 (girl), 109 (Mathilde), 114 (a, b, d, e, g), 116 (Lydie, Amelie), 117, 130 (boys), 136, 149, 151 (Amelie, Boris), 162, 166 (Vincent), 188 **Pearson Education/Studio 8. Clark Wiseman** p. 9 (boy), 151 (Hugo), 159 **PhotoDisc** p. 7 (Eiffel), 18 (swimming, fencing, scuba, karate, aerobics), 22, 50 (bowling), 76 (food), 102, 113, 124 (Eiffel), 139 (Notre Dame), 144, 151 (Arthur, Jerome), 157 (Damien), 166 (Jade), 192 (baker), 217, 225 **Photolibrary/Age Fotostock** p.128 (Poste) **Photolibrary/Brand X Pictures** p. 44 **Photolibrary/ Brigitte Merle** p. 58 (Cilaos) **Photolibrary/Food Pix** p. 160 **Photolibrary/Gerard Vandystadt** p. 58 (Chamonix) **Photolibrary/ Hemis** p. 128 (Belle-vue) **Photolibrary/Jean-Luc Armand/ Photononstop** p. 130 (cycling) **Photolibrary/Patrick Somelet/ Photononstop** p. 64 (caves) **Photolibrary/The Travel Library Ltd** p. 134 **Photos.com** p. 98 (boy), 109 (Clement), 114 (c, f, h), 116 (Yann, Ryan, Hakim) **Rex Features** p. 16, 32 (Kyo), 184 (Mamma Mia) **Rex Features/24/7 Media** p. 176 **Rex Features/Eye Ubiquitous** p. 128 (Maxime) **Shutterstock/Ant Clausen** p. 142 **Shutterstock/empipe** p. 183 **Shutterstock/Ferenc Cegledi** p. 7 (Arc) **Shutterstock/Mark Youill** p. 130 (kayak) **Superstock** p. 184 (castle) **The Art Archive** p. 32 (Marivaux) **WWF** p. 175 UK regd charity no 1081247 Panda symbol 1986 WWF © WWF

Every effort has been made to contact copyright holders of material reproduced in this book. Any omissions will be rectified in subsequent printings if notice is given to the publishers.

Websites

The websites used in this book were correct and up to date at the time of publication. It is essential for tutors to preview each website before using it in class so as to ensure that the URL is still accurate, relevant and appropriate. We suggest that tutors bookmark useful websites and consider enabling students to access them through the school/college intranet.

Disclaimer

This Edexcel publication offers high-quality support for the delivery of Edexcel qualifications.

Edexcel endorsement does not mean that this material is essential to achieve any Edexcel qualification, nor does it mean that this is the only suitable material available to support any Edexcel qualification. No endorsed material will be used verbatim in setting any Edexcel examination and any resource lists produced by Edexcel shall include this and other appropriate texts.

Copies of official specifications for all Edexcel qualifications may be found on the Edexcel website: www.edexcel.com

Table des matières

Module 1 Moi

Déjà vu 1 *Moi ... et quelques autres* Talking about yourself and other people Revising key present tense verb forms 8

Déjà vu 2 *Les choses que j'aime faire* Saying what you like and don't like doing *aimer* + infinitive 10

Unité 1 *Moi, moi et encore moi!* More about yourself Reflexive verbs 12

Unité 2 *Mes parents* Talking about your parents and what they do Using masculine and feminine nouns 14

Unité 3 *Mes copains et mes copines* Talking about your friends Adjective agreement 16

Unité 4 *Centre de loisirs* Saying what you have done The perfect tense 18

Unité 5 *Les champions sportifs* Describing famous sportspeople Using the infinitive to express *–ing* 20

Unité 6 *Ma passion* Talking about your main hobby The near future tense 22

Contrôle oral Sport and leisure activities 24
Contrôle écrit Your interests 26
Mots 28

Module 2 Mon temps libre

Déjà vu *Qu'est-ce qu'on fait?* Discussing TV and cinema Using articles and object pronouns 30

Unité 1 *Ça te dit?* Arranging to go out Using pronouns after prepositions 32

Unité 2 *Désolé, je ne peux pas* Explaining why you can't do something Using modal verbs 34

Unité 3 *Ce n'était pas mal* Describing what you did Using the perfect and imperfect tenses 36

Unité 4 *Il s'agit de quoi?* Describing what you saw or read Expressing complex ideas in a simple way 38

Unité 5 *Toujours le sport!* Describing a sporting event The perfect tense with *être* 40

Unité 6 *La technologie est partout!* Talking about new technology Using *pour* + infinitive 42

Contrôle oral Going to the cinema 44
Contrôle écrit Writing a film review 46
Mots 48

Module 3 Là où j'habite

Déjà vu *C'est où?* Finding the way Using the preposition *à* 50

Unité 1 *Tout près d'ici* Describing the location of a place Using prepositions and imperatives 52

Unité 2 *J'habite en ville* Talking about the advantages and disadvantages of where you live *beau, nouveau* and *vieux* 54

Unité 3 *Aujourd'hui et autrefois* Comparing where you used to live and where you live now Using the imperfect tense 56

Unité 4 *Des villes jumelées* Talking about life in a French-speaking country Using superlatives 58

Unité 5 *Ma ville* Talking about a town *on peut/on pourrait* + infinitive 60

Contrôle oral Your local area 62
Contrôle écrit A webpage to advertise your area 64
Mots 66

Module 4　Allons-y!

Déjà vu	*On fait les magasins!*	Shopping for food and clothes Using the partitive article	68
Unité 1	*On ira au festival de rock!*	Making plans Using the future tense	70
Unité 2	*Bon voyage!*	Making travel arrangements More on *être* with the perfect tense	72
Unité 3	*Ça me va?*	Talking about buying clothes Using *ce, lequel, celui*, etc.	74
Unité 4	*C'est la fête!*	Describing special occasions Imperfect tense of *avoir* and *être*	76
Unité 5	*À la mode*	Talking about fashion Using the present, perfect and imperfect	78
Contrôle oral		**Shopping for clothes**	80
Contrôle écrit		**Win a fashion makeover!**	82
Mots			84

Module 5　Le collège

Déjà vu 1	*L'emploi du temps*	Expressions of time Referring to the past, the present and the future	86
Déjà vu 2	*L'uniforme scolaire*	Talking about what you wear for school Adjectives of colour	88
Unité 1	*La formation*	Talking about schools Irregular forms of the third person plural	90
Unité 2	*Ma journée – aujourd'hui et hier*	Your school day Reflexive verbs in the present and perfect	92
Unité 3	*Vive la différence!*	Comparing schools in England and France Negative expressions	94
Unité 4	*Respectez les consignes!*	School rules and pressures Using *il faut* and *il est interdit de* + infinitive	96
Unité 5	*Que feras-tu?*	Talking about your plans Using the future tense	98
Contrôle oral		**Visiting a school in France**	100
Contrôle écrit		**An article about your school**	102
Mots			104

Module 6　Il faut bosser!

Déjà vu	*L'argent, l'argent*	Discussing jobs and money Indirect object pronouns	106
Unité 1	*Avez-vous un job?*	Talking about part-time jobs Looking for detailed meaning in a text	108
Unité 2	*Au boulot!*	Discussing different jobs Forming questions	110
Unité 3	*C'est de la part de qui?*	Applying for jobs Using formal language	112
Unité 4	*Ce n'est pas juste!*	Discussing problems at work Using *qui* and *que*	114
Unité 5	*Les stages – pour ou contre?*	Talking about work experience Contrasting the perfect and imperfect tenses	116
Contrôle oral		**An interview for a job in France**	118
Contrôle écrit		**Writing about your work experience**	120
Mots			122

Module 7 Tourisme

Déjà vu 1	*Destinations touristiques*	Talking about holiday venues Using the verb *aller*	124
Déjà vu 2	*La météo*	Talking about the weather Past, present and future tenses	126
Unité 1	*Choisir un hôtel en France*	Hotels and travelling Using comparatives and superlatives	128
Unité 2	*Mes projets pour les vacances*	Making holiday plans The future and conditional	130
Unité 3	*Camping la Forêt*	Talking about a holiday Using the *nous* form in different tenses	132
Unité 4	*Visitez la Côte d'Amour, Bretagne*	Describing a destination Using the perfect infinitive	134
Unité 5	*La nourriture*	Eating out Using the conditional	136
Unité 6	*Plage, mer et soleil*	More about holidays Using the present, imperfect and conditional	138
Unité 7	*L'année dernière*	Talking about past holidays Using the perfect and pluperfect tenses	140
Contrôle oral		**Talking about a holiday**	142
Contrôle écrit		**Writing about a past holiday**	144
Mots			146

Module 8 Mode de vie

Déjà vu 1	*Ce qu'on mange et ce qu'on boit*	Talking about food and drink *en* (of it/of them)	148
Déjà vu 2	*Mon corps et moi*	Parts of the body and saying where it hurts Expressions with *avoir*	150
Unité 1	*Ça ne va pas*	Talking about what is wrong with you Impersonal verbs	152
Unité 2	*Garder la forme*	Talking about a healthy lifestyle Adverbs	154
Unité 3	*La dépendance*	Discussing addiction and other problems Giving your opinion	156
Unité 4	*Veux-tu te marier?*	Talking about family relationships More practice giving opinions	158
Contrôle oral		**Young people's lifestyles**	160
Contrôle écrit		**Healthy living**	162
Mots			164

Module 9 Le monde en danger

Unité 1	*On devrait faire ça!*	Discussing world issues The conditional of modal verbs	166
Unité 2	*Les problèmes locaux*	Talking about problems in your area Using more negatives	168
Unité 3	*L'environnement va mal!*	Discussing the environment The present and future tenses	170
Unité 4	*Avant et après*	Talking about environmental projects Using direct object pronouns in the perfect tense	172
Unité 5	*À la une*	Understanding news stories The passive	174
Contrôle oral		**Environmental problems**	176
Contrôle écrit		**A letter to a newspaper about the environment**	178
Mots			180

À toi	182
Grammaire	200
Vocabulaire français – anglais	232

What is *Edexcel GCSE French*?

Edexcel GCSE French is a lively and accessible course written to prepare you for the new Edexcel GCSE French specification. It will help you to enjoy learning French and develop your language-learning skills. The course provides full coverage of the controlled assessment themes and four common topic areas:

Controlled assessment themes	Common topic areas
Media and culture	Out and about
Sport and leisure	Customer service and transactions
Travel and tourism	Personal information
Business, work and employment	Future plans, education and work

How does *Edexcel GCSE French* work?

The course consists of nine modules, each of which focuses on one or two aspects of the themes and common topic areas in the table above.

Each module is structured as a number of two-page units to break down the information into manageable and accessible sections.

Some of the language you need for GCSE will already be familiar to you. *Edexcel GCSE French* revises the relevant language you covered in earlier years, as well as introducing the new vocabulary you need for your GCSE course.

Most units contain activities to practise all four skills:

- **listening** – to practise understanding spoken French in a variety of different contexts
- **speaking** – to practise communicating with French speakers, both at home and abroad
- **reading** – to practise understanding a wide range of texts in French, such as magazine articles and information found on the Internet
- **writing** – to practise producing your own texts in clear and accurate French.

How does *Edexcel GCSE French* help me with my GCSE exams?

Edexcel GCSE French Higher Student Book is written to help you to develop all the skills you need for your GCSE course. Throughout the book you will find lots of tips and advice on how to improve your French. Your **reading and listening skills** will be tested in an exam at the end of the course. The texts you will read and the passages you will listen to in the book are similar in style and length to the ones you will encounter in your exams. There are many exam-style activities and questions, so that you know exactly what to expect. There are also five units that deal specifically with reading and listening skills. These are called *Lire et écouter*.

How does the Student Book help me with my controlled assessments?

In addition to exams in reading and listening, your **speaking and writing skills** will be assessed in **controlled assessments** that can take place throughout your GCSE course. At the end of every module in the Student Book, there are extra units which give you practice in the types of tasks you will need to do, both speaking and writing:

- *Contrôle oral* units provide practice in the three types of task that you may encounter in your speaking assessment: interactions, presentations and picture-based discussions. You can listen to recordings of students your own age performing these tasks, analyse their performance and discover the strategies you can use to excel.

- *Contrôle écrit* units provide practice in composing pieces of writing you can present for your writing assessment. A model text shows you what aspects of language to include in your writing to produce your best written French.

Both the *Contrôle oral* and *Contrôle écrit* units contain a colour-coded **ResultsPlus** panel. This gives you advice as to what to include to produce a good answer (purple), to go a step further (blue) and to produce a really impressive answer (orange). And every spread contains a *Brille à l'oral* or *Brille à l'écrit* feature, a 'star tip' that will make you stand out from the crowd!

What about practice and revision?

- The *Mots* section at the end of each module summarises all the key language of the module to help you learn and revise vocabulary topic by topic.

- The *Grammaire* section at the end of the book covers exactly what you need to know about all the important grammar points covered in the book. It also includes lots of practice activities to test your knowledge.

- The *Vocabulaire* section at the end of the book provides a list of the French vocabulary in the texts in the book.

examzone

Visit the Exam Zone on the ActiveTeach CD-Rom for:
- interactive grammar practice
- recordings of the word lists
- top revision tips
- exam preparation guidance.

Moi ... et quelques autres
Talking about yourself and other people
Revising key present tense verb forms

Déjà vu 1

lire **1** Écoutez et lisez les textes. Répondez aux questions.

Je m'appelle Laurent. J'ai quinze ans et j'ai une sœur jumelle, Amélie. J'habite à Bruxelles en Belgique, et je parle français. J'aime les chiens, mais nous n'avons pas d'animal parce que ma sœur ne les aime pas. Physiquement, je suis assez grand, mince, brun et beau! Ma passion, c'est le cinéma, mais j'adore aussi les BD.

Je me présente. Je m'appelle Pascal, j'ai quatorze ans et mon anniversaire est le 15 août. Je suis français et j'habite en France, à Lyon. Mes deux sœurs s'appellent Lydie et Sophie et nous avons un chat, qui s'appelle Ludo. J'ai aussi un demi-frère, qui s'appelle Antoine, mais il a dix-neuf ans et habite à Paris chez son père. Je suis assez grand aux cheveux bruns et aux yeux bleus. Je suis sportif: je fais du basket et du VTT.

Mon nom est Karima. J'habite à Marseille dans le sud de la France et je suis grande et brune. Mon anniversaire est le 10 novembre et j'ai seize ans. Mon frère a dix ans et s'appelle Hakim. J'ai aussi un demi-frère, Kévin, qui a seize ans, mais il habite chez sa mère à Paris. Nous avons également un chien et un oiseau.

Qui ...

1 ... a quatorze ans?
2 ... a dix-neuf ans?
3 ... habite en France?
4 ... n'habite pas en France?
5 ... a un chat?

6 ... a un chien?
7 ... est français(e)?
8 ... n'est pas français(e)?
9 ... habite à Paris?
10 ... est grand(e)?

Déjà vu 1

écouter **2** Comment s'appellent-ils? (10)

⭐ L'alphabet

							Accents	
A	AH	H	ASH	O	OH	V	VAY	é accent aigu
B	BAY	I	EE	P	PAY	W	DOOBL-VAY	è accent grave
C	SAY	J	DJEE	Q	COO	X	EEX	ê circonflexe
D	DAY	K	KAH	R	ERR	Y	EE-GREK	ç cédille
E	EUH	L	ELL	S	ESS	Z	ZED	– trait d'union
F	EFF	M	EM	T	TAY			
G	DJAY	N	EN	U	OO			

parler **3** À deux. Épelez les noms des personnes et des villes.

■ Bonjour. Comment tu t'appelles?
● Je m'appelle Kévin.
■ Kévin. Comment ça s'écrit?
● Ça s'écrit ... Et j'habite à Nancy. Ça s'écrit ...

Kévin – Nancy
Florence – Genève
Yannick – Marseille
Camilla – Lyon

Thomas – Briançon
Julie – Paris
Valentin – Boulogne
Aimé – Valencienne

4 Copiez et remplissez la carte d'identité de chaque personne. (1–3)

> Prénom _____
> Âge _____
> Date d'anniversaire _____
> Nationalité _____
> Domicile _____
> Famille _____
> Animaux _____

 5 Imaginez que vous êtes François ou Françoise. Écrivez un paragraphe sur vous.

> Nom ___ *Bouchard*
> Prénom ___ *François/Françoise*
> Âge ___ *15 ans*
> Date d'anniversaire ___ *19/6*
> Nationalité ___ *suisse*
> Domicile ___ *Lausanne*
> Famille *Luc (10 ans), Nathan (18 ans)*
> Animaux ___ *chien, chat*
> Autres informations *petit(e), blond(e), sportif/ve*

⭐ Remember to use connectives such as **et** (and), **mais** (but) and **qui** (who) to make your writing more interesting.

Expo-langue →→→→
Grammaire **200**

In the present tense, the **je** form of regular **–er** verbs ends in **–e**. Most French verbs are **–er** verbs.

For most other regular verbs, the **je** form ends in **–s**. The most important irregular verbs are:
avoir (to have) – **j'ai**
être (to be) – **je suis**

	aimer *to like*	être *to be*	avoir *to have*	faire *to do*
je/j'	aime	suis	ai	fais
tu	aimes	es	as	fais
il/elle/on	aime	est	a	fait
nous	aimons	sommes	avons	faisons
vous	aimez	êtes	avez	faites
ils/elles	aiment	sont	ont	font

 6 Parlez de vous.

● Note down a few keys words to remind you of what to say: *nom, âge, anniversaire, domicile, nationalité, famille, animal, sport, aime, n'aime pas*

Bonjour, je me présente:
Je m'appelle ... J'ai ... ans et mon anniversaire est le ...
Je suis (assez) (grand(e)/petit(e)/ de taille moyenne) et j'ai les yeux ... et les cheveux ... J'ai un frère qui ...

Expo-langue →→→→
Grammaire **206**

The word for 'my' has to agree with the noun.
mon frère   **ma** sœur   **mes** frères   **mes** sœurs

Expo-langue →→→→
Grammaire **206**

Nationalities are adjectives and need to agree. For the feminine form, add **–e**.
français → français**e**
anglais → anglais**e**

Adjectives which already end in **–e** stay the same:
suisse → suisse

 7 Présentez-vous. Écrivez un paragraphe sur vous-même.

1 Écoutez et lisez le texte.
Répondez aux questions.

Déjà vu 2

J'aime le sport. Mon sport préféré, c'est le basket. Je m'entraîne trois fois par semaine dans un club, et on joue contre un autre club de la région le week-end. J'aime également faire du vélo et du judo, mais je déteste le jogging et la natation. Le soir, je fais mes devoirs en écoutant de la musique. J'ai un ordinateur et des jeux, mais c'est mon petit frère qui y joue toujours. Moi, je trouve ça ennuyeux. Mon frère aime aussi regarder des séries à la télé, mais elles sont vraiment nulles. Je préfère sortir avec mes copains, mais je sors rarement parce que mes parents travaillent souvent le soir et je dois m'occuper de mon petit frère. J'aime envoyer des textos à mes copains et lire des BD.

Louis

s'entraîner – to train/practise
contre – against
en écoutant – while listening
s'occuper de – to look after

1 Quel est le sport préféré de Louis?
2 Quels sont les autres sports qu'il aime pratiquer?
3 Quels sont les sports qu'il n'aime pas pratiquer?
4 Qu'est-ce qu'il aime faire d'autre dans son temps libre? (3 choses)
5 Pourquoi est-ce qu'il ne joue pas sur son ordinateur?

Expo-langue →→→ *Grammaire* 205

Quel? (which?) is an adjective: it changes form depending on the noun it is with.

singular	
masculine	feminine
Quel jour?	**Quelle** fille?
plural	
masculine	feminine
Quels sports?	**Quelles** séries?

Expo-langue →→→→ *Grammaire* 222

Use **aimer** + the infinitive to say you like doing something:
j'aime faire du sport/vélo/ski/camping/kayak/canoë
de l'équitation/escalade
de la natation/plongée/randonnée/pêche

Use **jouer à** to say you play *a sport* or *a game*:
je **joue au** football/basket/tennis/volley/handball
à l'ordinateur
aux cartes/échecs

Use **jouer de** to say you play *an instrument*:
je **joue du** piano/violon
de la guitare/batterie

2 Écoutez et notez en français. (1–4)
a Qu'est-ce qu'ils aiment faire?
b Qu'est-ce qu'ils n'aiment pas faire?
c Pourquoi n'aiment-ils pas le faire?

Déjà vu 2

lire 3 Lisez le texte et complétez les phrases.

Moi, ben, je n'aime pas trop le foot. Je n'aime pas les jeux d'équipe. La natation? ... Bof, ça dépend, mais normalement, ça va. Le VTT? ... Tu te moques de moi? Je déteste le VTT! C'est vraiment nul. L'ordinateur ... ben ... oui, je joue aux Sims assez souvent, peut-être deux ou trois fois par semaine. J'aime bien. La télé? Qu'est-ce qu'on s'ennuie! Je préfère écouter de la musique, j'adore chanter en même temps. Et lire aussi, j'aime bien, ... mais ma passion, c'est le surf. J'en fais presque tous les jours quand je suis au bord de la mer en été.

Charlotte

Expressions of time and frequency:
une fois – once
deux fois – twice
souvent – often
d'habitude – usually
en été – in summer
en hiver – in winter

jeux d'équipe – team games
se moquer de – to make fun of
Qu'est-ce qu'on s'ennuie! – How boring!

1 Elle n'aime pas _____.
2 Elle _____ le VTT.
3 Elle _____ à l'ordinateur.
4 Elle y joue _____.

5 Elle _____ la télé.
6 Elle préfère _____.
7 Sa passion, c'est _____.
8 Elle en fait _____ en été.

écouter 4 Qui fait quoi et quel jour? Prenez des notes en français. (1–3)

	lundi	mardi	mercredi	jeudi	vendredi	samedi	dimanche
1							

écrire 5 Imaginez que vous êtes Isabelle. Complétez le texte pour elle.

Je m'appelle Isabelle. Mon passe-temps préféré, c'est ... J'en fais ...
J'aime aussi/Je n'aime pas ... parce que ... D'habitude, je fais/joue ...

parler 6 À deux. Quelle est votre activité préférée?
Posez-vous des questions et répondez-y.

■ Qu'est-ce que tu aimes faire?
■ Quand est-ce que tu en fais?
■ Aimes-tu faire ... ?
■ Aimes-tu jouer ... ?
■ Qu'est-ce que tu n'aimes pas faire?
■ Pourquoi?

● Ma passion, c'est ...
● J'en fais ...
● ...
● ...
● ...
● Parce que ...

Expo-langue →→→→

Grammaire **216**

Negative constructions such as **ne ... pas** and **ne ... jamais** go round the verb.
Je **ne** sais **pas**. = I don't know.
After a negative, **du/de la/des** change to **de** (**de l'** changes to **d'**).
Je ne fais jamais **de** canoë. = I never go canoeing.

écrire 7 Décrivez: (a) ce que vous aimez faire et (b) quand vous en faites;
(c) ce que vous n'aimez pas faire et (d) pourquoi vous n'aimez pas en faire.

1 Écoutez et lisez le texte. Écrivez V (Vrai), F (Faux) ou PM (Pas Mentionné) à côté de chaque phrase.

Je me présente. Je m'appelle Camille et j'ai seize ans. Mon anniversaire est le 28 novembre. Je suis de taille moyenne (je mesure 1,66 mètre), j'ai les cheveux bruns et les yeux verts. Je suis française. J'habite en France dans un petit village de montagne en Haute-Savoie, d'où on peut voir le Mont-Blanc toujours couvert de neige.

J'ai une sœur cadette qui a neuf ans et qui s'appelle Louise. Normalement, on s'entend bien, mais de temps en temps elle m'énerve, surtout quand elle ne veut pas aider à la maison et que c'est moi qui dois ranger sa chambre. Elle vient dans ma chambre quand je fais mes devoirs, elle m'embête et puis on se dispute. Quand mes parents sortent le soir, je dois m'occuper d'elle. J'ai aussi un grand demi-frère qui habite chez sa mère. Quand il nous rend visite, il se moque toujours de moi, mais si on va à la piscine ou au cinéma ensemble on s'amuse bien.

Je ne sais pas ce que je veux faire dans la vie. J'aime dessiner et travailler à l'ordinateur. Je suis assez timide et plutôt sérieuse, mais je suis aussi travailleuse. Si je n'ai rien à faire, je m'ennuie. Ma sœur est complètement différente, elle est bavarde et rigolote. Elle ne s'ennuie jamais et elle est gâtée par tout le monde! Nous n'avons pas d'animal. J'en voudrais un, mais je suis allergique aux poils de chat.

> embêter – to bother/disturb
> énerver – to annoy/get on one's nerves
> rigolo(te) – funny
> gâté(e) - spoilt
> j'**en** voudrais un – I would like one (**of them**)
> les poils – the hair (of an animal)

1 Camille est une fille de 15 ans.
2 Elle pèse 66 kg.
3 Ses cheveux sont bruns et ses yeux sont bleus.
4 Elle habite au bord de la mer.
5 Elle aime faire du ski.
6 Elle a une petite sœur.
7 D'habitude, elles ne s'entendent pas bien.
8 Sa sœur l'aide à faire ses devoirs.
9 Camille est extravertie et sa sœur est timide.
10 Sa sœur aime faire de la danse.

> un **grand** frère – a big brother
> une **petite** sœur – a little sister
> You can also say:
> un frère **cadet**/une sœur **cadette**
> – a younger brother/sister
> un frère **aîné**/une sœur **aînée**
> – an older brother/sister

2 Relisez le texte de Camille et trouvez les mots.

1 s'... – to have fun
2 se ... – to quarrel
3 s'... – to get bored
4 s'... – to get on
5 se ... de – to laugh at/make fun of
6 s'... de – to look after (someone or something)

● Learn the ones that you think might be useful when talking about yourself, your family and your friends!

Expo-langue →→→→

se disputer (to quarrel) is a *reflexive verb*. Other reflexives you have already seen include **se présenter** (to introduce yourself), **se laver** (to get washed) and **s'appeler** (to be called).

je **me** dispute	nous **nous** disputons
tu **te** disputes	vous **vous** disputez
il/elle/on **se** dispute	ils/elles **se** disputent

écouter **3** Écoutez. Copiez et complétez la grille. (1–4)

	s'amuse avec	se dispute avec	s'entend bien avec	autres informations
Pascal				
Lydie				
Vincent				
Delphine				

lire **4** Qui écrit? Pascal, Lydie, Vincent ou Delphine?

1
Mon frère aîné me prête ses DVD et on s'entend bien. Je m'entends moins bien avec ma sœur cadette. En réalité, on se dispute toujours. Elle se moque de moi parce que j'ai des boutons. Le soir, je préfère aller chez mon copain. On s'amuse bien ensemble.

2
C'est toujours moi qui dois faire la vaisselle et mettre la table, et ma mère et moi, nous nous disputons toujours car à mon avis, mon demi-frère ne fait rien.

3
J'en ai marre de me disputer avec mes parents. Le soir, tous mes copains peuvent sortir s'amuser. Et moi? Je dois rester à la maison. Je voudrais aussi m'amuser avec mes copains.

4
C'est ma petite sœur qui m'énerve. Je dois m'occuper d'elle quand mes parents sortent et on se dispute tout le temps. Elle ne veut pas aller au lit. En revanche, je m'entends très bien avec mon père et mon grand-père parce qu'ils sont sportifs.

j'en ai marre – I am fed up
j'en ai marre de mes boutons – I am fed up with my spots

écrire **5** Faites un résumé. Utilisez vos réponses à l'exercice 3 et les textes ci-dessus.

Pascal s'entend bien avec …

	singular		plural
	masculine	feminine	
his/her	son	sa	ses

parler **6** Vidéoconférence avec le lycée de Camille. Elle vous invite à parler de vous. Préparez un dialogue.

Before you start, make some notes as an *aide-mémoire* (single words or pictures to remind you of what you are going to say), e.g. *nom, âge, famille, passe-temps*, etc. Try to use these notes rather than prepared answers as much as possible.

When you are thinking about what to say, use the following expressions to buy yourself time:
euh … – er …
ben … – well …
et alors … – and so …
et puis … – and then/next …
ouais/oui – yeah/yes
sais pas/je ne sais pas – I don't know

lire **7** Reliez l'anglais et le français.

1 Could you say it again, please?
2 Could you spell it, please?
3 How do you say … in French?
4 Could you speak more slowly, please?
5 Could you speak more loudly, please?
6 I didn't understand what you said.

a Pourriez-vous l'épeler, s'il vous plaît?
b Comment est-ce qu'on dit en français … ?
c Pourriez-vous parler plus fort, s'il vous plaît?
d Je n'ai pas compris ce que vous avez dit.
e Pourriez-vous répéter, s'il vous plaît?
f Pourriez-vous parler plus lentement, s'il vous plaît?

écouter **8** Écoutez et notez. C'est quelle phrase? (1–6)

1 Lisez. Que font-ils dans la vie? Où travaillent-ils?
Trouvez les images et les mots qui correspondent.

1

Mon père travaille sur un chantier. Il construit des maisons. Ma mère travaille dans un bureau. Elle passe la journée à taper des e-mails sur un ordinateur. Mon oncle fait des portes et des fenêtres. Il travaille dans son atelier.

Aline

2
Mon père prépare des repas. Il travaille dans un grand restaurant. Ma mère travaille dans un salon de coiffure. Elle coupe les cheveux des clients. Ma tante fait des massages pour les gens qui ont mal au dos. Elle travaille dans une clinique.

Benoît

3
Ma mère travaille dans un restaurant. Elle apporte des repas aux clients. Mon père travaille dans une usine. Il fabrique des moteurs. Ma grand-mère travaille dans un bureau. Elle fait les comptes.

Coralie

a coiffeur/euse

b sapeur-pompier

c cuisinier/ère

d ingénieur

e kinésithérapeute

f maçon

g menuisier

h secrétaire

i serveur/euse

j comptable

	1	2	3
père	f – maçon, chantier		
mère			

When dealing with words you don't know, look for clues:
- Does the word/part of the word resemble an English word? (**serve**ur/se, kinési**thérap**eute)
- Does the word/part of the word look like any French word you know? (**cuisin**ier)
- Try saying it aloud. Does it sound like a word you know? (**maçon**, **ingénieur**)

2 Complétez les deux phrases pour chaque personne.

(Le père) de/d' … est …
(Il) travaille …

Expo-langue →→→→

In French, some jobs have masculine and feminine forms.

masculine	feminine
étudiant	étudiante
vendeur	vendeuse

The word for 'a' before a job is omitted in French.
Mon père est ingénieur. = My father is an engineer.

3 **Que font-ils et où travaillent-ils? Choisissez la bonne image et la bonne phrase. (1–4)**

Exemple: 1 c, dans un bureau …

a **mécanicien(ne)**

b **plombier**

c **informaticien(ne)**

d **nourrice**

e **instituteur/trice**

f **vendeur/euse**

g **infirmier/ère**

h **cuisinier/ère**

Il/Elle travaille:

dans un hôpital
dans une grande surface
sur un chantier

dans un garage
dans une cantine
dans un bureau

dans une garderie
dans une école primaire

4 **Qui parle?**

Je viens d'une grande famille. Mon père est italien. Il est né en Italie. Il a rencontré ma mère, qui est française, à l'école. Mon père est petit, actif et sportif. Ma mère est grande et jolie. Physiquement, je ressemble plutôt à ma mère qu'à mon père, mais je m'entends bien avec les deux.
Bruno

J'habite chez ma mère et son ami, Louis. Mes parents sont séparés et mon père habite aux États-Unis. J'ai deux frères. Louis fait du sport avec mes frères, mais je ne m'entends pas bien avec lui. Il est trop strict pour moi. Je préfère la musique, comme mon père.
Sophie

J'habite chez ma mère. Mon père travaille en Espagne et s'est remarié avec une femme espagnole qui s'appelle Carmen. J'ai deux petites demi-sœurs jumelles en Espagne. Mon père a le sens de l'humour, comme moi, et je m'entends bien avec lui quand on se voit. Pourtant, je ne lui ressemble pas physiquement. Je suis plutôt grand et brun, comme mon grand-père maternel.
Yannick

Ma mère est morte dans un accident il y a deux ans. D'habitude, mon père s'occupe de nous, mon frère et moi, mais sa belle-sœur (la sœur de ma mère) s'occupe souvent de nous quand il est absent pour le travail. Elle est célibataire, ça signifie qu'elle n'est pas mariée et n'a pas d'enfants, et s'impatiente facilement avec nous. Mon père est plus calme et organisé.
Aminta

ressembler à – to resemble/take after (someone)
plutôt – rather/instead
pourtant – however/yet
ça signifie – that means

1 Mes parents sont séparés.
2 Je ne m'entends pas bien avec l'ami de ma mère.
3 Mon père s'est remarié.
4 Mes parents sont divorcés.
5 Je m'entends bien avec ma mère.
6 Quand mon père n'est pas là, on va chez ma tante.

5 **À deux. Vos parents. Posez et répondez aux questions. Préparez vos réponses.**

- Comment s'appellent tes parents?
- Quel âge ont-ils?
- Quelle est leur nationalité?
- Ils sont comment?
- Que font-ils dans la vie?
- T'entends-tu bien avec eux?
- Auquel des deux ressembles-tu le plus?
- Pourquoi?

 6 **Écrivez un court texte sur vos parents.**

Il/Elle est au chômage. – He/She is out of work.
Il/Elle travaille à son compte. – He/She is self-employed.
Elle ne travaille pas parce que … – She's not working because …
elle attend un bébé – she's expecting a baby
elle vient d'avoir un bébé – she's just had a baby

1 Écoutez et attribuez les mots à la bonne personne. (13)

 de taille moyenne

 grand(e)

 petit(e)

 actif/ve

 bavard(e)

 gentil(le)

 intelligent(e)

 organisé(e)

 paresseux/euse

 rigolo(te)

 sportif/ve

 timide

travailleur/euse

Mélinda	Guillaume	Valentine

 2 Reliez le français et l'anglais.

branché(e)

bruyant(e) généreux/euse

décontracté(e) insupportable

drôle nerveux/euse

sympa

nervous

dreadful/unbearable relaxed/laid-back

trendy/switched on noisy

nice generous

funny

Expo-langue →→→→

Grammaire **206**

Adjectives agree with the person or thing they describe.

To make the feminine form:

- most adjectives add **–e**
  grand – grand**e** petit – petit**e**

- adjectives which already end in **–e** stay the same
  égoïste – égoïste timide – timide

- some change ending
  sporti**f** – sporti**ve**
  paress**eux** – paress**euse**
  And there are a few unusual ones:
  rigolo – rigolo**te** blanc – blan**che**

3 À deux. Choisissez trois personnes et posez la question.

■ Qu'est-ce que vous pensez de (Brad Pitt)?
● Je trouve qu'il est très beau, mais un peu égoïste.

Je trouve qu'il est … – I find him …
Je suis d'accord. – I agree.
Je ne suis pas d'accord. – I don't agree.
selon moi – in my opinion
à mon avis – in my opinion
Je ne le/la connais pas. – I don't know him/her.

4 **Lisez les textes rapidement et trouvez l'essentiel.**

Qui ...

1 ... est plus petit(e) que Maryse?
2 ... n'aime pas le foot?
3 ... est timide?
4 ... aime faire du ski?
5 ... n'est pas très modeste?
6 ... aime chanter?
7 ... aime draguer les filles?
8 ... est paresseux/euse?

1 Mon copain **Arthur** est brun et assez grand. Il a les yeux noisette et les cheveux mi-longs. D'habitude, il porte un jean bleu et un polo noir. Il est gentil et tolérant, mais il n'aime pas tellement le foot. Il préfère faire de l'escalade et du ski. Au collège, il a horreur des cours de musique, mais il est très gentil et il aime les animaux. Son chien, qui s'appelle Bruno, est grand et noir.

3 **Sarah** est petite, elle a les yeux verts et les cheveux roux. Elle est vraiment très sympa. Elle adore les animaux: elle a un chat et des poissons tropicaux. Elle n'est pas la plus intelligente de la classe et elle est même un peu timide, sauf quand elle est avec ses amies. Là, elle sort de sa coquille et devient vraiment rigolote. Elle aime danser, mais elle aime aussi les sports d'aventure et elle fait du bateau à voile. On la voit toujours le portable à la main en train d'envoyer des textos ... mais à qui? Mystère!

2 Le grand blond aux yeux bleus s'appelle **Frédéric**. On dit de lui qu'il est beau. Il joue au basket et il fait du karaté. Ce n'est pas un intello, mais les filles le trouvent séduisant. Il peut être marrant, mais moi, je le trouve arrogant et très égoïste. Il aime être le centre d'attraction et d'après lui, il passerait ses soirées à draguer les filles. Moi, je n'y crois pas.

4 Ma copine **Maryse** est plus grande que Sarah. Elle a les yeux bleus et les cheveux blonds. Elle est très jolie. Elle est pleine de vie, mais elle est aussi assez égoïste. Elle aime bien chanter. Disons qu'elle est plutôt extravertie et qu'elle adore flirter. Elle dit qu'elle aime les animaux, mais qu'elle ne peut pas en avoir parce qu'elle y est allergique. Je crois que c'est une excuse pour ne pas avoir à s'occuper d'un animal: en fait, elle est très paresseuse.

5 **À deux. Décrivez les copains.**

(Yannick) est (grand) et (mince).
Ses cheveux sont (bruns) et ses yeux sont ...
(Il) est (intelligent) et (branché), mais (il) est aussi (un peu) égoïste.
(Il) est bon élève.
(Il) aime jouer (au basket), mais (il) n'aime pas faire de ...

| *bon élève* | *trop de bavardage* | *acceptable* | *insuffisant* |
| **Yannick** | **Isabelle** | **Louis** | **Camille** |

 6 **Faites la description d'un petit copain/une petite copine idéal(e).**

Mon petit copain/Ma petite copine idéal(e) est (grand(e)). Il/Elle doit être plus (grand(e)) que moi. Ses cheveux sont ... et ses yeux sont ...
Il/Elle est (intelligent(e)) ...
Il/Elle aime ... , mais n'aime pas ...

lire 1 C'est quelle activité? Complétez les phrases.

J'ai fait ...   1 de la ...   2 de la ...   3 de l' ...   4 de la ...

5 du ...   6 du ...   7 du ...   8 de l' ...

Centre de loisirs

Piscine ouverte tous les jours sauf samedi et dimanche
de 07h00 à 21h00

17h00–18h00	natation (moins de 12 ans)
18h00–19h00	natation
19h00–20h00	plongée
20h00–21h00	natation (adultes)

Gymnase

lundi
17h00–18h00	karaté
18h00–19h00	danse

mardi
17h00–18h00	aérobic
18h00–19h00	taï chi

mercredi
9h00–12h00	danse
14h00–15h30	GRS
15h30–17h00	escrime

jeudi
17h00–19h00	musculation
19h00–20h00	danse

vendredi
17h00–18h00	judo
18h00–20h00	danse

Terrain de sport
mercredi
14h00–15h30	basket
15h30–18h00	football

Salle polyvalente
mercredi
9h00–10h30	théâtre
10h30–12h00	musique
15h00–17h00	orchestre

jeudi
18h00–19h30	théâtre

écouter 2 Écoutez. Relisez le dépliant dans l'exercice 1 et notez les détails. (1–4)

	Où?	Quel jour?	À quelle heure?	Quel cours?
1				

Expo-langue →→→→

To talk about the past, you use the perfect tense (*passé composé*). This has two parts:
(**1**) an auxiliary – the relevant part of the verb **avoir** or **être** (most verbs use **avoir**, but a few important verbs take **être**); (**2**) a past participle (see *Grammaire* section for details).

When **avoir** is used, the past participle doesn't change.

j'**ai** fait   nous **avons** fait
tu **as** fait   vous **avez** fait
il/elle/on **a** fait   ils/elles **ont** fait

When **être** is used, the past participle agrees with the subject of the verb.

je **suis** allé(**e**)   nous **sommes** allé(**e**)**s**
tu **es** allé(**e**)   vous **êtes** allé(**e**)(**s**)
il/elle **est** allé(**e**)   ils/elles **sont** allé(**e**)**s**
on **est** allé(**e**)(**s**)

Grammaire **208**   Grammaire **210**

parler **3** **Qu'est-ce qu'ils ont fait? Quel jour et à quelle heure?**

Valérie	lun piscine 18h00	mar gym 18h00	mer terrain de sport 14h00
Nous	mar gym 18h00	mer terrain de sport 15h30–18h00	ven pisc 19h00
Benoît et Jérôme	lun gym 17h00	mer terrain de sport 14h00	ven gym 18h00
Vous	mar pisc 19h00	mer salle polyvalente 9h00–10h30	jeu gym 17h00

lire **4** **Copiez le texte et remplissez les blancs avec les mots à droite.**

Mercredi dernier, je suis (**1**) _____ au centre de loisirs avec mon frère. J'ai (**2**) _____ une heure et demie de théâtre. Puis j'ai (**3**) _____ avec mes copains. Nous avons (**4**) _____ des BD, (**5**) _____ de la musique et (**6**) _____ au ping-pong. Puis nous sommes (**7**) _____ à la maison. Après le déjeuner, je suis allé au parc où j'ai fait du skate avec mon copain. Puis nous sommes allés à la piscine et nous avons (**8**) _____ pendant une heure. Le soir, nous avons (**9**) _____ une pizza et finalement nous sommes allés au cinéma où nous avons (**10**) _____ le dernier film de Jim Carrey.

allé
bu
bavardé
écouté
fait
joué
lu
mangé
nagé
porté
rentrés
vu

écolter **5** **Qu'est-ce qu'ils ont fait? C'était comment? (1–5)**

Exemple: 1 Il a joué au basket. C'était nul.

✔ C'était super/fantastique/cool/génial!
– Bof./C'était pas mal.
✘ C'était nul.
Ce n'est pas mon truc. – It's not my thing.

écrire **6** **Imaginez: vous êtes allé(e) en vacances en France chez votre corres avec votre famille. Qu'est-ce que vous avez fait? C'était comment?**

Lundi, je suis allé(e) (à la piscine) et j'ai (nagé) et puis on a (joué) …
C'était … parce que j'aime/je n'aime pas (nager) …

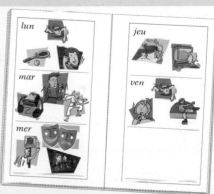

5 Les champions sportifs
Describing famous sportspeople
Using the infinitive to express –ing

This is the first of five *Lire et écouter* units concentrating on reading and listening skills. These units will help you:

- increase your confidence in tackling reading and listening questions
- give you practice in the style of questions you will meet in your GCSE exam.

You will practise:

- listening for gist and detail
- looking and listening for clues
- recognising what is important to include in your answer and what isn't
- working out the meaning of words you've never heard or seen before.

Préparez-vous!

You are going to hear two people talking about a young sportsman.

- Read the questions and try to predict what you are likely to hear.
- Look at the picture. What does it tell you?
- If you are sure of an answer, fill it in, but if you are in any doubt, wait until you hear it again; you can always make notes and come back to it.
- If you are not sure about an answer and decide to leave it, don't waste too long thinking about it; move on to the next question straight away.
- For this listening exercise, you need to check you know the alphabet so that you can recognise names and places if they are spelt out.
- You will also need to check you know the numbers you are likely to hear in the dates.

Lire et écouter

1 Écoutez. Répondez aux questions et remplissez le formulaire.

1 Who is talking?
(**a**) two journalists
(**b**) two fans
(**c**) two school pupils
2 Why are they filling in the form?

First name: _____
Surname: _____
Sport: _____
Nationality: _____
Date of birth: _____
Place of birth: _____
Height: _____
Weight: _____
Hair and eye colours: _____
Likes: _____

Expo-langue →→→→

The alphabet
Most letters sound similar to the English letters, but these ones can be confusing:

A = *ah*   H = *ash*   G = *djay*
E = *euh*   R = *air*   J = *djee*
I = *ee*

Saying when you were born
Je suis né(e) … – I was born …
Je suis né(e) le 28 octobre 1989 / le vingt-huit octobre mille neuf cent quatre-vingt-neuf.

mille – 1000
mille neuf cent quatre-vingt-douze – 1992
mille neuf cent – 1900   deux mille – 2000

2 Lisez le texte et trouvez les mots qui manquent.

Richard Gasquet: star de tennis!

Les parents de Richard Gasquet sont tous deux professeurs de tennis et il a commencé à (**1**) ▬▬▬▬▬ à l'âge de quatre ans. Il a (**2**) ▬▬▬▬▬ son premier titre en 2002 où il est devenu (**3**) ▬▬▬▬▬ du monde junior, et a été classé au premier rang en France et un des meilleurs (**4**) ▬▬▬▬▬ du monde. Il a continué à (**5**) ▬▬▬▬▬ des matchs et il est devenu le plus jeune joueur à jouer un match lors d'un Masters Series.

En 2005, à l'âge de 19 ans, il a joué une demi-finale du tournoi de Monte-Carlo, éliminant alors le numéro un mondial Roger Federer en quart de finale avant de (**6**) ▬▬▬▬▬ contre Rafael Nadal.

Suite à une blessure au coude il a dû arrêter de jouer pendant quelque temps, mais malgré ce problème, il a recommencé à jouer la saison suivante où il a réussi à gagner l'Open de Nottingham et le Grand Prix de tennis de Lyon.

Ce beau gosse ne (**7**) ▬▬▬▬▬ pas de fans et pas seulement à cause de ses talents au tennis! Il vit pour le tennis, mais en dehors des courts il aime jouer au foot et (**8**) ▬▬▬▬▬ avec ses amis.

être · perdre · gagné · gagner · devenu · joueurs · manque · jouer · recommencer · champion

3 Choisissez la bonne réponse: a, b ou c.

1 Richard began playing tennis …
  (**a**) when he was two.
  (**b**) when he was four.
  (**c**) when he was 19.
2 In 2002, he …
  (**a**) became junior world champion.
  (**b**) was the youngest winner of the Masters Series.
  (**c**) was the second best in France for his age group.
3 In Monte Carlo, he …
  (**a**) became number one in the world.
  (**b**) beat Roger Federer.
  (**c**) sustained an injury.
4 Because of an injury, he …
  (**a**) lost to Nadal.
  (**b**) could not play in Nottingham.
  (**c**) had to stop playing for a while.
5 Richard has …
  (**a**) lots of fans.
  (**b**) lost fans because he is not fully committed to tennis.
  (**c**) fans who have become friends.

Expo-langue →→→→

Grammaire 222

In French, some verbs and expressions are followed by the infinitive where we use –*ing* in English:

commencer à jouer – to begin playing
réussir à gagner – to succeed in winning
arrêter de jouer – to stop playing
avant de jouer – before playing

Top reading tips

● Make sure you check each statement against the whole passage. They will usually be in the same order as in the passage, but not always!
● When looking for numbers in a text with multiple-choice answers, all the possible numbers may appear in the text. Be sure to read the text carefully to identify the correct answers. Don't just spot one and assume it's correct.
● Questions or statements in English may give you a clue as to the meaning of unknown vocabulary. Using this idea, find the following words and phrases: *number one in the world, injury, stop.*

lire 1 Écoutez et lisez le texte.

J'ai une passion pour le foot. J'y joue deux fois par semaine et je m'entraîne une fois par semaine.

Je joue au foot depuis toujours. J'ai commencé quand j'avais six ans. D'abord, j'ai joué avec mes frères dans la rue. Plus tard, je me suis inscrit au club des jeunes et maintenant, on joue des matchs amicaux le mercredi et le dimanche. Jusqu'à présent, j'ai seulement joué sur le terrain de notre club.

La semaine dernière, j'ai joué dans l'équipe junior B contre l'équipe A et nous avons gagné 2–0. C'est moi qui ai marqué le premier but.

Cette année, je vais passer dans la première équipe. On va jouer des matchs contre des équipes d'autres villes de notre région, donc on va prendre le bus avec les seniors quand on va jouer ailleurs.

Pour jouer dans la première équipe, j'ai besoin d'un nouveau maillot à rayures rouges et noires, un short noir, des chaussettes rouges et des chaussures de foot noires. Pour gagner de l'argent pour les acheter, je vais faire la vaisselle dans le café de mon village pendant les vacances l'été prochain.

J'aime le foot parce que c'est bon pour la santé, et j'aime l'ambiance et la camaraderie, on est entre amis. Je préfère jouer plutôt que de regarder les matchs, mais il faut aussi en regarder pour apprendre. Quelquefois, l'entraîneur nous filme et puis il nous critique. C'est bien parce que comme ça, on apprend à mieux jouer. Je vais continuer à jouer aussi longtemps que possible, mais je sais que pour les footballeurs le plus grand risque, c'est un accident, surtout au genou.

Sascha

lire 2 Trouvez les mots ou les expressions dans le texte.

1 when
2 at first
3 later
4 now
5 until recently
6 last week
7 this year
8 next summer
9 sometimes

parler 3 À deux. Discutez en anglais.

How did Sascha start playing football?
What does he like about it?
How is Sascha going to earn money?
What is he going to use it for?
What advantages of playing football are mentioned?
What disadvantages are mentioned?

Expo-langue →→→→ 204

When you talk about the near future, you can use the present tense of **aller** (to go) + infinitive (the *futur proche*):
je **vais jouer** – I am going to play

je vais	nous allons
tu vas	vous allez
il/elle/on va	ils/elles vont

---

lire 4 Traduisez en anglais les mots et les phrases en bleu dans le texte de l'exercice 1. Utilisez un dictionnaire, si nécessaire.

5 **Copiez le texte en remplissant les blancs.**

Ma passion, c'est la natation. J'en fais
(**1**) _____ huit ans. Quand j'avais six ans,
j'ai fait un stage d'apprentissage pendant les
grandes vacances. À la (**2**) _____, on a eu
une compétition. J'ai gagné, je suis devenu accro
et voilà, je me suis (**3**) _____ au club.

Nous faisons une heure et demie
d'(**4**) _____ chaque jour, (**5**) _____
le samedi. Après le collège, je vais directement
à la (**6**) _____ avant de rentrer à la maison.
Le mercredi après-midi, nous (**7**) _____ au
centre de sports et on (**8**) _____ une heure
de musculation et de fitness avant de nager.

En hiver, il y a des (**9**) _____ presque toutes
les deux semaines. Je suis déjà champion
(**10**) _____ du 100m crawl et l'année
prochaine, je vais participer aux compétitions au
niveau national, mais mon but est de me qualifier
pour les Jeux Olympiques. Pour moi, c'est très
important de garder la (**11**) _____. Je dois
manger des choses saines et me
(**12**) _____ tôt.

 Read the whole text first. The context
may help you.
Use what you know about the topic to
make sensible guesses.
Work out all you can about each
missing word.

- Is it a noun? Is it singular/plural?
  Is it masculine/feminine?
- Does it begin with a vowel?
- Is it a verb? Is it singular or plural or
  an Infinitive? What tense is it?
- Does the missing word appear
  somewhere else in the text?

allons   compétitions
coucher   piscine   depuis
faisons   fait   fin   forme   inscrit
nager   plongée   entraînement
régional   sauf   va

Expo-langue →→→→

When you want to say how long you have
been doing something (that you are still
doing), use **depuis** + the present tense.

Je **joue** au tennis **depuis** cinq ans.
= I have been playing tennis for five years.
(*literally* I play tennis since five years)

 6 **Que font-ils? Depuis quand? Qu'est-ce qu'ils vont faire? (1–4)**

	passion	depuis quand	au futur
1	l'équitation	plus de six ans	Elle va avoir son propre cheval.
2			
3			
4			

 7 **Écrivez une réponse à Sascha. Répondez aux questions.**

- Quelle est votre passion?
- Depuis quand en faites-vous?
- Pourquoi avez-vous choisi ce hobby?
- Est-ce que vous allez continuer à en faire?

- Je me passionne pour …
- J'en fais depuis …
- Je l'ai choisi/J'en fais parce que …
- (L'année prochaine), je vais …

 8 **Vidéoconférence. Préparez un dialogue. Vous allez parler de votre passion.
Puis vous allez poser deux questions à votre partenaire sur sa passion.**

Controlled assessment picture discussion

Task

Prepare a discussion based on a photograph or picture of a sport you enjoy.

You could include:

- how long you have been doing the activity and what made you begin it
- when and where you do the activity, and with whom
- any special equipment or clothing that you need or rules you have to follow
- details of any competitions or matches you have participated in
- why you enjoy the activity and whether you expect to continue it in the future, giving reasons.

1 You will hear a model conversation between Robert and his teacher, based on the photograph above. Make a list of eight questions which he could be asked about his hobby or interest.

2 Predict for which of the first two points in the task Robert will use the following phrases. Then listen to check.

1 J'ai commencé à faire de l'équitation quand j'avais onze ans.
2 Nous allons dans le même club.
3 Ma petite amie aussi adore faire de l'équitation.
4 Je l'ai choisi car mon oncle, qui est professeur d'équitation, a acheté un cheval.
5 Je prends des cours d'équitation dans un club le lundi et aussi le vendredi.
6 J'ai découvert que l'équitation est un sport vraiment fantastique!

3 Listen again and note down in English how Robert answers the first two questions in the assessment task.

4 Listen to the second part of Robert's conversation and fill in the gaps.

- ■ Qu'est-ce qu'on doit porter pour faire de l'équitation?
- ● L'équitation peut être un sport très dangereux mais (1) ————, j'ai eu de la chance et je n'ai (2) ———— eu d'accident grave. Cependant, il (3) ———— connaître les règles de sécurité pour ne pas avoir d'accident. Par exemple il faut porter un casque de sécurité, qui s'appelle une bombe, pour se protéger la tête. Je (4) ———— aussi porter une culotte de cheval et des bottes.
- ■ Tu as participé à des concours d'équitation?
- ● L'équitation est un sport super (5) ———— on peut faire beaucoup de choses différentes, par exemple le saut d'obstacles, le dressage ou le cross. Moi, je (6) ———— le saut d'obstacles car c'est très excitant de sauter! (7) ————, je suis (8) ———— à un concours, j'ai fait du saut d'obstacles et j'ai (9) ———— une médaille d'or. J'adore (10) ———— à des concours car on rencontre des gens qui ont aussi une passion pour l'équitation.

5 **Now listen to the final part of Robert's conversation and answer the questions.**

1 When talking about the cost of his hobby, how does Robert say 'it's not necessary to buy'?

2 Make a note of the final three questions Robert is asked in French. Which three tenses are these questions in?

3 What job does Robert say he doesn't want to do in the future?

4 Why wouldn't he like a job like that?

6 **Now it's your turn! Choose a photograph showing one of your interests and prepare a discussion about it.**

- You can begin with a one-minute introduction. If you want to do this make some notes on what to include.
- Use ResultsPlus and the work you have done in exercises 1–5 to help you.
- Use your dictionary with care when looking for specialised vocabulary. Use a large dictionary and check both the English and French to make sure you select the correct word.

- Look back through the module for more ideas.
- Practise your discussion with a partner. When you are practising, you might want to prepare some prompt cards to help you remember what to talk about. These could be visuals.
- Consider some questions you could be asked about your hobby and try to think of how you would answer these.
- Record the conversation. Ask a partner to listen to it and say how well you performed.

Award each other one star, two stars or three stars for each of these categories:
- pronunciation
- confidence and fluency
- range of tenses
- variety of vocabulary and expressions
- using longer sentences
- taking the initiative.

What do you need to do next time to improve your performance?

Results Plus

 To make sure you produce a good answer, you should try to:
- use the main tenses correctly. Robert uses the **present tense** to talk about the lessons he takes, the **perfect tense** with *avoir* and *être* to describe a competition he entered last year, and the **near future** to say what his plans are for continuing his hobby.
- vary the **expressions** you use as much as possible. For example, Robert uses *car* as well as *parce que* to say 'because'.
- use expressions like *je dois* + **infinitive** (I must …) and *il faut* + **infinitive** (you have to …).

 To go a step further, you should try to:
- use other tenses such as the **conditional**. Robert does this when he says *Je voudrais devenir professeur*.
- use a variety of **negatives**, not just *ne … pas*, e.g. *ne … jamais*, *ne … plus*. Notice where Robert does this.

 For a really impressive answer, you will need to make sure that you:
- express more **complex opinions** and **make recommendations**
- **give reasons** for your explanations. Robert says being a riding teacher is interesting because *On est en plein air et en contact avec les gens*.
- include **adverbs** such as *heureusement*.

Brille à l'oral!
- Take the initiative by making some suggestions. Look how Robert does this: *Je vous conseille d'essayer l'équitation, je suis sûr que vous n'allez pas le regretter*.

Je me passionne pour ...

Je me passionne pour le judo. J'aime tous les arts martiaux, mais j'ai choisi le judo parce que mes amis en font et c'est bon pour la forme. J'en fais depuis deux ans.

Je m'entraîne deux fois par semaine, le lundi et le mercredi soir. Une séance d'entraînement dure une heure et demie.

La tenue de judo consiste en un large pantalon blanc, une veste blanche et une ceinture. La couleur de la ceinture dépend du niveau qu'on a atteint. La ceinture noire est le plus haut niveau. Notre moniteur est ceinture noire. Les débutants, eux, portent une ceinture blanche. Moi, je suis seulement ceinture jaune, ce qui est le premier grade.

Le moniteur est très strict. Il ne faut absolument pas faire l'andouille, sinon on est obligé de faire vingt pompes pendant que tout le monde compte!

Au début, j'ai trouvé certains mouvements difficiles, mais maintenant, ça va mieux. J'ai fait des progrès! J'aime participer aux compétitions. Je me souviens encore de mon premier tournoi. C'était à Londres. On est arrivés tôt le matin en bus et puis on a fait un jogging. Avant mon premier combat, j'étais stressée, mais finalement je suis rentrée à la maison avec une médaille de bronze.

Pour être bon, il faut se concentrer et être discipliné. L'inconvénient, c'est qu'il faut s'entraîner tous les jours si on veut devenir vraiment très bon. L'avantage, c'est qu'on garde la forme et qu'on se fait facilement de nouveaux amis.

Je vais continuer à faire du judo parce que j'aime bien ça. Ça me donne confiance en moi et c'est plutôt bon pour la santé.

Je vais passer dans le groupe des seniors l'année prochaine et je voudrais obtenir la ceinture marron!

Lucy

> faire l'andouille – to act stupid (andouille = sausage)
> faire des pompes – to do press-ups

1 Find the French equivalent of these phrases in the text and copy them out.

1 I chose judo because my friends do it
2 You definitely mustn't fool about
3 At the beginning, I found certain movements difficult
4 We arrived early in the morning by bus
5 Then we went jogging
6 I was stressed
7 The disadvantage is
8 The advantage is
9 I am going to continue to do judo
10 I would like to get a brown belt

2 Which tenses are used in each phrase in exercise 1? For each phrase write 'present', 'perfect', 'imperfect', 'conditional' or 'near future'.

3 Find the four correct statements.

1 Lucy is a white belt.
2 She does judo because her friends do it.
3 She has been doing it for a year.
4 They have to do press-ups before they start.
5 She goes jogging every day.
6 She wants to continue with judo.
7 It has improved her self-confidence.
8 She came third in a competition.

Controlled assessment practice

4 You might be asked to write about one of your interests as a controlled assessment task. Use ResultsPlus to help you prepare.

ResultsPlus

 To produce a good answer, you need to show you can use a variety of tenses, structures and expressions.

◆ You need to use the three main tenses (present, perfect and near future) correctly.
  – Lucy uses the **present tense** to say what her hobby is and what training she does.
  – She uses the **perfect tense** to talk about a specific occasion in the past (a competition).
    She uses the **near future** (*aller* + **infinitive**) to say she is going to continue with judo and what she is going to do next year.

 To go a step further, you should:

◆ use other tenses, such as the imperfect and the conditional. Look at how Lucy uses the **imperfect** tense to say how she was feeling before the competition, and the **conditional** to say what she would like to do in the future.
◆ use *depuis* and the **present tense** to say how long you have been doing your hobby
◆ make sure you **refer to other people**, using the appropriate forms of the verb correctly. Lucy does this when she refers to her coach (*il*), other beginners (*ils*), and when she talks about what one (*on*) does or did.
◆ uses the impersonal expression *il faut* and its negative form: *il ne faut pas*.

 For a really impressive answer:

◆ include a **complex sentence** giving a reason for a choice: *J'ai choisi … parce que mes amis en font* (because my friends do it)
◆ use the **pronouns** *y* (there) and *en* (of it): *J'y vais* – I go there; *j'en fais* – I do it.

Brille à l'écrit!

◆ Include a sentence with *si* (if) in it. Notice how Lucy says what you have to do if you want to be really good.

5 Now write about your favourite hobby.

● Adapt Lucy's text and write at least 200 words.
● Refer to unit 5 for help with describing a sport or game.
● If you need to write something which is not in the book, do some research. Look your sport or activity up on the Internet in **French** and find out the correct names for team positions, equipment, matches or competitions, etc.
● Don't just copy chunks from your research; make a list of useful words and terms and include them in your own writing.
● Structure your text; organise what you write in paragraphs.

Introduction

When did you start doing the activity?
How did you come to start doing it?
How long have you been doing it?

Main paragraphs

When do you do it?
Where do you do it?
Who do you do it with?
What do you need to do it?

Conclusion

Why do you enjoy the activity?
Do you recommend it? Why?
Do you expect to continue the activity in the future? Why?/Why not?

Check what you have written carefully. Check:

● spelling and accents
● gender and agreement (e.g. adjectives, past participles of *être* verbs)
● verb endings for the different persons: *je/ il/elle/on/nous*, etc.
● position of pronouns in different tenses (e.g. *j'en suis/j'en ai fait/je vais en faire*).

Moi | Me

Je me présente …	Let me introduce myself …
Je m'appelle …	I'm called …
J'ai quinze ans.	I'm fifteen years old.
Mon anniversaire est le 10 mai.	My birthday is 10th May.
J'ai une sœur qui s'appelle …	I have a sister, who's called …
Mes frères s'appellent …	My brothers are called …
J'habite à Bruxelles.	I live in Brussels.
Je suis …	I'm …
anglais(e)	English
français(e)	French
suisse	Swiss
petit(e)/grand(e)	small/tall
de taille moyenne	of average height
blond(e)/brun(e)	fair/dark
J'ai …	I have …
les yeux bleus/marron/verts	blue/brown/green eyes
les cheveux blonds/bruns/noirs/roux	blond/brown/black/red hair
J'ai un chien.	I have a dog.
Nous n'avons pas d'animal.	We don't have a pet.

Les choses que j'aime faire | The things I like doing

Qu'est-ce que tu aimes faire?	What do you like doing?
Ma passion, c'est …	What I really like is …
J'aime …	I like …
faire du vélo/ski/camping/kayak/canoë	going cycling/skiing/camping/kayaking/canoeing
jouer au football/basket/tennis/volley/handball	playing football/basketball/tennis/volleyball/handball
jouer à l'ordinateur	playing on the computer
jouer aux cartes/aux échecs	playing cards/chess
jouer du piano/violon	playing the piano/violin
jouer de la guitare/batterie	playing the guitar/drums
Je n'aime pas le foot.	I don't like football.
Je n'aime pas faire de sport.	I don't like doing sport.

Quand est-ce que tu en fais? | When do you do it?

J'en fais …	I do it …	souvent	often
une/deux fois par semaine	once/twice a week	d'habitude	usually
		en été/hiver	in summer/winter

Ma famille | My family

un frère cadet/aîné	a younger/older brother	remarié(e)	remarried
une sœur cadette/aînée	a younger/older sister	On s'entend bien.	We get on well.
un demi-frère	a half-brother	Elle m'embête/m'énerve.	She annoys me.
une demi-sœur	a half-sister	Je dois m'occuper d'elle.	I have to look after her.
un beau-père	a stepfather	Il se moque toujours de moi.	He's always making fun of me.
une belle-mère	a stepmother	On s'amuse bien.	We have fun.
séparé(e)	separated	Je m'ennuie.	I get bored.
divorcé(e)	divorced	Il ne s'ennuie jamais.	He never gets bored.
célibataire	single		

Les métiers | Jobs

Il/Elle est …	He/She is a(n) …	menuisier	carpenter
coiffeur/euse	hairdresser	nourrice	child minder
comptable	accountant	plombier	plumber
cuisinier/ère	cook	sapeur-pompier	fireman
infirmier/ère	nurse	vendeur/euse	salesperson
informaticien(ne)	computer operator		
ingénieur	engineer	Il/Elle travaille …	He/She works …
instituteur/trice	primary teacher	dans un bureau	in an office
kinésithérapeute	physiotherapist	dans un hôpital	in a hospital
maçon	builder	dans une école primaire	in a primary school
mécanicien(ne)	mechanic	dans une garderie	in a nursery
		sur un chantier	on a building site

Mes parents
My parents

Je m'entends bien avec eux.	I get on well with them.
Je ne m'entends pas bien avec lui.	I don't get on well with him.
Je ressemble plutôt à ma mère qu'à mon père.	I look more like my mother than my father.
Mes parents sont séparés.	My parents are separated.

Mes copains
My friends

Mon (petit) copain est …	My (boy)friend is …	gentil(le)	kind
Ma (petite) copine est …	My (girl)friend is …	insupportable	dreadful
bavard(e)	chatty	nerveux/euse	nervous
branché(e)	switched on, trendy	organisé(e)	organised
bruyant(e)	noisy	paresseux/euse	lazy
décontracté(e)	laid-back/relaxed	rigolo(te)	funny
drôle	funny	sympa	nice
égoïste	selfish	travailleur/euse	hardworking

Le temps libre
Free time

Lundi, je suis allé(e) …	On Monday, I went …	de l'escrime (f)	fencing
au centre de loisirs	to the leisure centre	des arts (m) martiaux	martial arts
J'ai fait …	I did …	J'ai nagé.	I swam.
du théâtre	drama	J'ai bavardé avec mes copains.	I chatted with my friends.
de la natation	swimming		
de la danse	dancing	J'ai lu des BD.	I read comic books.
de la plongée	scuba diving	J'ai écouté de la musique.	I listened to music.
de l'entraînement (m)	training	Nous avons mangé une pizza.	We ate a pizza.

C'était comment?
How was it?

C'était super/fantastique/ cool/génial!	It was great/fantastic/ cool/great!	C'était nul.	It was rubbish.
		Ce n'est pas mon truc.	It's not my thing.
Bof./C'était pas mal.	It was OK.		

Le sport
Sport

Il a commencé à jouer à l'âge de …	He started playing at the age of …
gagner un titre	to win a title
devenir champion du monde (junior)	to become (junior) world champion
être classé(e) au premier rang	to be ranked highly
un des meilleurs joueurs du monde	one of the best players in the world
une demi-finale	a semi-final
un tournoi	a tournament
le numéro un mondial	the world number one
Il a dû arrêter de jouer.	He had to stop playing.
Il a réussi à gagner.	He managed to win.

Quelle est votre passion?
What do you really like?

Je me passionne pour le sport.	I really like sport.
Ma passion, c'est le foot.	I really like football.
Je joue au foot depuis cinq ans.	I've been playing football for five years.
J'en fais depuis deux ans.	I've been doing it for two years.
Je l'ai choisi parce que …	I chose it because …
J'en fais parce que …	I do it because …
c'est bon pour la santé	it's good for your health
j'aime la camaraderie	I like the camaraderie
j'ai gagné	I won
je suis devenu(e) accro	I became addicted (a fan)
je me suis inscrit(e) au club	I joined the club
L'année prochaine, …	Next year, …
je vais participer aux compétitions	I'm going to take part in competitions
je vais être dans la première équipe	I'm going to be in the first team

Qu'est-ce qu'on fait? Discussing TV and cinema
Using articles and object pronouns

Déjà vu

1 Écoutez et lisez la conversation. Notez les mots qui manquent.

- ■ Salut, Thomas! C'est Julie. Tu veux aller au cinéma avec moi ce soir?
- ● Ça dépend. Qu'est-ce qu'on passe?
- ■ Il y a *Star Wars épisode 3: La Revanche des Sith*.
- ● Ça ne me dit rien. Je (**1**) _____ beaucoup les films de science-fiction. Je les trouve (**2**) _____.
- ■ Bon, qu'est-ce qu'on fait, alors? Tu (**3**) _____ regarder la télé chez moi?
- ● Oui, je veux bien. Qu'est-ce qu'il y a à la télé (**4**) _____?
- ■ Euh … il y a *Joey*.
- ● Qu'est-ce que c'est?
- ■ C'est (**5**) _____ comme *Friends*.
- ● Ah, non! Pas ça! Je (**6**) _____ les comédies américaines.
- ■ (**7**) _____ aussi *La Nouvelle Star*, à 20h50. Tu veux regarder ça?
- ● Chouette! J'adore les (**8**) _____ musicales! Alors, je viens chez toi à 20h15. D'accord?
- ■ D'accord. À bientôt!

déteste
série
une comédie
n'aime pas
il y a
veux
ce soir
regardes
émissions
ennuyeux

Remember to use the plural definite article when you want to say what type of film or programme you like/dislike:

C'est **un** film d'horreur.
→ J'aime beaucoup **les** films d'horreur.

Déjà vu

2 À deux. Adaptez la conversation ci-dessus.
Utilisez vos propres idées et des mots ci-dessous si vous voulez.

- ■ Salut, Katie! C'est Sunita. Tu veux aller au cinéma avec moi ce soir?
- ● Ça dépend. Qu'est-ce qu'on passe?
- ■ Il y a *Madagascar*.
- ● Tu plaisantes! Je déteste les dessins animés. Je les trouve nuls.

Bonne idée!
Bof … Ça m'est égal.
Tu plaisantes!
Je n'ai pas envie.

une histoire d'amour
un western
un dessin animé
un film policier
un film de guerre/ d'arts martiaux/ d'action/d'horreur

un jeu télévisé
une émission de sport/ de science-fiction/ de télé-réalité
une série (médicale/ policière)
un documentaire

Expo-langue →→→→

A direct object pronoun replaces a noun which is the object of a sentence. It goes before the verb.

The pronoun **y** (= there) replaces **à** + a noun. It also goes before the verb. Note that it's not always translated in English.

	masculin	féminin
it	le/l'	la/l'
them	les	les
there	y	

La télé? Je ne **la** regarde pas souvent. = TV? I don't often watch *it*.
Les films de science-fiction? Je **les** trouve affreux. = Science-fiction films? I think *they*'re terrible.
Au cinéma? J'**y** vais de temps en temps. = To the cinema? I go (*there*) from time to time.

lire 3 Lisez le quiz et répondez aux questions. Puis regardez la solution. Vous êtes comme ça?

La télé et le ciné: y es-tu accro ou bof?

1 Regardes-tu souvent la télé?
a Je la regarde tout le temps.
b Je la regarde assez souvent.
c Je ne la regarde pas beaucoup.

2 Comment trouves-tu les séries comme *EastEnders*?
a Pas mal. Je les regarde de temps en temps.
b Je ne les regarde pas. Je les trouve ennuyeuses.
c J'adore ça! Je les regarde toutes les semaines.

3 Si on passe un bon film à la télé et que tu as beaucoup de devoirs à faire pour demain, qu'est-ce que tu fais?
a Je le regarde et je ne fais pas les devoirs.
b Je les fais et j'enregistre le film.
c Je les fais en regardant le film.

4 Combien de fois par mois vas-tu au cinéma?
a J'y vais rarement.
b J'y vais toutes les semaines.
c J'y vais une ou deux fois par mois.

Score				
1a 1 point	2a 2 points	3a 1 point	4a 3 points	
1b 2 points	2b 3 points	3b 3 points	4b 1 point	
1c 3 points	2c 1 point	3c 2 points	4c 2 points	

Solution
4–6 points: Attention! Tu es un peu obsédé(e) par la télé et le cinéma!
7–9 points: Tu aimes bien la télé et le cinéma, mais ce n'est pas une obsession.
10–12 points: Félicitations! Tu n'es pas accro à la télé ou au cinéma.

y es-tu accro? – are you addicted?
enregistrer – to record
en regardant – while watching

parler 4 À deux! Interviewez votre partenaire en utilisant les questions de l'exercice 3.

Use expressions of frequency and adjectives of opinion whenever you can, to enhance your speaking and writing. Make a list of the ones on this page and any others you know.

écrire 5 Écrivez un paragraphe sur votre famille, la télé et le cinéma.

(J'adore) aller au cinéma et j'y vais (une fois par mois) avec ... Moi, j'adore les (films d'arts martiaux), mais (mon frère) préfère ... Mes parents (ne vont pas souvent) au cinéma, mais ils regardent (tout le temps) la télé. Ils adorent ... , comme ... Moi, je les trouve ... Je préfère ...

1 Lisez les annonces, puis reliez le français et l'anglais.

A

CRAZY KUNG-FU

Film chinois – karaté, comédie
avec Stephen Chow
Séances tous les jours à 10h20, 12h20,
14h20, 16h20, 18h20, 20h20, 22h20
UGC Ciné-cité
Cergy-le-Haut, 8 place des Trois-Gares
Tél. 08 92 70 00 00

B

Fête de la musique

Concert gratuit avec notamment: Moby,
Yannick Noah, Shakira, Florent Pagny,
Francis Cabrel, Garou
le 21 juin, Palais de Versailles

C

Furia sound festival

4 scènes en plein air. Au programme
notamment: Louise Attaque, Mano Solo,
Sinsemilia, Kyo, This World, Dead Combo.
Du 24 au 26 juin. Base de loisirs. La journée:
26€, pass trois jours: 52€. Tél: 01.34.20.02.02

D

La surprise de l'amour

Pièce de Marivaux de 1772
L'auteur parle des êtres humains et
de leurs histoires de cœur.
le 10 juin, 14h30 et 21h
Théâtre de Jouy, 96 avenue des
Bruzacques
12€, 10€ étudiants
Tél. 01.34.43.38.00

E

si loin, si près

Spectacle de danse: rencontres entre les
cultures chinoises et marocaines
11€, tarif réduit 7€
19h ce soir, 20h30 dem., 17h sam.
Maison des métallos, 94 rue Jean-Pierre
Timbaud
Tél. 01.47.00.68.45

1	showings (of a film)	a	plein air
2	every day	b	tarif réduit
3	free concert	c	tous les jours
4	open air	d	pièce
5	play (at the theatre)	e	séances
6	reduced rate	f	concert gratuit

 Which two French words in exercise 1 are *faux amis* (false friends) and mean something completely different in English?

2 lire   Relisez les annonces. Écrivez V (Vrai), F (Faux) ou ? (pas mentionné) à côté de chaque phrase.

1 Le spectacle de danse est à 20 heures samedi.
2 Ça coûte 11€, mais il y a une réduction pour certaines personnes.
3 On peut voir *Crazy kung-fu* dimanche.
4 Les billets de cinéma coûtent 5€.
5 Il y a une séance du film à 19h20.
6 Le Furia sound festival dure trois jours.
7 Le festival commence à 20h.
8 *La surprise de l'amour* est une pièce de théâtre.
9 L'auteur de la pièce s'appelle Jouy.
10 Les billets pour le concert de la Fête de la musique sont gratuits.

3 écouter   Écoutez. On parle de quelle annonce dans l'exercice 1? Notez les bonnes lettres. (1–4)

4 écouter   Écoutez encore. On se retrouve où et à quelle heure? Trouvez les paires. (1–4)

a chez lui   b vers midi
c au cinéma   d à 18h30
e chez moi   f vers 13 heures
g chez toi   h à 20 heures

Expo-langue →→→→

The following pronouns are used for emphasis or after a preposition:

moi	nous
toi	vous
lui	eux
elle	elles

avec **moi** = with me
pour **toi** = for you
chez **lui** = at his house

5 parler   À deux. Complétez le dialogue. Choisissez ou inventez les détails.

■ Il y a un bon film/concert/festival de musique/spectacle de danse ce soir/demain/le 21 juin/samedi prochain. Tu veux y aller avec moi?
● L'entrée, c'est combien?/Les billets coûtent combien?
■ Ça coûte ... (avec la carte d'étudiant)./C'est gratuit.
● Je veux bien. Ça commence à quelle heure?
■ Ça commence à .../Il y a une séance à ...
● On se retrouve où et à quelle heure?
■ On se retrouve ... à ...h... D'accord?
● D'accord. À bientôt!/À demain!/À samedi!

6 écrire   Écrivez deux ou trois annonces comme celles de l'exercice 1. Inventez les détails.

7 parler   À deux. Faites un dialogue en utilisant une de vos annonces.

1 Écoutez et regardez les images. Qui parle? (1–8)

Théo

Yasmina

Karim

Lisa

Claire

Adrien

Mathilde

Vincent

Expo-langue →→→→

Grammaire **214**

The modal verbs **vouloir** (to want), **pouvoir** (to be able to, or 'can') and **devoir** (to have to, or 'must') are often used with the infinitive of another verb.
Je **veux** bien **aller** au cinéma, mais je **dois rentrer** avant 22h.
Je ne peux pas parce que mes parents **doivent sortir**.

vouloir	pouvoir	devoir
je veux	je peux	je dois
tu veux	tu peux	tu dois
il/elle/on veut	il/elle/on peut	il/elle/on doit
nous voulons	nous pouvons	nous devons
vous voulez	vous pouvez	vous devez
ils/elles veulent	ils/elles peuvent	ils/elles doivent

2 À deux. Regardez les images et les mots et faites des dialogues.

■ Tu veux aller en ville ce matin?

● Désolé(e), mais je ne peux pas parce que je dois garder ma petite sœur.

■ Tu peux y aller cet après-midi?

● Excuse-moi, mais ...

1 ce matin? cet après-midi? samedi matin?

2 samedi soir? demain soir? 10:30

3 demain matin?

4 aujourd'hui? demain?

Je ne peux pas parce que	(ma mère/mon père dit que)/ (mes parents disent que) je dois ...	faire mes devoirs garder mon petit frère/ma petite sœur laver la voiture (de ma mère) promener le chien (des voisins) ranger ma chambre rentrer avant 22.30 heures rester à la maison sortir avec mes parents aller voir ma grand-mère

3 Inventez de nouvelles excuses. Utilisez un dictionnaire, si vous voulez.

4 Lisez les e-mails et répondez aux questions.

Coucou, Justine!
Je voudrais bien aller au concert de Kyo avec toi,
mais papa dit que je ne peux pas parce que je n'ai pas
suffisamment travaillé au collège et c'est pour ça que
mes notes sont mauvaises. Il dit que je dois rester à
la maison et bosser tout le week-end. D'habitude, je
m'entends bien avec lui, mais parfois, il est trop sévère.
Lola

Salut, Clément!
Merci pour l'invitation à ta fête, mais on ne peut pas
venir, Nabila et moi, parce que nos parents veulent partir
pour le week-end en Bretagne et ils disent qu'on doit
aussi y aller. On ne veut pas, mais on n'a pas le choix. Ce
n'est pas juste! Amuse-toi bien quand même!
Hakim

Salut, Mohammed!
Je suis désolée, mais maman ne me laisse pas sortir
demain. C'est parce que mes grands-parents viennent
nous rendre visite et elle dit que nous devons aider à
la maison, mon frère et moi. Nous devons ranger nos
chambres, faire la vaisselle après tous les repas et même
laver la voiture! Je suis furieuse contre elle!
Julie

Who ...
1 can't go to a friend's party?
2 has to do schoolwork this weekend?
3 wants to go to a concert, but can't?
4 has to help his/her mum at home?
5 has to go on a trip with his/her parents?
6 can't go out with his/her friend?
7 is annoyed with his/her dad?

When reading complex texts:

- Look for (near-)cognates (e.g. *choix*, *sévère*).
- Use context to work out meanings (e.g. *maman ne me laisse pas sortir demain*).
- Beware of faux amis (e.g. *c'est pour ça que mes **notes** sont mauvaises*).
- Use a dictionary sparingly. You will not be able to use one in the exam!

 5 Répondez aux questions en français.

Exemple: 1 Parce qu'elle doit faire son travail scolaire.

Pourquoi est-ce que ...
1 Lola doit rester à la maison ce week-end?
2 Julie doit ranger sa chambre et faire la vaisselle?
3 Hakim ne peut pas accepter l'invitation de Clément?
4 Lola s'énerve contre son père?
5 Julie est furieuse contre sa mère?
6 Hakim ne veut pas aller en Bretagne avec ses parents?

6 Choisissez un des textos ci-dessous. Préparez et apprenez par cœur
un message sur répondeur comme ceux de l'exercice 1, en donnant
vos excuses. Donnez votre message et enregistrez-le, si possible.

 7 Écrivez un e-mail d'excuse comme ceux de l'exercice 4. Inventez les détails.

1 Écoutez et lisez les textes (1–4). Puis regardez les phrases ci-dessous. Qui parle? Farid (F), les sœurs de Damien (D), le petit copain de Liane (L) ou Nathalie (N)?

1
Dimanche dernier, je suis resté à la maison et j'ai regardé *Tigre et dragon* en DVD. Je suis fan des films d'arts martiaux. C'est un de mes films préférés parce que c'est plein d'action.
Farid

2
Hier soir, ma copine Mathilde et moi sommes allées au cinéma. Nous avons vu *Madagascar*. Après, nous avons mangé une pizza et nous sommes rentrées à la maison vers 22 heures.
Nathalie

3
Mes deux sœurs adorent la lecture, surtout les livres de Harry Potter. Le week-end dernier, elles ont acheté toutes les deux *Harry Potter et le prince de sang mêlé*. Elles ont lu tout le week-end et elles ont fini le livre dimanche soir!
Damien

4
Samedi matin, mon petit copain a fait les magasins et il a acheté six CD avec l'argent qu'il a reçu comme cadeau d'anniversaire. Dimanche, il est resté à la maison et il a écouté du hip-hop et du rap dans sa chambre toute la journée.
Liane

1 On est allées au cinéma.
2 J'ai acheté des CD.
3 J'ai regardé un film en DVD.
4 Nous avons lu.

5 J'ai vu un film avec ma copine.
6 J'ai écouté de la musique dans ma chambre.
7 Nous avons mangé une pizza.
8 On a acheté un livre.

Expo-langue →→→→

Grammaire 208

The perfect tense is formed using an auxiliary (**avoir** or **être**) plus a past participle.
Past participles are formed as follows:

–er verbs	replace **–er** with **–é**	j'ai regard**é**
–ir verbs	replace **–ir** with **–i**	j'ai fin**i**
–re verbs	replace **–re** with **–u**	j'ai attend**u**

Note that some verbs have irregular past participles (e.g. **vu**, **lu**, **fait**).

2 À deux. Faites un dialogue en utilisant les détails donnés dans la grille.

	samedi		dimanche		
A	*après-midi*	*soir*	*matin*	*après-midi*	*soir*
B	*matin*	*après-midi*	*soir*	*matin & après-midi*	*soir*

■ Qu'est-ce que tu as fait le week-end dernier?
● Samedi matin, j'ai fait les magasins et j'ai acheté … , puis l'après-midi, … Le soir, … Dimanche, … Et toi, qu'est-ce que tu as fait?
■ Samedi …

3 Reliez les opinions en français et en anglais.
Utilisez le glossaire ou un dictionnaire, si nécessaire.

affreux   bien   formidable   long   passionnant
amusant   chouette   génial   marrant   (peu) original
barbant   émouvant   intéressant   nul   plein d'action
ennuyeux   lent   pas mal

full of action   moving
boring   funny   brilliant/fantastic/great   slow
good   interesting   not bad   terrible
exciting   amusing/entertaining   (un)original
long   rubbish

4 Écoutez ce qu'on a fait le week-end dernier. Pour chaque
personne, notez en français: (a) l'activité et (b) l'opinion. (1–6)

Exemple: 1 (a) écouter un CD (b) génial, un peu ennuyeux

To pronounce the **–ant** or
–ent sound (barb**ant**, l**ent**), your
tongue should be at the back of
your mouth. But to say the **–on**
sound (l**on**g, acti**on**), it should be
at the front of the mouth.

Expo-langue →→→→

To describe something in the past (what it *was* like),
you use **c'était**, the imperfect tense of **c'est**. To make it
negative, put **ne ... pas** round the verb.

C'était assez marrant. = It was quite funny.
Ce **n'était pas** très intéressant. = It wasn't very interesting.

5 Vidéoconférence. Interviewez votre partenaire.
Qu'est-ce que vous avez fait le week-end dernier?
C'était comment?

Remember to use intensifiers (**un peu,
assez, très, trop**) and time phrases
(e.g. **hier soir, il y a deux jours**) to make
what you say and write more interesting.

6 Qu'est-ce que vous avez fait le week-end dernier?
Mentionnez aussi votre famille ou vos copains.
Regardez et adaptez les textes de l'exercice 1, en
ajoutant des opinions.

Even though you are writing about
the past, try to include examples of
the present tense, too. Look at how the
people in exercise 1 have done this.

écouter **1** Écoutez et lisez les textes. (1–2)

Qu'est-ce que tu as vu ou lu récemment?

1 J'ai regardé *Batman begins* en DVD. C'est l'histoire de l'origine du super-héros Batman. Alors que Bruce Wayne est toujours enfant, un voleur tue ses parents. Plus tard, comme adulte, Bruce revient à Gotham City, où il décide de se déguiser en chauve-souris pour lutter contre la criminalité. Le film est plein d'action et de personnages extraordinaires, comme «The Scarecrow», un méchant qui se déguise en épouvantail! À mon avis, c'est le meilleur film Batman et Christian Bale est excellent dans le rôle principal, mieux que les autres acteurs qui ont joué ce rôle.

Nathan

2 J'ai lu *Harry Potter et le prisonnier d'Azkaban*. C'est le troisième livre de la série et à mon avis, c'est le meilleur. Dans cette histoire, Harry apprend que son parrain, Sirius Black, s'est échappé de la prison d'Azkaban et il pense que Sirius veut le tuer. Mais avec l'assistance de ses copains Ron et Hermione, il découvre la vérité et réussit à combattre ses vrais ennemis. À mon avis, le livre est mieux que le film. La meilleure partie du livre, c'est la partie dans le train, où Harry est attaqué par les Dementors. Ils sont les plus mauvais monstres de la série – pires que les vampires!

Marine

Expo-langue →→→→

Grammaire **218**

mieux – better	le/la/les meilleur(e)(s) – the best
pire(s) – worse	le/la/les plus mauvais(e)(s) – the worst

Elle est mieux que les autres actrices. = She's better than the other actresses.
la meilleur**e** partie du livre = the best part of the book
Ils sont pire**s** que les vampires. = They're worse than vampires.
la plus mauvais**e** scène du film = the worst scene of the film

lire **2** Trouvez le français.

1 It's the story of
2 a thief kills his parents
3 he decides to disguise himself as
4 to fight crime
5 amazing characters
6 a baddie
7 the lead role
8 the third book in the series
9 Harry learns that
10 with the help of his friends
11 he discovers the truth
12 succeeds in fighting his real enemies
13 Harry falls in love
14 the best part of the book

écrire **3** Décrivez un film ou un livre de votre choix (ou choisissez un des titres ci-dessous), en adaptant des phrases de l'exercice 1.

Exemple: **1** C'est l'histoire d'une famille de super-héros.

1 *Les Indestructibles (The Incredibles)*
2 *Star Wars épisode 3: La Revanche des Sith*
3 *Spider-Man*
4 *Harry Potter et la Coupe de Feu*

À deux. Préparez trois ou quatre phrases sur un autre film ou livre. Lisez-les à votre partenaire. Il/Elle doit deviner quel film ou quel livre c'est.

> Keep it simple. Try to adapt words and phrases from the texts on page 38 and avoid looking up too many new words. If you are not sure how to say something, try saying it in a different way, e.g. instead of: 'It's a film about a man trying to save the earth from invading alien spaceships', you could say: 'In this film, the hero decides to fight against aliens'. You should only need to look up 'aliens': *Dans ce film, le héros décide de lutter contre des extraterrestres.*

5 **Écoutez et complétez le texte.**

Les Choristes est un des **(1)** _____ films français des dernières années. Il s'agit de quoi? **(2)** _____ se déroule en 1948, au Pensionnat de Fond de l'Étang, une **(3)** _____ pour des garçons délinquants au cœur de la campagne française. Clément Mathieu, **(4)** _____ de musique, mais qui est au chômage (rôle interprété par Gérard Jugnot), y arrive pour **(5)** _____ comme surveillant. Malgré l'intimidation des élèves **(6)** _____ et les méthodes sévères que le directeur, Monsieur Rachin, utilise pour les discipliner, Clément **(7)** _____ d'essayer quelque chose de nouveau. Il décide d'apprendre la **(8)** _____ aux garçons et d'organiser une chorale. Il **(9)** _____ que ses élèves ont des dons musicaux, mais l'arrivée d'un **(10)** _____ très difficile met en péril ce projet. C'est par la magie du chant que Clément réussit à changer la vie de ses élèves. C'est un film sympa, émouvant et très bien joué.

école   pire   travailler   musique   professeur   meilleurs

difficiles   l'histoire   garçon   amusant   découvre   décide

6 **Relisez le texte et répondez aux questions en anglais.**

1 When does the story of *Les Choristes* take place?
2 What sort of a place is the Pensionnat de Fond de l'Étang?
3 Why does Clément Mathieu come to work there as a monitor?
4 How does the headteacher, Monsieur Rachin, keep discipline?
5 What does Clément decide to teach the pupils?
6 What threatens the project?
7 What effect does singing have on the pupils?
8 What does the writer think of the film?

1 Lisez et trouvez les deux parties de chaque texte.

①

Ma passion, c'est le rugby et comme je viens de Toulouse, mon équipe préférée c'est le Stade Toulousain. Samedi dernier, je suis resté à la maison pour regarder le match contre Narbonne à la télé.

②

Je suis fan de cyclisme et cette année, c'était extra, parce que le Tour de France est passé devant mon appartement! Mes copains sont venus chez moi et on est montés dans ma chambre, d'où on peut voir la rue.

③

Moi, je suis accro au skate! Il y a trois ans, je suis allé à la Coupe du Monde de skate, à Marseille. C'était génial! Mon skateur préféré est le Français Alex Coccini. Sur les rampes, il est descendu à une vitesse incroyable et il a fait des sauts fantastiques.

④

J'adore le foot et je suis supportrice du PSG (c'est-à-dire le Paris Saint-Germain). La semaine dernière, je suis allée au stade du Parc des Princes voir le match amical PSG contre Clermont Foot.

Les coureurs sont arrivés tout de suite! Mais il y a eu un accident: un coureur est tombé de son vélo et il est parti en ambulance. Alberto Contador, un Espagnol, a gagné la course.

Mélissa

Mais il a terminé à la deuxième place. C'est Omar Hassan, des États-Unis, qui a gagné le championnat. C'est le roi des skateurs!

Arthur

Un de nos meilleurs joueurs, Stéphane Sessegnon, a marqué un but superbe. Ensuite, Guillaume Hoarau en a marqué un deuxième et on est sortis vainqueurs! Je suis rentrée à la maison très contente.

Danielle

C'était un match passionnant et on a très bien joué. Mon joueur préféré, Frédéric Michalak, a marqué un essai fantastique. On a gagné le match et le score était 64–22. Youpi!

Jamel

---

un coureur – cyclist (in a race)
à une vitesse incroyable – incredibly fast
un saut – jump
les vainqueurs (m) – winners

 You don't need to understand every word to do exercise 1. Look for key words associated with each sport, e.g. **foot**, **joueur**, **marquer un but** …

2 Écoutez et vérifiez. (1–4)

> ### Expo-langue →→→→ *Grammaire* **210**
>
> The following verbs take **être** in the perfect tense:
>
> | | | |
> |---|---|---|
> | **aller** to go | **entrer** to go in | **arriver** to arrive |
> | **venir** to come | **sortir** to go out | **partir** to leave |
>
> | | | |
> |---|---|---|
> | **monter** to go up | **rester** to stay | **rentrer** to go home |
> | **descendre** to go down | **tomber** to fall | **retourner** to return |
>
> **Passer** also takes **être**, when it means 'to pass by'.
>
> The past participle of **être** verbs must agree with the subject:
> Elle est arrivé**e**. = She arrived.   Ils sont parti**s**. = They left.
> Elles sont descendu**es**. = They went down.

3 Trouvez 12 verbes avec *être* dans les textes de l'exercice 1 et traduisez-les en anglais.

lire 4 Lisez les phrases en anglais. Écrivez V (Vrai), F (Faux) ou ? (pas mentionné).

1 Last Saturday, Jamel went to see his favourite rugby team play.
2 Jamel's favourite player scored a try.
3 Mélissa and her friends watched the Tour de France from her bedroom.
4 The cyclist who fell off his bike was French.
5 Arthur watched the skateboarding World Cup on TV.
6 Alex Coccini won the skateboarding championship.
7 Danielle supports Paris Saint-Germain.
8 PSG scored two goals.

écouter 5 Écoutez et complétez le texte.

J'adore le foot et je suis (1) _____ de Bordeaux. Samedi dernier, je suis allé au match contre Marseille avec (2) _____. Je suis parti vers midi. J'ai pris (3) _____ devant mon appartement et je suis descendu au stade. Mes copains sont arrivés peu après. On a acheté des (4) _____ et on est entrés dans le stade. Il y avait beaucoup de monde et l'ambiance était (5) _____. Trente minutes plus tard, les joueurs sont sortis du tunnel et le match a commencé. Malheureusement, on n'a pas bien joué et après (6) _____ minutes, Marseille a marqué un but. C'était affreux! À la mi-temps, le score était 1–0. Pendant la deuxième mi-temps, Marseille a marqué un autre but et on a (7) _____ le match. Quel désastre! Je suis rentré chez moi tout (8) _____.

super	boissons	vingt	gagné	mes copains	le train	déprimé	fan
géniale	billets	quinze	perdu	ma famille	le bus	content	supporteur

écrire 6 Écrivez l'histoire d'un autre match de foot, en changeant les détails du texte de l'exercice 5.

parler 7 Préparez une présentation sur un match ou un autre événement sportif que vous avez vu ou regardé à la télé.

- Use or adapt language from the texts in exercises 1 and 5.
- Include details, e.g. when the event took place, where it was, who you went/watched it with, how you got there.
- Include two or three **être** verbs, in the perfect tense.
- Make sure you use the correct part of the verb for **je** or **on**.
- Include opinions using **C'était** + adjective and describe the atmosphere, using **L'ambiance était** + adjective (**ambiance** is feminine, so make the adjective agree).
- Mention the final score and how you felt.
- Memorise your presentation and speak using only a few, short bullet points on a card.
- Rehearse as much as you can. Try to record what you say, then listen to it. How could you improve your presentation?

1 Écoutez. Qui dit quoi? Écrivez les deux bonnes lettres pour chaque personne. (1–4)

1 Hugo   2 Alex   3 Karim   4 Mélanie

■ Comment utilises-tu l'Internet?   ● Je l'utilise …

a **pour surfer et trouver des sites intéressants.**

b **pour faire des achats.**

c **pour envoyer des e-mails à mes copains.**

d **pour regarder des vidéos marrantes.**

e **pour tchater et participer à des forums.**

f **pour jouer à des jeux.**

g **pour télécharger de la musique.**

h **pour aller sur les blogs de mes copains.**

Expo-langue →→→→

You use **pour** + infinitive to say 'in order to …':

J'utilise l'Internet **pour télécharger** de la musique. = I use the Internet (in order) to download music.

2 Écoutez et répétez les paires de mots contrastés.

Be especially careful with the pronunciation of words which are the same in English.

3 Faites un sondage. Posez la question «Comment utilises-tu l'Internet?» à dix de vos camarades de classe. Notez les réponses.

4 Quelle est l'attitude de chaque personne envers l'Internet? Écrivez P (attitude positive), N (attitude négative) ou P/N (attitude positive-négative).

Célia	Sur l'Internet on peut trouver des informations sur tout. Je l'utilise souvent pour faire des recherches pour mon travail scolaire. À mon avis, l'Internet est très éducatif.
Farid	Beaucoup de gens utilisent l'Internet pour télécharger de la musique. C'est bien, parce que ça donne une chance à de nouveaux musiciens. Mais le téléchargement illégal est un grand problème.
Audrey	Pour moi, mes enfants passent trop de temps sur l'Internet et ça coûte cher. De plus, ça peut être dangereux: parfois des personnes mal intentionnées essaient de contacter les jeunes sur le Net.
Gabriel	Mes parents sont divorcés et mon père habite assez loin, mais je peux rester en contact avec lui grâce à l'Internet. On l'utilise pour s'envoyer des e-mails, des photos, etc. Donc, personnellement, je trouve que c'est une bonne chose.

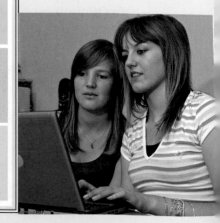

lire **5** Trouvez les mots français dans le texte de l'exercice 4.

1 information about everything
2 my school work
3 educational
4 a lot of people
5 illegal downloading

6 too much time
7 it costs a lot
8 it can be dangerous
9 stay in contact with
10 a good thing

lire **6** Et les portables? Sont-ils une bonne ou une mauvaise chose? Complétez ces opinions en utilisant des réponses de l'exercice 5. Ensuite, traduisez les phrases.

1 Je ne peux pas vivre sans mon portable! Je l'utilise pour ▬▬▬▬ mes copains.
2 Les jeunes passent ▬▬▬▬ à utiliser les portables et c'est mauvais pour la santé à cause des émissions intensives de micro-ondes.
3 Je l'utilise pour envoyer des SMS ou des photos à ma sœur qui habite au Canada. Donc je trouve que c'est ▬▬▬▬.
4 ▬▬▬▬ utilisent leur portable quand ils conduisent la voiture et ▬▬▬▬, parce que ça cause des accidents.
5 Mes parents refusent de m'acheter un portable, parce qu'ils n'ont pas beaucoup d'argent et ▬▬▬▬.

écouter **7** Écoutez un débat sur les portables et choisissez la bonne réponse.

1 Tariq uses his mobile ▬▬▬▬.
(a) now and then. (b) rarely. (c) a lot.

2 He uses it mainly ▬▬▬▬.
(a) to make phone calls. (b) to send texts to his family. (c) to surf the Net.

3 Nathalie ▬▬▬▬.
(a) agrees with Tariq that mobiles are a good thing.
(b) disagrees with Tariq. (c) partly agrees and partly disagrees with Tariq.

4 Nathalie thinks that mobiles are ▬▬▬▬.
(a) bad for young people's health. (b) useful for staying in touch.
(c) too expensive.

5 She also says that ▬▬▬▬.
(a) mobiles are good for people's security.
(b) her parents refuse to buy her a mobile. (c) mobiles cause road accidents.

écrire **8** Écrivez un paragraphe sur «La technologie et moi».

You could include:

● what you use the Internet for
● what your favourite website is
● your opinion of the Internet
● what you think of mobile phones
● advantages/disadvantages of mobiles

Remember to give reasons!

Use expressions of frequency to make what you write more interesting: **souvent, de temps en temps, parfois/quelquefois, tous les jours, tout le temps**

Controlled assessment interaction

Task

A French friend is visiting you and wants to go to the cinema next week. He/She wants information about the opening times of the cinema, tickets and the films showing. Use the advert to help you answer the questions.

- You will need to ask questions to find out what sort of films your friend likes.
- You will also need to give opinions on the kinds of films you enjoy watching and talk about films you have seen and films you want to see.

Your teacher will play the part of your French friend and will start the conversation.

Megaplex Cinema	**Opening times:** 7 days a week 10.00–23.00			**Tickets:** £6 adults, £4.50 children and students	
SCREEN 1	*Pride and Prejudice*	A romance	12	Thurs–Sat	8.00 p.m.
SCREEN 2	*Madagascar*	An animated comedy	U	every day	5.00 p.m., 7.30 p.m.
SCREEN 3	*Inside Man 2*	An action thriller	15	Fri & Sat	8.30 p.m.
SCREEN 4	*Chocolat*	French version with English subtitles	12	Fri & Sat	6.00 p.m.

1 Make a list of things you could say about the cinema and the films and also some questions your French friend could ask you.

2 You will hear a model conversation between Nick and his teacher, who is playing the role of his French friend. Listen to the first part of their conversation and make notes in English on:

1 the questions Nick is asked
2 the answers he gives.

3 Listen to the second part of Nick's conversation and fill in the gaps.

- ■ Tu veux y aller vendredi ou samedi?
- ● C'est l'anniversaire de Richard ce week-end. Il va fêter ses seize ans samedi et il (**1**) ▆▆▆▆ a invités chez lui (**2**) ▆▆▆▆ écouter de la musique et manger une pizza.
- ■ D'accord. On y va vendredi soir. Quels genres de films aimes-tu?
- ● Moi, j'aime (**3**) ▆▆▆▆ westerns et les films de guerre. Mon film préféré, c'est *Il faut sauver le soldat Ryan*. J'ai le film en DVD et il est sous-titré en français. Tu veux (**4**) ▆▆▆▆ voir ce soir?
- ■ Bonne idée! Moi aussi, j'adore les films de guerre. Tu aimes les films comiques?

- ● Oui. J'adore les films comiques. (**5**) ▆▆▆▆ trois semaines, je suis allé au cinéma pour voir *Les vacances de Mr Bean*. (**6**) ▆▆▆▆ fantastique et (**7**) ▆▆▆▆ Rowan Atkinson est un des (**8**) ▆▆▆▆ acteurs de nos jours. Tu le connais?
- ■ Bien sûr, mais je n'ai pas vu ce film. De quoi s'agit-il?
- ● Mr Bean décide de (**9**) ▆▆▆▆ ses vacances dans le sud de la France et il va au festival de Cannes. C'est vraiment très amusant! Quels films as-tu vus (**10**) ▆▆▆▆?

4 **Now listen to the final part of Nick's conversation and answer the questions.**

1 Give three examples in French of how Nick uses the perfect tense to talk about films he's seen recently.

2 When Nick describes the plot, he uses the present tense. Find four examples of this.

3 What phrase does he use to introduce his opinion at the end?

4 Write down in French and English the two sentences Nick uses to make recommendations about the film.

5 **Now it's your turn! Prepare your answers to the task, then have a conversation with your teacher or partner.**

- Use ResultsPlus and the work you have done in exercises 1–4 to help you.
- Use the tips and ideas in ResultsPlus to enhance what you say.
- Make your answers as full as possible and take the initiative by asking some questions yourself.

Award each other one star, two stars or three stars for each of these categories:
- pronunciation
- confidence and fluency
- range of tenses
- variety of vocabulary and expressions
- using longer sentences
- taking the initiative.

What do you need to do next time to improve your performance?

 Results**Plus**

 To make sure you produce a good answer, you should try to use the main tenses correctly and give opinions.
- Nick uses the **present tense** to talk about the sort of films he likes, the **perfect tense** to talk about films he has seen recently and the **near future tense** to say what he's going to do at the weekend.
- He uses *C'était* and an **adjective** to give his opinion of a film he's seen.
- He also uses the phrase *Je trouve que* … as another way of giving his opinion.
- If you are asking questions, make sure you use the **correct form of address**. This is an informal situation; you know the person you are talking to, so remember to use *tu* (not *vous*) with the correct verb ending.

 To go a step further, you need to:
- **take the initiative** in the conversation. Notice how Nick asks his teacher some questions, too (*Tu veux le voir ce soir?/ Quels films as-tu vus récemment?*).
- use *pour* + **the infinitive** to mean 'in order to'. Notice where Nick uses this (*pour écouter* de la musique).
- use *il y a* to mean 'ago' (*il y a trois semaines*)
- use different ways of asking **questions**. Look at these examples:
  - *Est-ce que tu veux y aller avec moi?* (question with *est-ce que* at the front)
  - *Quels films as-tu vus récemment?* (question beginning with a question word).
- show you can use **other parts of the verb** such as *il* and *elle*, as Nick does.

 For a really impressive answer:
- use **pronouns** to avoid having to repeat nouns. Notice where Nick does this: *Tu veux le voir?* instead of *Tu veux voir le film?*
- use **superlatives** such as *meilleur*. Notice how Nick describes Rowan Atkinson as 'one of **the best** actors'.
- add interest to your answers by including **adverbs** such as *récemment*.

Brille à l'oral!

- Include a complex sentence such as *pour ceux qui aiment les films qui font pleurer* (for those who like films which make you cry).
faire pleurer = to make someone cry
faire rire = to make someone laugh.

Controlled assessment practice

Un de mes films préférés

Je suis fan des bandes dessinées «Spider-Man» depuis que je suis petit et j'adore aussi les films de Spider-Man. Samedi dernier, je suis resté à la maison et j'ai regardé *Spider-Man 3* à la télé. C'était génial! C'est le troisième film de la série et à mon avis, c'est le meilleur.

Dans ce film, Peter Parker (c'est la vraie identité de Spider-Man) veut se marier avec sa petite copine, Mary Jane (rôle interprété par Kirsten Dunst), mais, bien sûr, ils ont des problèmes! D'abord, Spider-Man est attaqué par une substance noire qui change son caractère et le rend plus agressif. Ensuite, son ancien copain, Harry, veut le tuer pour se venger de la mort de son père. Puis Spider-Man doit combattre deux ennemis qui menacent New York: Sandman, un homme de sable qui a tué l'oncle de Peter Parker, et Venom, un méchant qui ressemble à Spider-Man et qui possède des pouvoirs dangereux. Finalement, Spider-Man réussit à vaincre ses ennemis, avec l'assistance de Harry, mais malheureusement, Harry est tué par Venom. Cependant, tout finit bien pour Peter et Mary Jane, qui sont toujours amoureux.

J'ai beaucoup aimé ce film parce qu'il est passionnant, romantique, drôle et triste en même temps. Il est plein d'action et les effets spéciaux sont superbes. La vedette du film est Tobey Maguire et il est excellent dans le rôle principal. Il est vraiment doué comme acteur. Le premier et le deuxième films de la série sont bien, mais, pour moi, le troisième est plus intéressant et plus émouvant que les autres.

Je vais recommander ce film à tous mes copains et de plus, je voudrais acheter les trois films en DVD, pour les revoir aussitôt que possible!

Guillaume

le rend plus agressif – makes him more aggressive	un homme de sable – a man made of sand
ancien(ne) – former	ressemble à – looks like

1 Find the French equivalent of these phrases in the text and copy them out.

   1 wants to kill him
   2 the death of his father
   3 possesses dangerous powers
   4 manages to defeat his enemies
   5 however, everything ends well
   6 funny and sad at the same time
   7 the special effects
   8 the star of the film
   9 in the lead role
  10 a really talented actor

2 Choose the correct answer: a, b or c.

  1 Guillaume saw *Spider-Man 3* …
    (**a**) when he was little.
    (**b**) at the cinema. (**c**) last Saturday.
  2 Peter Parker is Spider-Man's …
    (**a**) friend. (**b**) real name.
    (**c**) enemy.

3 Spider-Man has to fight …
    (**a**) Sandman and Venom.
    (**b**) Mary Jane. (**c**) Peter Parker's uncle.
4 At the end of the film, …
    (**a**) Spider-Man is destroyed by his enemies.
    (**b**) Harry is killed.
    (**c**) Peter and Mary Jane get married.
5 Guillaume thinks the third film in the series …
    (**a**) is the most action-packed.
    (**b**) has the best special effects.
    (**c**) is the most moving.
6 Guillaume …
    (**a**) would like to buy all three films on DVD.
    (**b**) has all three films on DVD.
    (**c**) is going to borrow the DVDs from his friends.

3 You might be asked to write about a film you have seen, or a book you have read, as a controlled assessment task. Use ResultsPlus to help you prepare.

ResultsPlus

To produce a good answer, you need to use connectives, adjectives and the three main tenses (present, perfect and future) correctly.
- Include at least six **connectives**; look at those that Guillaume uses.
- Look at the number of **adjectives** Guillaume uses to give his opinion of the film.
- He uses the **present tense** to describe the plot of the film, the **perfect tense** to say when he watched it and that he liked it, plus *aller* + **infinitive** to say he is going to recommend the film to his friends.

To go a step further, you need to aim for maximum accuracy.
- Look at the verb endings in Guillaume's second paragraph. When you are describing the characters and action in a film, you need to use the *il*/*elle*/*ils*/*elles* **parts of the verb** correctly, so make sure you know them.
- Include the **comparative** (*plus*/*moins* + **adjective** + *que* …). Guillaume uses this to compare *Spider-Man 3* with the other two Spider-Man films.
- Also make sure you use the correct **adjective agreement**: masculine or feminine, singular or plural. Look for examples in Guillaume's text.
- Use *depuis* + **the present tense** to say how long you have been doing something, as Guillaume does in the first line.

For a really impressive answer:
- use a **relative pronoun** such as *qui* (who/which). Guillaume uses this six times to describe the plot of the film!
- use a **direct object pronoun** to avoid repeating a noun, e.g. *Harry veut le tuer* (Harry wants to kill **him**).

Brille à l'écrit!
- Include *le meilleur/la meilleure* (plural: *les meilleurs/meilleures*). See how Guillaume uses this to say which of the Spider-Man films he thinks is the best one.

4 Now write an article about one of your favourite films or books.
- Use or adapt phrases from Guillaume's text and from unit 4.
- If you have to look up words in a dictionary, make sure you choose the right translation! Look carefully at any examples given. Cross-check by looking the French word up in the French–English part of the dictionary.
- Structure your text carefully in paragraphs and refer to past, present and future events.

Introduction

What did you see or read, and when? What sort of book or film is it? What was your general impression of it?

Main paragraphs

What is the story of the book or film? Describe the main characters. What happens at the beginning, in the middle and at the end?

Conclusion

What do you think of the film or book and why? Would you recommend it? What are you going to see or read next, and why?

Check what you have written carefully. Check:
- spelling and accents, especially words which are similar to the English (e.g. *ennemi*, *attaqué*, *dangereux*, *effets*, *acteur*)
- gender (*le/la/l'/les; un/une*) and agreement (e.g. adjectives, past participles of *être* verbs)
- verb endings (e.g. *je veux/il/elle veut*)
- tense formation (e.g. *j'aime/j'ai aimé; je suis resté(e)/je vais acheter*).

Qu'est-ce qu'on fait?
What shall we do?

Tu veux ...?	*Do you want to ... ?*	Qu'est-ce qu'on passe?	*What's on?*
aller au cinéma?	*go to the cinema?*	Il y a *Madagascar*.	*Madagascar is on.*
regarder la télé?	*watch television?*		

Les films
Films

C'est ...	*It's ...*	un film de science-fiction	*a science-fiction film*
une comédie	*a comedy*	un film policier	*a police/detective film*
un dessin animé	*a cartoon*	une histoire d'amour	*a love story*
un film d'action	*an action film*	un western	*a western*
un film d'arts martiaux	*a martial-arts film*	J'adore les dessins animés.	*I love cartoons.*
un film de guerre	*a war film*	Mon frère préfère les	*My brother prefers*
un film d'horreur	*a horror film*	westerns.	*westerns.*

Les émissions
Programmes

un documentaire	*a documentary*	une émission musicale	*a music programme*
une émission de	*a science-fiction*	un jeu télévisé	*a game show*
science-fiction	*programme*	une série	*a series*
une émission de sport	*a sports programme*	une série médicale/policière	*a medical/police series*
une émission de télé-réalité	*a reality TV programme*		

Les réactions
Reactions

Bonne idée!	*Good idea!*	Je n'ai pas (tellement) envie.	*I don't (really) want to.*
Bof./Ça m'est égal.	*Don't mind.*	Je veux bien.	*I'd like to.*
Ça dépend.	*It depends.*	Pas ça!	*Not that!*
Ça ne me dit rien.	*I'm not very keen.*	Tu plaisantes!	*You're joking!*
Chouette!	*Great!*	Je les trouve ennuyeux/euses.	*I find them boring.*
D'accord.	*OK.*		

La fréquence
Frequency

Je le/la regarde de temps	*I watch it from time*	tout le temps	*all the time*
en temps.	*to time.*	tous les jours/samedis	*every day/Saturday*
d'habitude	*usually*	tous les soirs/week-ends	*every evening/weekend*
J'y vais ...	*I go there ...*	toutes les semaines	*every week*
rarement	*rarely*	une/deux fois par mois	*once/twice a month*
pas/assez souvent	*not/quite often*		

Les divertissements
Entertainment

Il y a une séance à ...	*There's a showing (of a film) at ...*	complet	*full (no seats left)*
		tarif réduit	*reduced price/rate*
L'entrée, c'est combien?	*How much is the entrance fee?*	C'est gratuit.	*It's free (of charge).*
		Ça commence à ... ?	*When does it start?*
Ça coûte combien?	*How much is it?*	On se retrouve où/ à quelle heure?	*Where/When shall we meet?*
un concert	*a concert*		
une pièce (de théâtre)	*a play (at the theatre)*	chez moi/toi	*at my/your home*
un spectacle (de danse)	*a (dance) show*	chez lui	*at his/her home*
un billet	*a ticket*	À bientôt/demain/samedi!	*See you soon/ tomorrow/Saturday!*
avec la carte d'étudiant	*with a student card*		

Les excuses
Excuses

Désolé(e)./Excuse(z)-moi.	*I'm sorry.*	faire mes devoirs	*do my homework*
Je ne peux pas parce que ...	*I can't because ...*	garder mon petit frère	*look after my little brother*
C'est trop cher pour moi.	*It's too expensive for me.*		
Ma mère/Mon père dit que	*My mother/father says*	laver la voiture (de ma mère)	*wash (my mother's) car*
je dois ...	*that I have to ...*	promener le chien	*walk the (neighbours')*
Mes parents disent que	*My parents say that I*	(des voisins)	*dog*
je dois ...	*have to ...*	ranger ma chambre	*tidy my bedroom*

rentrer avant 22 heures	come home before 10 p.m.	On doit aller voir ma grand-mère.	We have to go and see my grandmother.
rester à la maison	stay at home	Mes parents doivent sortir.	My parents have to go out.
sortir avec mes parents	go out with my parents		

Le week-end dernier — *Last weekend*

Qu'est-ce que tu as fait?	*What did you do?*	lu des BD	*read some comic books*
J'ai/On a ...	*I/We ...*	regardé un film en DVD	*watched a film on DVD*
acheté des CD	*bought some CDs*	vu King Kong.	*saw King Kong.*
écouté de la musique	*listened to music*	Je suis/On est ...	*I/We ...*
fait les magasins	*went shopping*	allé(e)(s) au cinéma	*went to the cinema*
fini le livre	*finished the book*	rentré(e)(s)	*came/went back*
mangé une pizza	*ate a pizza*	resté(e)(s) à la maison	*stayed at home*

Les opinions — *Opinions*

Il y avait ...	*There was/were ...*	émouvant	*moving*
Il n'y avait pas ...	*There wasn't/weren't ...*	ennuyeux	*boring*
C'était/Ce n'était pas ...	*It was/It wasn't ...*	extra	*great/fantastic*
assez	*quite*	formidable	*great*
tout à fait	*completely*	génial	*great*
très	*very*	intéressant	*interesting*
trop	*too*	lent	*slow*
un peu	*a bit*	long	*long*
affreux	*terrible*	marrant	*funny*
amusant	*amusing/fun*	nul	*rubbish*
agréable	*nice/pleasant*	pas mal	*not bad*
barbant	*boring/dull*	passionnant	*exciting*
bien	*good*	(peu) original	*(un)original*
bien joué	*well played/acted*	plein d'action	*full of action*
drôle	*funny*	sympa	*nice*

Il s'agit de quoi? — *What's it about?*

C'est l'histoire de ...	*It's the story of ...*	À mon avis, la meilleure partie du film/livre, c'est ...	*In my opinion, the best part of the film/book is ...*
L'histoire se déroule ...	*The story takes place ...*		
Le film est plein d'action.	*The film is action-packed.*	l'acteur/l'actrice	*the actor/actress*
		l'ambiance (f)	*the atmosphere*

Les événements sportifs — *Sporting events*

		le/la joueur/euse	*player*
le but	*goal*	le/la supporter/trice (de)	*supporter (of)*
le/la champion(ne)	*champion*	le vainqueur	*winner*
le championnat	*championship*	contre	*against*
le concours	*contest/competition*	à la mi-temps	*at half-time*
la Coupe du Monde	*the World Cup*	Il/Elle a terminé en (deuxième) place.	*He/She finished in (second) place.*
le/la coureur/euse	*cyclist (in a race)*	Il/Elle a marqué (un but).	*He/She scored (a goal).*
la course	*race*	On a gagné/perdu.	*We won/lost.*
l'équipe (f)	*team*		
l'essai (m)	*try (rugby)*		

La technologie — *Technology*

faire des achats	*to shop (online)*	les micro-ondes (f)	*microwaves/radiation*
surfer (sur Internet)	*to surf (the Net)*	le portable	*mobile (phone)*
tchater	*to chat (online)*	le SMS	*text message*
télécharger	*to download*	le téléchargement illégal	*illegal downloading*
l'e-mail (m)	*email*	sur le Net	*online*

C'est où? Finding the way
Using the preposition *à*

Déjà vu

 1 Écoutez et regardez les images. Qui parle? (1–8)

a

Romane

b

Justine et Hugo

c

Yanis

d

Vincent

e

Nabila et Blanche

f

Malik

g

Amir et Louis

h

Claire et Théo

2 Complétez les phrases avec *au, à la, à l'* ou *aux*. Utilisez le glossaire ou un dictionnaire, si nécessaire.

1 Où vas-tu? Je vais _____ parc.
2 Où allez-vous? On va _____ église.
3 Où es-tu? Je suis _____ bibliothèque.
4 Où êtes-vous? On est _____ centre commercial.
5 On se retrouve où? On se retrouve _____ piscine.
6 On va où? Moi, je vais _____ toilettes!

Expo-langue →→→→

The preposition **à** means 'at' or 'to'.

à + le = au	**au** stade
à + la = à la	**à la** patinoire
à + l' = à l'	**à l'**hôpital
à + les = aux	**aux** toilettes

> The gender of words in a glossary or a dictionary is indicated by (m)/(f) or (nm)/(nf).

3 À deux. Posez des questions aux personnes de l'exercice 1. Utilisez *aller* ou *être*, comme précisé ci-dessous.

a être **b** aller **c** être **d** aller **e** aller **f** aller **g** être **h** aller

■ Romane, où **es-tu**?
● **Je suis** au centre commercial. Justine et Hugo, où **allez-vous**?
■ On va …

Où es-tu? *Je suis …*   Où êtes-vous? *On est …*
Où vas-tu? *Je vais …*   Où allez-vous? *On va …*

Expo-langue

Use **tu** for:
● one person you know well (a friend or family member)
● a child/teenager

Use **vous** for:
● more than one person
● an adult you don't know well

If you are in doubt about which form to use, use **vous**.

4 Écrivez des textos.
Exemple:

Je vais au centre commercial. Je dois acheter un stylo. À bientôt! Ryan

écouter **5** Écoutez les directions et regardez le plan. C'est vrai ou faux? (1–4)

↑ tout droit	les magasins
→ à droite	le collège
← à gauche	

la poste

le musée

le camping

la gare

l'hôtel

Vous êtes ici

parler **6** À deux. Regardez encore le plan. Demandez la direction pour aller au camping, au collège et à la gare. Imaginez que vous parlez à un adulte.

■ Pardon. Où est le camping, s'il vous plaît?
● Vous allez ... , puis vous ...

Pardon./Excuse(z)-moi, (monsieur/madame).
Où est (la gare)/Où sont (les magasins), s'il vous/te plaît?
Tu vas/Vous allez tout droit.
Tu tournes/Vous tournez à gauche/à droite.
Merci (beaucoup). Au revoir.

parler **7** À deux. Refaites les dialogues en imaginant que vous parlez à un enfant.

lire **8** Lisez le texte et faites une liste en anglais des neuf magasins qui sont mentionnés.

Boîte de réception	Messages envoyés	Brouillons

Dans ma ville, il y a un grand centre commercial et j'y vais tous les samedis avec mes copains. Là, il y a un supermarché, une boulangerie, une boucherie, une poste et une pharmacie, mais moi, je préfère les magasins de vêtements et les magasins de chaussures. Malheureusement, il n'y a pas de librairie, mais il y a un bon magasin de musique, où j'achète souvent des CD. Après les courses, on va au café pour prendre un coca. Et ta ville ou ton village, elle ou il est comment?
Ahmed

écrire **9** Écrivez une réponse à Ahmed. Adaptez le texte ci-dessus, si vous voulez.

1 Écoutez et lisez le texte.

Salut, Liam

Désolé de devoir aller au collège ce matin, mais on se retrouve vers 14h30 au Café Coupole, OK? Pour aller en ville, prends le bus numéro 14. L'arrêt d'autobus se trouve en face de l'appartement, de l'autre côté de la rue. Descends devant l'hôtel de ville, à la place du Marché. Tourne à gauche et traverse aux feux rouges. Continue tout droit et prends la première rue à droite. (Il y a une pâtisserie au coin qui s'appelle Le Petit Pain Doré.) Va tout droit jusqu'au carrefour et prends la deuxième rue à droite – c'est la rue principale. Le café est sur ta gauche à côté du syndicat d'initiative. Si tu as le temps, il y a une bonne confiserie au bout de la rue, entre la parfumerie et la charcuterie, où tu peux acheter des bonbons délicieux!

À tout à l'heure!

Sébastien

2 Mettez les directions en anglais dans l'ordre du texte ci-dessus.

- **a** Turn left and cross at the traffic lights.
- **b** That's the high street.
- **c** Get off in front of the town hall on Market Square.
- **d** The café is on your left next to the tourist information office.
- **e** Go straight on and take the first street on the right.
- **f** The bus stop is opposite the flat, on the other side of the road.
- **g** There's a good sweet shop between the perfume shop and the delicatessen.
- **h** Go straight on as far as the crossroads and take the second on the right.
- **i** There is a cake shop on the corner.

> Look for words you already know (e.g. **autobus**, **marché**, **gauche**, **café**) to help you to pick out the sentences in exercise 2.

3 Écrivez les directions en français.

Exemple: 1 devant la confiserie

Expo-langue →→→→

Prepositions are used to describe the position of things.

Some prepositions take **de** when followed by a noun: this changes to **du/de la/de l'/des** when used with a definite article.

à côté **du** syndicat d'initiative = next to the tourist information office

However, other prepositions do not use **de**.

devant l'hôtel de ville = in front of the town hall

Make a list of the prepositions in the text above and their meanings. Which ones take **de** and which do not?

1

2

3

4

5

6

7

8

4 Écoutez et regardez le plan. Où va-t-on? (1–6)

A	le commissariat de police
B	le syndicat d'initiative
C	la bibliothèque
D	la pharmacie
E	la boîte aux lettres
F	la pâtisserie
G	la charcuterie
H	la confiserie
I	l'arrêt d'autobus
J	la piscine
K	l'hôtel de ville
L	le parc
M	la gare routière
N	l'hôpital
O	la gare SNCF
P	la boulangerie
Q	le centre commercial
R	la patinoire
S	la librairie
T	les WC

Vous êtes ici

5 Écoutez encore. C'est à quelle distance? Notez en français. (1–6)

6 À deux. Faites un dialogue en utilisant le plan ci-dessus. Utilisez *vous*.

Expo-langue →→→→

You use the imperative to give instructions.
The **vous**-form imperative is the present tense verb minus the word **vous**.
The **tu**-form imperative is the present tense verb minus the word **tu**.
–er verbs also drop the **s** at the end of the verb.
Traversez le pont, **allez** tout droit et **prenez** la première rue à gauche.
Traverse le pont, **va** tout droit et **prends** la première rue à gauche.
(Cross the bridge, go straight on and take the first street on the left.)

Où est/se trouve le/la/l'..., s'il vous/te plaît?
Où sont/se trouvent les ..., s'il vous/te plaît?
Pour aller au/à la/à l'/aux ..., s'il vous/te plaît?
Est-ce qu'il y a un/une/des ... près d'ici, s'il vous/te plaît?
Allez/Va tout droit/jusqu'au/à la/à l'/aux ...
Traversez/Traverse (le pont).
Prenez/Prends la (première/deuxième/troisième) rue à gauche/droite.
C'est sur votre/ta gauche/droite.
Pouvez-vous/Peux-tu répéter, s'il vous/te plaît?
C'est loin d'ici/à quelle distance?
(Non,) c'est (tout) près d'ici./C'est (assez/très) loin.
C'est à (deux cents) mètres/un kilomètre/(cinq minutes) à pied (environ/à peu près).

7 Écrivez à un copain/une copine la direction pour aller à ces endroits. Utilisez le plan ci-dessus.

1 la piscine   2 la gare SNCF
3 la patinoire   4 la librairie
5 le centre commercial

Remember to use the **tu** form imperative when giving directions to a friend.

2 J'habite en ville
Talking about the advantages and disadvantages of where you live
beau, nouveau and *vieux*

écouter 1 Écoutez et lisez. Trouvez les images et les phrases qui correspondent à chaque texte.

J'habite dans une vieille maison en ville. Notre appartement est au cinquième étage. C'est un bel immeuble du 19ᵉ siècle. La maison est pleine d'histoire, mais les pièces sont petites, les sanitaires sont vieux et les marches de l'escalier sont abîmées. Ma chambre est dans les combles et nous n'avons pas de chauffage central. Il fait très chaud en été et très froid en hiver. Heureusement, nous sommes à deux minutes des commerces et du cinéma. La maison est dans le vieux quartier de la ville près de la place du Marché. Les rues sont étroites et le soir, il y a de l'ambiance, mais pendant la journée, il y a trop de circulation et c'est trop bruyant. Le soir en été, tout le monde sort, les adultes jouent à la pétanque sur la place et nous faisons du skate. On s'amuse bien.

Clément

Nous habitons un nouvel appartement dans la banlieue. C'est joli parce qu'il y a un grand et bel espace vert autour des immeubles où l'on peut jouer. Mais notre appartement est au huitième étage et l'ascenseur tombe souvent en panne. Pour moi ça va, cela m'aide à garder la forme, mais ma mère doit monter le bébé, la poussette et toutes les courses par l'escalier si je ne suis pas là pour l'aider. De plus, nos voisins d'à côté mettent de la musique très fort le soir. Nous avons du double-vitrage contre le bruit, mais ça ne sert à rien s'il fait chaud et qu'on veut ouvrir les fenêtres. Les gens qui habitent au-dessus passent leurs soirées à traîner des chaises par terre et cela fait un bruit épouvantable chez nous. C'est difficile quand on veut faire nos devoirs!

Karel

> abîmé – damaged, worn out
> bruyant – noisy

1 2 3 4 5 6

a **Les voisins font beaucoup de bruit.**

b **Nous n'avons pas de douche.**

c **Il y a trop d'escaliers.**

d **Il n'y a pas de jardin.**

e **J'aime l'ambiance.**

f **L'immeuble est neuf.**

écrire 2 Copiez et complétez les mots.

Osman habite un
b_____ appartement
dans un n_____
immeuble. La n_____
maison de Damien est
dans un b_____
quartier où il y a de
v_____ bâtiments.
Notre maison est
v_____. Elle est située
dans le v_____ quartier
sur les hauteurs de la ville,
près du v_____ château.
Nous avons toujours eu
une b_____ vue sur la
ville, mais l'année dernière, on a construit un n_____
hôtel juste devant chez nous.

Expo-langue →→→→ | Grammaire 206

Beau (beautiful/nice), **vieux** (old) and **nouveau** (new) are three more adjectives which go *in front of* the noun: un **beau** quartier. Note that these adjectives have a special form when followed by a noun beginning with a vowel sound.

singular			plural	
masculine	feminine	m/f before vowel or silent **h**	masculine	feminine
beau	belle	bel	beaux	belles
vieux	vieille	vieil	vieux	vieilles
nouveau	nouvelle	nouvel	nouveaux	nouvelles

3 Écoutez et notez. Selon eux, c'est un avantage (A) ou un inconvénient (I)? (1–2)

	Victorien	Alizée
situation	A – près du marché et des commerces	
ambiance		
environs		
maison		
chambre		

4 Quel est l'inconvénient?
Reliez les textes aux
bonnes images.

There may be words here you don't know: use what you do know to do the exercise.

Look at the pictures and decide what the key words might be, then look for these words in the text.

1
Chez nous, le problème, c'est qu'on a construit beaucoup de maisons et quand il pleut, la rivière déborde. Quelquefois, l'eau arrive juste devant notre porte et il y a de plus en plus souvent des inondations. L'année dernière, l'eau est rentrée dans la maison deux fois.

2
Le samedi matin, il y a un marché juste devant chez nous et après le marché, les commerçants laissent des tas de fruits, des légumes abîmés, des vieux papiers jetés par terre, et quand il y a du vent, ça vole partout. C'est carrément dégoûtant!

3
Notre ville est ancienne, avec des rues étroites, et la pollution est devenue épouvantable, surtout en été. C'est à cause des gaz d'échappement des voitures qui sont coincées dans la rue. Quelquefois, c'est vraiment irrespirable!

motorway

4
On a construit une nouvelle autoroute tout près de chez nous, et le bruit est affreux. C'est tout le temps bruyant, de jour comme de nuit. Le pire, ce sont les poids lourds. On nous a mis des doubles-vitrages dans tout l'immeuble, mais ça ne marche que si on garde les fenêtres fermées. Mais on ne peut pas toujours les garder fermées – on ne peut plus respirer sinon!

work

work

a

un poids lourds

b

c

d

e

f

5 Imaginez que vous habitez dans une grande ville. Quels sont les avantages et les inconvénients? Est-ce qu'il y a un problème particulier? Utilisez les phrases dans les textes ci-dessus pour vous aider.

gaz d'échappement = fumes

6 Vidéoconférence. Là où j'habite. Préparez une présentation.

Mentionnez:
- les avantages
- les inconvénients
- les problèmes.

1 Lisez et écoutez. Écrivez V (Vrai), F (Faux) ou PM (Pas Mentionné).

Quand j'étais petit, nous habitions en ville, mais quand j'ai eu douze ans, nous avons déménagé et maintenant, nous habitons à la campagne depuis quatre ans déjà.

Quand nous habitions en ville, je pouvais aller dans le centre-ville à pied. Notre maison était à deux minutes de l'école et je pouvais rentrer à midi déjeuner à la maison. Le soir, j'allais à la piscine ou à la bibliothèque avec mes copains. Je faisais du judo et je prenais des cours de guitare. C'était pratique.

Maintenant, pour aller au collège, je prends le car de ramassage qui passe à sept heures. Il me faut trois quarts d'heure pour y aller. Si je veux aller à la piscine ou au cinéma, je dois rester en ville après la fin des cours et maman vient me chercher en voiture parce qu'il n'y a pas de bus. La nouvelle maison est plus grande et plus jolie et nous avons un grand jardin, mais je n'ai pas de copains dans le village et mes copains d'avant, ils me manquent.

ils me manquent – I miss them (*literally* they are missing to me)

When he was young …	Now …
1 he lived in a village.	6 he lives in a bigger house.
2 he could walk to school.	7 he doesn't do judo any more.
3 he had lunch at school.	8 his mother takes him to school.
4 he used to do judo and play the guitar.	9 it takes half an hour to get there.
5 he had lots of friends.	10 he hasn't any friends.

2 Copiez et complétez les mots.

1 Quand il ét_____ jeune, il habit_____ en ville.
2 Maintenant, il _____ à la campagne.
3 L'ancienne maison ét_____ près de l'école.
4 La nouvelle maison _____ dans un village.
5 Il all_____ à l'école à pied.
6 Maintenant, il y _____ en car.
7 En ville, il av_____ beaucoup de copains.
8 Dans le village, il n'_____ pas de copains.
9 Il fais_____ du judo.
10 Maintenant, il n'en _____ plus.

Expo-langue →→→→ *Grammaire* **212**

Remember: you use the **imperfect tense** to say what 'used' to happen or for descriptions of how things were in the past.

Nous **habitions** en ville. = We *lived/used to live* in a town.

C'**était** pratique. = It *was* practical.

To form the imperfect tense: take the **nous** form of the present tense, take off the **–ons** ending and add the following endings: **–ais, –ais, –ait, –ions, –iez, –aient**

~~nous~~ pouvons →

je **pouvais**	nous **pouvions**
tu **pouvais**	vous **pouviez**
il/elle/on **pouvait**	ils/elles **pouvaient**

The only verb which forms the imperfect differently is **être**: you use the same imperfect endings, but add them to the stem **ét–**.

3 Où habitaient-ils et où habitent-ils maintenant?
Copiez et complétez la grille.

Siana

Damien

Claire

Martinique   Paris
Marseille   Bordeaux
Lyon   à la campagne
au bord de la mer
dans un village
en banlieue
dans une grande ville

	où?	avantage	inconvénient	autres détails
avant				
maintenant				

près/loin

de l'école
du cinéma
des commerces
de la piscine
des copains

trop

petit
bruyant   vieux
haut   loin

Qu'est-ce
qui leur
manque?

le père
la chaleur
les copains
la mère
l'ambiance

4 À deux. Imaginez que vous êtes Siana, Damien ou Claire.
Posez-vous des questions et répondez-y.

- Où habites-tu?
- Tu y habites depuis quand?
- Où habitais-tu avant?
- C'était comment?

- Où préfères-tu habiter?
- Pourquoi?
- Qu'est-ce qui te manque le plus?

5 Écrivez un texte: «Où j'habite: les avantages et
les inconvénients».

Remember to use modifiers
to add interest, e.g.
assez – quite, **très** – very,
trop – too, **plutôt** – rather

6 Vidéoconférence. Vous allez vous informer sur le quartier où habitent
vos camarades et sur les avantages et les inconvénients à y habiter.

Préparez: • cinq questions à poser
            • ce que vous allez dire sur votre quartier

- Où … ?
- C'est … ?
- Aimes-tu … ?
- Préfères-tu … ?
- Pourquoi?
- Avantages/inconvénients?

Try to use the following phrases when
discussing your opinions:
selon moi/toi/vous – in my/your opinion
(according to me/you)
à mon/ton/votre avis – in my/your opinion

Chamonix (France)

Cilaos (La Réunion)

Lire et écouter

1 Écoutez le début de cette conversation et répondez aux questions en anglais.

1. How many people are talking?
2. Are they **(a)** chatting? **(b)** making arrangements? **(c)** conducting an interview?
3. Listen to the background noise. Where is the conversation taking place?
   (a) in the street   **(b)** in a school
   (c) in a studio
4. Are they in France or in La Réunion?
5. Why do you think Sébastien is there?

2 Écoutez et répondez aux questions en anglais.

1. What is the Piton des Neiges?
2. How does the Piton de la Fournaise differ from the Piton des Neiges?
3. What three reasons does Sébastien suggest for the twinning of the two towns?
4. Why is a picture of a palm tree on a white beach not representative of this island?

Before listening for detail, it is helpful to work out the context of a listening passage. Check for any clues that the title gives you. Are the pictures any help?

Listening for detail

- Read all the questions and use the English in the questions to help you predict what you are going to hear.
- Cross out any answers you change your mind about. If you don't the examiner will mark them.
- If you are asked for three examples, don't list five in the hope that some of them are right. You may lose marks for this.
- Don't leave answers blank!

Expo-langue →→→→

Grammaire 218

To say something is the 'most' ('the biggest', 'the most interesting', etc.), you use the superlative form of the adjective. This is formed using **le/la plus** + adjective. Note that the adjective still needs to agree:
C'est **la plus vieille** ville d'Europe. = It's the oldest town in Europe.

The superlative comes *before* or *after* the noun, depending on where the adjective would come:
le plus haut immeuble = the tallest building   la cathédrale **la plus connue** = the best-known cathedral

The superlative of **bon** is irrregular: **le meilleur** théâtre/**la meilleure** ville

CHAMONIX

Chamonix est le rendez-vous des voyageurs et des aventuriers depuis plus de 250 ans. La ville est située au pied du Mont Blanc, à 4.810 m la montagne la plus haute d'Europe.

Côté montagne

La vallée offre une variété d'activités sportives exceptionnelles: en été, il y a 350 km de sentiers balisés pour randonneurs, 40 km de pistes de VTT, rochers d'escalade, alpinisme, rafting, canyoning, parapente; et en hiver, c'est la station de ski par excellence, avec 152 km de pistes et 49 remontées mécaniques. En plus, il y a la Mer de Glace, le glacier le plus long d'Europe, le téléphérique de l'Aiguille de Midi, qui est un des plus hauts téléphériques d'Europe, et des descentes parmi les descentes les plus extrêmes du monde; c'est «la capitale européenne du freeride» du surf des neiges!

Côté ville

Dans la ville, il ne manque pas d'hôtels, de magasins, de boutiques, de bars et de restaurants et quand on veut se reposer, il y a des terrasses ensoleillées d'où on peut contempler les montagnes avec un café ou, si vous préférez, un verre de vin.

---

lire 3 Lisez le texte et choisissez les quatre phrases correctes.

1 Chamonix became a fashionable resort in the 18th century.
2 There are activities to do all year round.
3 The town is situated halfway up a mountain.
4 Hikers aren't catered for in this region.
5 Chamonix is a centre for adventure sports.
6 It is well provided with facilities for tourists.
7 To get to the top of l'Aiguille de Midi, you have to walk.
8 Skiing is the only winter activity on offer.

Working out the meaning of unknown words

How to work out what a *téléphérique* is.

1 Look at the words around it. It has a name, *l'Aiguille de Midi*, so it's likely to be a thing or a place.
2 Is it described in any way? Is there an adjective? It's one of the highest – *un des plus hauts*.
3 Eliminate possibilities – it's not a mountain, because you know that word (*montagne*).
4 You can now at least make an educated guess. Read the English questions carefully to help you.

---

lire 4 Lisez le texte et répondez aux questions en anglais.

J'aime habiter dans la vallée de Chamonix parce que j'aime la montagne, j'aime le sport et je n'aime pas les grandes villes industrielles, mais par contre la vie est chère et notre appartement est très petit. Ce n'est pas juste, les jeunes de la vallée ne peuvent pas y rester parce que les gens riches de Paris et d'ailleurs ont acheté toutes les meilleures propriétés et y habitent seulement quelques mois de l'année.

1 Give three reasons why Jérôme likes living in the valley.
2 Explain why he won't be able to stay there.
3 How does he feel about it?

1 Écoutez et notez les mots qui manquent.

- Bonjour, Camille. Quelle est ta ville préférée?
- Annecy ... là où j'habite.
- C'est quel genre de ville?
- La vieille ville est (**1**) _____ et pittoresque. C'est aussi le centre régional administratif et (**2**) _____.
- C'est une destination touristique?
- Oui, l' (**3**) _____ ville se trouve au bord d'un grand lac entouré par de (**4**) _____. Le paysage est magnifique!
- C'est joli, alors?
- Oui, c'est très joli. Il y a de beaux et (**5**) _____ bâtiments et des (**6**) _____ modernes, des grandes surfaces hors de la ville et des espaces verts dans la ville. La plupart des parkings sont (**7**) _____.
- Où se trouve-t-elle?
- Elle se situe dans le sud-est de la France près de la frontière (**8**) _____. On est à vingt minutes de Genève par l'autoroute.
- Comment est le temps?
- En été, il fait chaud, mais pas trop. On peut toujours aller au bord du lac ou en montagne. En hiver, par contre, il fait froid, il (**9**) _____ et on peut faire du ski. De temps en temps, il arrive que le lac gèle, alors on peut faire du patin à glace. C'est un climat très (**10**) _____.

- Qu'est-ce qu'un touriste peut y faire?
- On peut faire des sports aquatiques comme de la planche, de la voile, du canoë-kayak; des sports d'aventures comme de la plongée, du canyoning, du (**11**) _____, du parapente et de l'(**12**) _____; et (**13**) _____, des sports de glisse, du ski, du snowboard et de la luge.
- Et pour ceux qui n'aiment pas le sport? Qu'est-ce qu'ils pourraient faire?
- Ils pourraient visiter des musées, des vieux (**14**) _____ et des centres historiques et culturels et pour ceux qui aiment les sites touristiques naturels, il y a le lac, des grottes et des chutes d'eau. Il y en a pour tout le monde. Il y a même une fête du (**15**) _____!
- Est-ce qu'il y a quelque chose que tu n'aimes pas?
- Oui, il y a trop de circulation dans la vieille ville, mais on est en train d'agrandir la zone piétonne.

Expo-langue →→→→
Grammaire **214**

pouvoir (to be able to) is a modal verb.
It is followed by the infinitive.
On peut **faire** du patin à glace. = You can go ice skating.
On pourrait **visiter** des musées. = You could visit museums.

---

2 À deux. Posez et répondez aux questions en rouge dans l'exercice 1.
Adaptez des phrases dans le dialogue pour vous aider.

Ma ville préférée, c'est ...	
C'est une ville	historique/moderne ...
Il y a	une cathédrale/un musée/un château ...
Elle se situe	en Écosse ... dans le sud de ...
Les touristes peuvent visiter	des monuments/des sites/la ville
On peut aussi	faire du shopping ... faire du sport ...
On pourrait aussi aller	au parc d'attractions/au parc/à la piscine au stade/à la fête/au cinéma ...
En général, j'aime la ville, mais	il y a trop de circulation ...

3 Projet de ville. C'est quel problème? Trouvez la bonne phrase pour chaque image.

1   2   3   4

a   Il n'y a pas de transport en commun.
b   Il y a trop de circulation en ville – c'est difficile de traverser la rue.
c   Il y a des embouteillages aux heures de pointe.
d   Il n'y a pas de périphérique et les poids lourds traversent la ville.
e   Il n'y a pas assez de places de stationnement.
f   Il n'y a pas de stations-service dans la ville.

4 Écoutez. Quelle est la bonne solution pour chaque problème? (1–4)

a   b   c   d   e

    parc relais   zone piétonne   parking souterrain   couloir réservé au bus   route périphérique

5 À deux. Discutez des problèmes et trouvez des solutions.

Chez nous en ville, il y a trop de/il n'y a pas (assez) de …
On est en train d'ouvrir/de fermer …
On pourrait agrandir/construire/faire/réduire …

6 Là où j'habite. Décrivez votre ville.

Mentionnez:
● ce que vous aimez
● ce que vous n'aimez pas
● ce que des touristes pourraient y faire
● des problèmes
● des solutions.

Controlled assessment presentation

Task

Prepare a presentation about your town and local area to attract French tourists to visit.

You should include:

- where the town/village is situated
- what there is to do and see
- other attractions in the area
- a comparison with other places where you may have lived in the past (or what your town was like in the past)
- the main attractions in a nearby town/city and your opinions of them
- whether you like living in your area
- suggestions on how your area could be improved.

You may not want to include all of this, but you should prepare as much as you can, as your teacher will also ask some questions about your presentation.

1 Mikala is delivering a presentation about her region to her teacher. Listen to the first part of the presentation and choose the correct ending for each sentence: a, b or c.

1 À Billingshurst on vient de construire …
(a) un centre sportif.
(b) une piscine.   (c) un restaurant.

2 Le meilleur restaurant est un restaurant …
(a) indien.   (b) italien.   (c) anglais.

3 Quand elle était petite, Mikala …
(a) habitait en ville.   (b) habitait à la campagne.   (c) a déménagé en ville.

4 Elle pouvait aller en ville …
(a) en train.   (b) à pied.
(c) en voiture.

2 Listen again and note down in English what other information Mikala gives for the first four bullet points in the assessment task above.

3 Listen to the questions and answers on Mikala's presentation and fill in the gaps.

■ À Billingshurst il n'y a pas (1) ▬▬▬ d'attractions pour les touristes. Si on veut (2) ▬▬▬ des monuments et des musées, il (3) ▬▬▬ aller à Londres ou à Brighton.

● Qu'est-ce qu'il y a comme attractions à Londres?

■ Pour ceux qui (4) ▬▬▬ l'histoire, il faut visiter un des plus (5) ▬▬▬ châteaux du monde, la Tour de Londres. On peut y voir l'exposition des joyaux de la Couronne et des armureries royales.

● Quels musées y a-t-il à Londres?

■ Il y a (6) ▬▬▬ musées pour tout le monde à Londres – par exemple le musée des Sciences et le musée Britannique – et l'entrée aux musées est souvent (7) ▬▬▬. L'année dernière, j'ai visité le musée des Sciences et je l'ai trouvé (8) ▬▬▬.

● Et si on préfère être en plein air?

■ Si vous préférez être en plein air, (9) ▬▬▬ le parc de Hyde Park et (10) ▬▬▬ visite à Londres ne serait complète sans une croisière sur la Tamise.

4 Now listen to the final part of the questions and answers on Mikala's presentation and answer the questions.

   1 In the first two questions, the teacher uses the present tense in the question. How does Mikala manage to bring in other tenses in her answer?

   2 When asked if she likes the area where she lives, how does Mikala extend her answer?

   3 Which two tenses does Mikala use in her answer to the final question?

5 Now it's your turn! Prepare your answers to the task, then give a presentation to your teacher or partner.

- Use ResultsPlus and the work you have done in exercises 1–4 to help you.

- Make yourself a prompt sheet (A5 size, containing no more than 30 words) and practise your presentation until you are fluent.
- Record your presentation and play it to a partner. Discuss with your partner what questions the teacher could ask you about your presentation.

Award each other one star, two stars or three stars for each of these categories:
- pronunciation
- confidence and fluency
- range of tenses
- variety of vocabulary and expressions
- using longer sentences
- taking the initiative.

What do you need to do next time to improve your performance?

  Results Plus

 To make sure you produce a good answer, you should:
- include plenty of **adjectives** to describe your town or locality to make it sound attractive to tourists. How many adjectives can you list in Mikala's presentation?
- use at least **three tenses** in your presentation or follow-up questions (present, perfect and near future, for example). Mikala uses the present tense to talk about what there is in her village, the perfect tense to talk about what she has visited and the near future to say what she is going to talk about.
- use **expressions with the infinitive**:
  il faut + infinitive – you have to …
  on peut + infinitive – you can …

To go a step further, try to include some of the following:
- the **imperative** (ending in *-ez*), which is very useful when giving people advice (e.g. *visitez* – visit; *allez* – go)
- **phrases with *si*** (*si vous préférez* – if you prefer, *si on veut* – if you want)
- other tenses in addition to those mentioned above. Mikala uses the **imperfect** to talk about where she used to live (*Quand j'étais petite, nous habitions …*). She also uses the **conditional** to talk about what could be done (*On pourrait construire …*).

For a really impressive answer, try to use some of these ideas:
- *pour ceux qui aiment …* – for those who like …
- use some **superlatives**. How many examples can you find in Mikala's presentation and follow-up questions and answers?
- *venir de* + infinitive – to have just (*on vient de construire …*)
- show that you can use a range of **negatives**, e.g. *aucun(e), pas beaucoup de …*

Brille à l'oral!

- Borrow this sophisticated phrase from Mikala's presentation to really impress the examiner:
  Aucune visite à … ne serait complète sans … – No visit to … would be complete without …

Controlled assessment practice

Le Périgord

Bienvenue en Périgord, pays magique, berceau de l'homme

Office de tourisme du Périgord: réserver votre hôtel, organiser votre visite

Où dormir?

Nous sommes heureux de vous présenter une sélection des meilleurs hébergements de la région: hôtels, campings, chambres d'hôte, gîtes, auberges de jeunesse.

Où manger?

Dégustez les produits régionaux (vins, viandes, pâtés, fromages) dans les nombreux établissements de la région: restaurants, brasseries, snacks et buffets.

Que faire?

La région est riche en châteaux et en sites historiques et vous propose une grande variété de monuments à découvrir, des grottes préhistoriques, et en plus il y a de nombreuses possibilités de détente.

- Visitez les villes anciennes, les châteaux, les musées, les cathédrales, les sites historiques, le parc animalier, le parc d'attractions.
- Activités et loisirs: lieux de baignade, Aqua Park, promenades, pêche, tennis, golf, canoë, VTT, parcours en quads

Comment se déplacer?

Les transports urbains sont fréquents et bon marché. Achetez une carte séjour.

- autocars
- location de voitures
- location de vélos
- taxis

Plans et cartes: (consultez la carte)   (téléchargez la carte)

Commentaires des visiteurs

«Nous avons passé deux semaines fantastiques ici. Il y avait quelque chose pour toute la famille. Ma mère a trouvé le shopping époustouflant, ma sœur a visité tous les châteaux et les musées, et mon frère, mon père et moi, nous avons fait du sport tous les jours – de la natation, du canoë, du VTT – mais pour moi, le clou c'était le quad! Le soir, nous avons fait un barbecue ou nous sommes allés dîner au restaurant … On ne pouvait pas souhaiter mieux! Nous reviendrons!»

Damien (Lille)

le berceau – cradle

1 **Find the French equivalent of these phrases in the text and copy them out.**

   1 We are pleased to offer you
   2 Try the regional produce
   3 The region offers you …
   4 How to get about
   5 Bicycle hire
   6 Download the map
   7 There was something for all the family
   8 For me, the highlight was …
   9 We couldn't have wished for anything better
   10 We will come back

2 **This style of writing uses the infinitive and imperative to speak directly to the reader. Find these words which have been used for special effect:**

   1 six infinitives
   2 five imperatives (i.e. the **vous** form without the **vous**).

3 **Which four of these attractions does the area have?**

   1 a modern shopping centre
   2 mountain-biking possibilities
   3 a zoo
   4 a good market
   5 windsurfing
   6 fishing
   7 castles
   8 a sports centre

4 You might be asked to design a webpage or write a brochure for your local town or area as a controlled assessment task. Use ResultsPlus to help you prepare.

ResultsPlus

 To produce a good answer, you need to use a more formal style of writing from your normal one.
- ◆ Break up the text with **headers**, e.g. simple questions using the infinitive (*Que faire?*).
- ◆ Use a **visitor's review** to show you can write longer sentences and use other tenses.
- ◆ Use the **perfect tense with *avoir*** to say what you did and the **perfect tense with *être*** to say where you went.
- ◆ Use the **future** or **near future tense** to say what you are going to do next year.

 To go a step further, you need to aim for maximum accuracy.
- ◆ Make adjectives **agree** with the nouns: *la ville* and *la région* are both feminine words.
- ◆ **Infinitives** and **formal imperatives** sound the same – don't mix them up: *organiser – organisez*.
- ◆ Don't forget the *–s* or *–x* at the end of **plural nouns** - *les châteaux, les bâtiments, les produits –* and **adjectives**: *meilleurs, historiques, régionaux*.

 For a really impressive answer:
- ◆ show you have understood **new vocabulary** by looking it up and reusing it in the correct context, e.g. *hébergement, détente, époustouflant, lieux de baignade*
- ◆ make sure you include the ***nous*** and ***vous* forms** with the correct endings
- ◆ include an **imperfect** and **future** or even **conditional** tense in the commentary.

Brille à l'écrit!

- ◆ Put the name of a French town into your web browser to see what words and expressions are used, but don't just lift long sentences from French websites. It is easy to tell where this has been done!

5 Now design a webpage or a brochure for your own town or area or a tourist area you know well.
- ● Adapt the text on page 64.
- ● Choose words and phrases from it which are relevant to the area you are writing about.
- ● Write at least 200 words. In this case, it is possible to use short lists as 'headers'.
- ● If you need words which are not in the book, e.g. a transport museum, remember that they might be similar to English, but expressed in a different way: *un musée des transports*.
- ● Look words up to check the gender.
- ● Write longer descriptions of some of your local sights.

Introduction

Make a nice header for your webpage. What are the main characteristics of the area you have chosen? What is special about it? Is it a tourist area, a seaside town, a historic area, a modern town, etc.? Can you convey some of that in your header?

Main paragraphs

Choose which 'questions' you are going to use from the text. Write one or two sentences about each. Add a list of subheaders, including words to 'click on' for each one.

Conclusion

Write a review by a visitor to the area to demonstrate your ability to use other tenses.

Check what you have written carefully. Check:
- ● agreement of adjectives (gender and number) with the noun they qualify
- ● plurals of nouns and adjectives (most make the plural by adding *–s*, but words which end in *–al*, *–au* and *–eau* make it with *–x*: *régional/ régionale/régionaux/ régionales; nouveau/ nouvelle/nouveaux/ nouvelles*)
- ● verb endings.

Module 3 Mots

Où est/sont … ? — *Where is/are … ?*

le centre commercial	*shopping centre*	la piscine	*swimming pool*
le collège	*(secondary) school*	la poste	*post office*
le stade	*sports stadium*	l'église (f)	*church*
la bibliothèque	*library*	les magasins (m)	*shops*
la gare (SNCF/routière)	*(train/bus) station*	Tu tournes/Vous tournez …	*You turn …*
la patinoire	*ice-skating rink*	à gauche/à droite	*left/right*

Les directions — *Directions*

Où est/se trouve … ?	*Where is … ?*	C'est sur ta/votre gauche/droite.	*It's on your left/right.*
Où sont/se trouvent … ?	*Where are … ?*	C'est loin d'ici?	*Is it far from here?*
le commissariat de police	*police station*	C'est à quelle distance?	*How far away is it?*
le syndicat d'initiative	*tourist information office*	C'est à cinq minutes/200m.	*It's five minutes/200m away.*
l'arrêt d'autobus (m)	*bus stop*	C'est tout près d'ici.	*It's very near here.*
l'hôtel de ville (m)	*town hall*	C'est assez loin.	*It's quite far.*
la librairie	*bookshop*	après	*after*
Pour aller au/à la/à l'/aux … ?	*How do you get to … ?*	dans	*in*
Est-ce qu'il y a un(e) … près d'ici?	*Is there a … near here?*	derrière	*behind*
		devant	*in front of*
Tourne/Tournez aux feux rouges.	*Turn at the traffic lights.*	entre	*between*
Va/Allez tout droit.	*Go straight on.*	sous	*under(neath)*
Prends/Prenez …	*Take …*	sur	*on*
la première/deuxième rue (à gauche/droite)	*the first/second road (on the left/right)*	jusqu'à	*until, as far as*
		à côté de	*next to*
Traverse/Traversez le pont.	*Cross the bridge.*	au bout de	*at the end of*
Continue/Continuez jusqu'au carrefour.	*Continue to the crossroads.*	au coin (de)	*on the corner (of)*
		au fond (de)	*at the bottom, at the back (of)*

Ma maison — *My house*

J'habite …	*I live in …*	en banlieue	*in the suburbs*
un appartement	*a flat*	à la campagne	*in the country*
un immeuble	*a block of flats*	en montagne	*in the mountains*
une HLM	*council flat/house*	au bord de la mer	*at the seaside*
une maison individuelle	*a detached house*	dans un lotissement	*on an estate*
une maison jumelle	*a semi-detached house*	J'y habite depuis deux ans.	*I've lived there for two years.*
une maison en rangée	*a terraced house*		
en ville	*in town*	J'y habite depuis toujours.	*I've always lived there.*
dans un village	*in a village*	le quartier	*the area*

Où j'habite — *Where I live*

beau/bel/belle	*nice/beautiful*	moderne	*modern*
nouveau/nouvel/nouvelle	*new*	neuf/neuve	*new*
vieux/vieil/vieille	*old*	pittoresque	*picturesque*
ancien(ne)	*old*	récent(e)	*new*
joli(e)	*pretty/attractive*	traditionnel(le)	*traditional*

Les avantages et les inconvénients — *The advantages and disadvantages*

Chez nous, le problème, c'est …	*Where we live, the problem is …*
Il y a trop de …	*There is too much/There are too many …*
C'est à cause du/de la/des …	*It's because of the …*
la circulation	*traffic*
la pollution	*pollution*
les gaz (m) d'échappement	*exhaust fumes*
le véhicule	*vehicle*

le poids lourd	lorry
le périphérique	ringroad
la place de stationnement	parking place
la station-service	service station
le transport en commun	public transport

La pollution est devenue épouvantable.	The pollution has become appalling.
Le pire, ce sont les poids lourds.	The worst thing is the lorries.
C'est tout le temps bruyant.	It's noisy all the time.
Il y a de plus en plus souvent des inondations.	There are floods more and more often.
On a construit une nouvelle autoroute tout près de chez nous.	They have built a new motorway very near us.

Aujourd'hui et autrefois — Now and formerly

Quand j'étais petit(e), ...	When I was little ...	Je faisais du judo.	I used to do judo.
J'habitais ...	I used to live ...	Je préfère habiter ...	I prefer living ...
C'était pratique.	It was practical.	L'ambiance me manque.	I miss the atmosphere.
La maison était près de l'école/loin des commerces.	The house was near school/far away from the shops.	Mes copains me manquent.	I miss my friends.

C'est comment? — What's it like?

être jumelé(e) avec	to be twinned with	La vallée offre ...	The valley offers ...
une île tropicale	a tropical island	Dans la ville ...	In the town, ...
une ville touristique	a tourist town	il ne manque pas de	there is no shortage/lack of
une station de ski	a ski resort		
une grande ville industrielle	a big industrial town	La vie est chère.	The cost of living is high.
montagneux/montagneuse	mountainous		
volcanique	volcanic	le/la plus grand(e)	the biggest
un ancien volcan	an extinct volcano	le/la plus vieux/vieil(le)	the oldest
un volcan en activité	an active volcano	le/la plus haut(e)	the tallest
La ville est située ...	The town is situated ...	le/la plus long(ue)	the longest
au pied de	at the foot of	le/la meilleur(e)	the best

Ma ville — My town

Il y a ...	There's ...	Elle se situe ...	It's (located) ...
un centre commercial	a shopping centre	en Écosse	in Scotland
un château	a castle	dans le sud de l'Angleterre	in the south of England
un musée	a museum		
une cathédrale	a cathedral	Les touristes peuvent visiter des monuments/des sites.	Tourists can visit the monuments/sites.
des commerces (m)	shops	On peut aussi faire du shopping/du sport.	You can also go shopping/do sport.
un espace vert	a green space/park	On pourrait aussi aller au parc (d'attractions).	You could also go to the (theme) park.
l'aéroport (m)	airport		
Ma ville préférée, c'est ...	My favourite town is ...		
C'est une ville historique.	It's a historic town.		

Les solutions — Solutions

le parc relais	park and ride scheme	On pourrait construire ...	We/They could construct ...
le parking souterrain	underground parking		
la zone piétonne	pedestrian precinct	On est en train d'ouvrir ...	We/They're just opening ...
le couloir réservé au bus	bus lane		
la route périphérique	ringroad		

On fait les magasins! Shopping for food and clothes
Using the partitive article

Déjà vu

1 Écoutez et notez les lettres des 16 choses qui sont mentionnées.

a   b   c   d   e

f   g   h   i   j

k   l   m   n   o

p   q   r   s   t

du	beurre/fromage/jambon/jus d'orange/ pain/poisson/poulet/yaourt
de la	confiture/salade
de l'	eau minérale
des	bananes/chips/fraises/œufs/petits pois/ pommes/pommes de terre/raisins/tomates

Expo-langue →→→

You use the partitive article (**de** + the definite article) to say 'some':
de + le = **du**   de + l' = **de l'**
de + la = **de la**   de + le = **des**

But after containers or quantities, you use just **de**:
un paquet **de** chips
un kilo **de** pommes

2 À deux. Jeu de mémoire. Une personne ferme le livre. Combien des choses de l'exercice 1 pouvez-vous nommer?

Déjà vu

3 Lisez et complétez le dialogue au marché. Il a plusieurs possibilités!

■ Bonjour, monsieur. Un kilo de (**1**) _____ et 500 grammes de (**2**) _____, s'il vous plaît.
● Voilà, madame. Et avec ça?
■ Je voudrais aussi 200 grammes de (**3**) _____ et quatre tranches de (**4**) _____, s'il vous plaît. Et un pot de (**5**) _____ aussi.
● Voilà, madame. C'est tout?
■ Euh … Je prends aussi un paquet de (**6**) _____ et une boîte de (**7**) _____. Oh, et une bouteille de (**8**) _____ – un litre, s'il vous plaît. C'est combien?
● C'est 10,50€.
■ Voilà, madame.
● Merci, monsieur. Au revoir.

lait

poires

petits pois

jambon

pêches

confiture à la fraise

café

fromage

4 Écoutez et notez en français ce qu'on achète, les quantités et le prix. (1–3)

5 À deux. Faites un dialogue comme celui de l'exercice 3. Changez les détails.

6 Dans le magasin de vêtements. Mettez le dialogue dans le bon ordre.

Vendeur: Bonjour, mademoiselle. Je peux vous aider?
...

Vendeur: Et de quelle taille, mademoiselle?
Cliente: Bleu ou noir, s'il vous plaît.
Vendeur: Un tee-shirt de quelle couleur, mademoiselle?
Cliente: Je voudrais un tee-shirt, s'il vous plaît.
Vendeur: Attendez un instant. ... Voilà.
Cliente: Taille deux, s'il vous plaît.
Vendeur: De rien, mademoiselle. Vous devez payer à la caisse.
Cliente: C'est combien, s'il vous plaît?
Vendeur: Bonjour, mademoiselle. Je peux vous aider?
Vendeur: C'est 5,60€, mademoiselle.
Cliente: D'accord. Ça va, merci.

 7 Écoutez et vérifiez.

 8 Écoutez et reliez les images et les prix. (1–3)

a   b   c   d   e   f

75€   44€   38€   53€   62€   35€

 9 À deux. Adaptez le dialogue de l'exercice 6 et présentez-le (de mémoire, si possible).

un	une	des
haut	chemise	baskets
jogging	jupe	chaussures
maillot de foot	robe	
pantalon	veste	
polo		
pull		
sweat		

> When you are buying shoes, the word for 'size' is **la pointure**.

10 Écrivez un paragraphe sur ce que vous portez le soir et le week-end.

D'habitude, le soir, je porte ... , mais s'il fait froid, je ... ou ...

Pour faire du sport, je ...

Le week-end, si je vais en boîte ou à une fête ...

Expo-langue → → → → *Grammaire* **206**

Adjectives of colour come after the noun they describe and must agree with the noun. Adjectives which do not already end in **e** add **–e** in the feminine singular, **–s** in the masculine plural and **–es** in the feminine plural.

un haut ver**t**   une chemise vert**e**
des tee-shirts noir**s**   des baskets noir**es**
marron does not change and **blanc** is irregular (**blanc/blanche**).

écouter 1 Lucy et ses copains vont au festival de rock. Mettez ces phrases dans l'ordre dans lequel vous les entendez.

a

On dormira dans une tente.

b

Je ferai la cuisine.

c

On portera des bottes.

d

On prendra le train.

e

Vous ferez les courses.

f

J'achèterai les billets sur Internet.

g

On ira au festival de rock le week-end prochain.

h

Tu regarderas l'horaire des trains.

i

Black Death! Ce sera chouette!

j
On arrivera vendredi après-midi.

Expo-langue →→→→

Grammaire 224

You can use the future tense to talk about plans and arrangements. To form the future tense of regular **–er** and **–ir** verbs, add these endings to the infinitive:

je	**–ai**	nous	**–ons**
tu	**–as**	vous	**–ez**
il/elle/on	**–a**	ils/elles	**–ont**

Je regarder**ai** l'horaire. = I will look at the timetable.
On dormir**a** dans une tente. = We will sleep in a tent.

–re verbs (e.g. **prendre**) drop the final **–e** from the infinitive:
Tu prendr**as** le bus. = You will take the bus.

Some common verbs have an irregular 'stem', but use the same endings as regular verbs:
aller – j'**ir**ai (I will go)   faire – on **fer**a (we will do/make)   être – ce **ser**a chouette (it will be great)

écouter 2 Réécoutez et répondez aux questions. Choisissez les réponses dans la case.

Afram   Nadia
Camille   Simon
Lucy   tout le monde

Qui ...

1   ... ira au festival de rock?
2   ... achètera les billets sur Internet?
3   ... regardera l'horaire des trains?
4   ... mangera dans le train?

5   ... fera les courses?
6   ... fera la cuisine le soir?
7   ... dormira dans une tente?
8   ... portera des bottes?

3 À deux. Imaginez que vous allez au festival. Faites un dialogue.

- Alors, on va au festival. Je/Tu OK?

- OK. Comment est-ce qu'on ira au festival?

- Et qui le soir?

- Je/Tu .

- D'accord. On dormira où?

- Qu'est-ce qu'on portera?

-     OK?

- On arrivera quand?

-

- OK. C'est quoi, le premier concert?

- Ce sera chouette, n'est-ce pas?

- Oui, ce sera chouette!

> ⭐ Think carefully about which future tense verb endings you need (**je, tu** or **on**?) in exercises 3 and 4!

4 Imaginez que vous décidez de faire un pique-nique sur la plage avec un groupe de copains. Écrivez un e-mail pour organiser ce que tout le monde fera.

On fera un pique-nique sur la plage samedi prochain. D'accord? On ira à la plage en … Alex, tu achèteras/feras/regarderas … Matthew et Sean, vous … Je … Après le pique-nique, on jouera/écoutera/fera …

5 Copiez le bon mot pour chaque numéro. Utilisez un dictionnaire si nécessaire.

1
2
3
4
5
6
7
13
12
11
10
9
8

une baguette   de la bière
des champignons   du cidre
des framboises   du pâté
des haricots verts   du riz
de l'huile d'olive   des pâtes
de la moutarde   des saucisses
du saucisson

> ⭐ Listen for the difference between **saucisses** and **saucisson**, and **pâté** and **pâtes**.

6 Écoutez Farida et Nicolas. Qu'est-ce qu'ils achèteront pour le barbecue? Copiez et complétez la grille en francais.

choses à acheter	quantité
saucisses	1 kilo

7 Imaginez que vous préparez une fête. Qu'est-ce que vous mangerez? Qu'est-ce que vous achèterez et où? Mentionnez aussi les quantités.

À la fête, on mangera … J'irai … et j'achèterai …

écouter **1** Léna et Karim vont à Bordeaux pour une fête sur la plage.
Écoutez et notez les phrases dans l'ordre du dialogue.

Fête sur la plage à
Bordeaux!
sam. 21 juillet
14h00–18h00
Barbecue, volley-ball,
disco, surf
Afram, Camille,
Farida & Nicolas

Options

a un aller-retour

b Il arrive à Bordeaux à quelle heure?

c Est-ce qu'il faut changer de train?

d Le train part à quelle heure?

e deuxième classe   **f** l'horaire des trains

g avec la carte d'étudiant

h Le train part de quel quai?

i Ça coûte combien, les billets?

lire **2** Trouvez l'équivalent en français dans l'exercice 1.

1 second class
2 with a student card
3 Do you have to change trains?
4 Which platform does the train leave from?
5 a return ticket

6 When does the train leave?
7 How much are the tickets?
8 train timetable
9 When does it arrive in Bordeaux?

parler **3** À deux. Complétez la conversation au guichet en utilisant des
phrases de l'exercice 1.

■ Je voudrais aller à Bordeaux, s'il vous plaît.
● Vous voulez un aller simple ou (**1**) ⸻?
■ (**2**) ⸻, s'il vous plaît.
● Première ou (**3**) ⸻?
■ (**4**) ⸻, s'il vous plaît.
● (**5**) ⸻?
● Ça coûte 17 euros.
■ Merci, voilà. (**6**) ⸻?
● Il y a un train toutes les heures.
  Le prochain train part à 11h25.
■ Et (**7**) ⸻?
● À 13h05.
■ (**8**) ⸻?
● Non, c'est un train direct.
■ Et (**9**) ⸻, s'il vous plaît?
● Du quai numéro huit.

parler **4** Refaites le dialogue en utilisant les détails ci-dessous.

Rouen → 1ère classe
26€
départ: 15h30
arrivée: 16h45
quai 5

Strasbourg ↔ 2ème classe
12€50
départ: 19h15
arrivée: 21h25
quai 2

Marseille → 1ère classe
9€30
départ: 13h05
arrivée: 16h50
quai 7

lire 5 Reliez les phrases aux panneaux de la gare SNCF. Utilisez un dictionnaire si nécessaire.

1 *J'ai faim et j'ai soif!*

2 *Moi, je vais acheter les billets!*

3 *Où est-ce qu'on peut laisser les bagages?*

4 *Je vais trouver un coin tranquille pour lire mon roman!*

5 *On arrive à Paris à quelle heure?*

6 *J'ai perdu mon parapluie!*

7 *Attention! Il y a un incendie! Il faut sortir tout de suite!*

8 *Le train part à quelle heure?*

a **Renseignements**

b **Consigne**

c **Guichet**

d **Sortie de secours**

e **Objets trouvés**

f **Buffet**

g **Départs**

h **Salle d'attente**

écrire 6 Imaginez que vous avez pris le train pour aller à Paris avec un groupe d'amis. Décrivez le voyage.

You could include:

- when you went to Paris (*hier/samedi dernier*), who you went with and why (*pour faire des courses/pour visiter la tour Eiffel*)
- what sort of tickets you bought (*J'ai/On a acheté ...*) and where (*au guichet/sur Internet*)
- when the train left and arrived (see Expo-langue)
- what you had to eat and drink during the journey (*Il y avait un buffet dans le train. J'ai/On a acheté/mangé/bu ...*)
- what you did to pass the time (*Pendant le voyage, j'ai/on a lu .../joué .../fait .../dormi ...*)
- how long the journey lasted (*Le voyage a duré ...*)
- what it was like (*C'était très/assez/un peu ...*)

Expo-langue →→→→ *Grammaire* **210**

Most verbs to do with travelling take **être** in the perfect tense:

Je **suis allé(e)**/On **est allé(e)s** ...
Le train **est parti/arrivé** .../
On **est parti(e)s/arriveé(e)s** ...

You could also use:
On **est monté(e)s** dans le train.
= We got on the train.
On **est descendu(e)s** du train.
= We got off the train.

Remember to use agreement with **être** verbs in the perfect tense.

écouter 1 Écoutez. Qu'est-ce qu'on veut acheter et quel est le problème?
Notez les *deux* bonnes lettres et les *deux* problèmes pour chaque dialogue. (1–5)

a un blouson

b une casquette

c une ceinture

d un chapeau

e une cravate

f des chaussettes

g des gants

h un imperméable

i un maillot de bain

j un manteau

trop … **grand(e)(s)**   **serré(e)(s)**   **long(ue)(s)**   **cher/chère(s)**
petit(e)(s)   **large(s)**   **court(e)(s)**   **démodé(e)(s)**

Expo-langue →→→→

 Grammaire **227**

Like other adjectives and pronouns, the adjectives and pronouns below must agree with the noun they refer to or replace:
Tu aimes **ce** blouson/**ces** chaussettes? = Do you like this jacket/these socks?

	singular		plural	
	masculine	feminine	masculine	feminine
this/those	**ce** (**cet** in front of vowel or silent **h**)	**cette**	**ces**	**ces**
which one(s)?	**lequel?**	**laquelle?**	**lesquels?**	**lesquelles?**
this/that/these/those one(s)	**celui-ci/-là**	**celle-ci/-là**	**ceux-ci/-là**	**celles-ci/-là**

---

parler 2 À deux. Complétez le dialogue dans le magasin de vêtements. Utilisez les idées ci-dessous ou vos propres idées.

Vendeur/euse: Bonjour, monsieur/mademoiselle. Je peux vous aider?/Que désirez-vous?
Client(e):   Je voudrais/J'aimerais un/une/des … , s'il vous plaît.
Vendeur/euse: Bien sûr, monsieur/mademoiselle. Voilà.
Client(e):   Il est/Elle est/Ils sont/Elles sont un peu trop grand(e)(s)/cher(s)/chère(s) pour moi. Avez-vous/Je préférerais quelque chose de plus petit/moins cher, s'il vous plaît(?)
Vendeur/euse: Nous avons aussi celui-ci/celle-ci/ceux-ci/celles-ci, en cuir/laine/rouge/noir …
Cliente(e): J'aime bien le/la/les rouge(s)/noir(e)(s)/bleu(e)(s) …
Vendeur/euse: Lequel/Laquelle/Lesquels/Lesquelles, monsieur/mademoiselle?
Client(e):   Celui/Celle/Ceux/Celles-ci/-là. Je peux l'/les essayer, s'il vous plaît?
Vendeur/euse: Bien sûr. Les cabines d'essayage sont au fond/là-bas.
             …
Vendeur/euse: Il/Elle vous va bien/Ils/Elles vous vont bien, monsieur/mademoiselle.
Client(e):   Merci. Je le/la/les prends.

écouter **3** Écoutez et répétez aussi vite que possible!

Oui, celui en cuir gris est pour lui.

To pronounce the sound **–ui**, as in *oui*, *cuir* and *celui*, whistle silently as you say it!

écrire **4** Imaginez que vous êtes très riche et que vous avez un 'personal shopper'. Laissez un mot pour lui dire quels vêtements vous voudriez.

Je voudrais acheter un blouson en cuir noir, pas trop serré, pour aller au barbecue de Tom Cruise samedi prochain. J'aimerais de nouvelles baskets aussi, pointure 40. Comme marque, je préférerais des Nike ou ... Pour la soirée des Oscars, je voudrais porter ...

Expo-langue →→→→

Grammaire **224**

You use the conditional to say what you would like or prefer. The conditional ending for **je** is **–ais**. You can use the conditional of verbs such as **aimer**, **préférer** and **vouloir** with a noun or with the infinitive of another verb.

J'**aimerais** porter une longue robe bleue. = I'd like to wear a long, blue dress.
Comme marque, je **préférerais** Armani. = As a brand, I'd prefer Armani.

lire **5** Lisez le guide du grand magasin et le texte dans les bulles. C'est à quel étage?

1 *Je voudrais acheter des chaussures pour mon petit garçon.*

2 *Où se trouve le rayon des fruits et légumes, s'il vous plaît?*

3 *Il me faut acheter un nouveau frigo. C'est à quel étage?*

4 *Je cherche une bouteille de parfum pour ma femme.*

4ème étage:	Meubles Électroménager
3ème étage:	Audio-visuel Informatique
2ème étage:	Rayon hommes Rayon enfants
1er étage:	Rayon femmes Bijouterie
Rez-de-chaussée:	Alimentation
Sous-sol:	Librairie-papeterie Cadeaux Parfumerie

5 *On aimerait voir des canapés et des fauteuils.*

6 *J'aimerais acheter Les Choristes en DVD.*

7 *Je voudrais acheter des boucles d'oreilles pour aller avec cette robe.*

8 *Ma mère m'a demandé d'acheter une clé de mémoire USB pour son ordinateur.*

9 *Mon mari veut acheter un pull d'hiver.*

10 *J'ai besoin d'un paquet d'enveloppes et d'un stylo.*

écouter **6** Écoutez. C'est la bonne direction? Répondez par oui ou non. (1–7)

écouter 1 Écoutez et lisez les textes. (1–3)

1

La semaine dernière, c'était mon anniversaire. J'ai eu quinze ans, donc samedi soir, on a fait une grande fête chez nous et j'ai invité une trentaine de mes copains. Mes parents étaient un peu nerveux, mais ça s'est bien passé. J'ai reçu beaucoup de cadeaux et il y avait aussi un délicieux gâteau d'anniversaire. Une copine qui est DJ a apporté ses CD et on a dansé jusqu'à minuit. C'était extra! Une de nos voisines n'était pas très contente du bruit, mais on s'est bien amusés quand même. L'année prochaine, je vais fêter mes seize ans et je vais avoir un scooter! **Lucas**

2

Il y a deux ans, j'étais à Nice pour la fête nationale, le quatorze juillet. Nous étions là en vacances, ma famille et moi, et il y avait beaucoup de monde, puisque c'est un jour de congé en France. Il y avait un grand défilé tout le long de la Promenade des Anglais. C'était assez drôle parce que tout le monde était déguisé en clown, en animal, etc. Après, il y avait un bal en plein air. Le soir, il n'y avait pas de place dans les restaurants, donc on a fait un pique-nique sur la plage, en regardant les magnifiques feux d'artifice, ce qui était bien agréable. Je vais y retourner avec mon frère l'année prochaine. **Mériem**

3

L'année dernière, comme d'habitude, on a fêté Noël en famille. La veille de Noël, on s'est offert des cadeaux et, puisqu'on est catholiques, ma mère est allée à la messe de minuit avec mes grands-parents. Moi, j'étais trop fatigué pour ça et j'avais un peu mal à la tête, donc je me suis couché de bonne heure. Puis, le jour de Noël, on a mangé le grand repas traditionnel: il y avait des huîtres, du foie gras, de la dinde et, comme dessert, la bûche de Noël. C'était délicieux. Mais cette année, on va faire quelque chose de différent à Noël. On va aller chez mon oncle au Québec! C'est génial, non? **Jean-Pierre**

Expo-langue →→ *Grammaire* **212**

You use the imperfect tense of **avoir** and **être** to describe things in the past. The imperfect tense of **il y a** is **il y avait** (there was/there were).

avoir	être
j'avais	j'étais
tu avais	tu étais
il/elle/on avait	il/elle/on était
nous avions	nous étions
vous aviez	vous étiez
ils/elles avaient	ils/elles étaient

lire 2 Traduisez en anglais les mots et les phrases en bleu dans le texte. Utilisez un dictionnaire, si nécessaire.

> ⭐ Use context and logic to guess or work out meanings. For example, you might not know **le bruit**, but you can probably guess its meaning from the fact that the text is about a birthday party and Lucas says it is the reason why **une de nos voisines n'était pas très contente**.

Ire 3   Relisez les textes. Écrivez V (Vrai), F (Faux) ou **?** (pas mentionné) à côté de chaque phrase.

   1   Last week Lucas celebrated his sixteenth birthday.

   2   He received CDs as a gift.

   3   Lucas's parents were nervous about the party.

   4   One of Lucas's neighbours made too much noise.

   5   Mériem and her family spent the fourteenth of July in Nice.

   6   They went to an open-air ball.

   7   They watched the fireworks from the balcony of their hotel.

   8   Usually Jean-Pierre's family give each other gifts on the 24th December.

   9   Last year Jean-Pierre didn't go to midnight mass.

 10   Next year the family is going to spend Christmas in Canada.

écouter 4   Écoutez et complétez les phrases. (1–3)

Thierry

a   Le quatorze juillet, il y a � dans son ▬▬▬▬ en Bretagne.

b   Ce soir-là, Thierry et ses ▬▬▬▬ peuvent ▬▬▬▬ plus tard que d'habitude.

c   On ▬▬▬▬ des crêpes, ▬▬▬▬ du cidre et tout le monde ▬▬▬▬.

Laure

d   À Noël, elle va aller chez ▬▬▬▬, qui ▬▬▬▬ Toulouse.

e   Comme ▬▬▬▬, Laure va acheter ▬▬▬▬ pour sa grand-mère.

f   On va manger de ▬▬▬▬ et le père de Laure, qui est pâtissier, va préparer une ▬▬▬▬.

Arthur

g   Pour fêter ▬▬▬▬, d'abord, il est allé au ▬▬▬▬ avec ▬▬▬▬.

h   Le soir, en boîte ▬▬▬▬ trop de monde et ▬▬▬▬ très chaud, mais c'était ▬▬▬▬.

i   Arthur ▬▬▬▬ une chaîne hi-fi de ses parents et un ▬▬▬▬ de son frère.

parler 5   Vidéoconférence. Préparez vos réponses aux questions suivantes.

  ■   Comment as-tu fêté ton dernier anniversaire?

  ■   Qu'est-ce que tu as reçu comme cadeaux?

  ■   Décris une fête nationale ou religieuse importante. Comment l'as-tu fêtée la dernière fois? C'était comment?

  ■   Comment vas-tu la fêter la prochaine fois?

parler 6   À deux. Interviewez votre partenaire. Si possible, enregistrez la conversation.

écrire 7   Décrivez une fête ou une occasion spéciale. Écrivez au présent, au passé composé, à l'imparfait et au futur proche.

D'habitude, je fête mon anniversaire en famille.
Je vais/fais/mange … *ou* On va/fait/mange …
Mais l'année dernière, j'ai fait …/je suis allé(e) …
Il y avait/J'avais/J'étais/C'était …
L'année prochaine, je vais/on va aller …

1 Écoutez et lisez. Au sujet de la mode, chaque personne a une attitude positive (P), négative (N) ou positive-négative (P/N)? (1–4)

La mode est-elle importante pour toi?

1 Liane

J'aime lire des magazines de mode et j'adore les grandes marques comme Ralph Lauren. Malheureusement, ça coûte cher et je n'ai pas beaucoup d'argent, donc je n'achète pas souvent de vêtements de marque.

2 Damien

La mode est importante dans mon groupe de copains: il faut s'habiller comme les autres pour être accepté. J'économise tout mon argent de poche pour acheter les dernières baskets Nike, par exemple.

3 Julie

La mode est complètement ridicule! Pourquoi doit-on s'habiller tous de la même manière? Si j'achète un vêtement, ce n'est pas parce qu'il est à la mode, c'est parce que j'aime ça.

4 Clément

J'aime la mode, mais je ne la suis pas à la lettre. Il est important de trouver ton propre style et d'être à l'aise dans tes vêtements.

2 Qui a dit ça?

1 If I buy a piece of clothing, it's not because it's fashionable.
2 You have to dress like the others to be accepted.
3 I don't often buy designer clothes.
4 I like fashion, but I don't follow it to the letter.
5 It's important to find your own style and to be at ease in your clothes.
6 Why do we all have to dress in the same way?
7 Unfortunately, it's expensive and I don't have much money.
8 I save all my pocket money to buy the latest trainers.

3 Écoutez et complétez la grille en anglais. (1–3)

	Opinion about fashion	What (s)he normally wears	Last piece of clothing (s)he bought	What (s)he wore to the last party (s)he went to
1	Loves it, ...	Designer jeans, ...		

un haut – top   un sweat à capuche – hoodie   un collant – pair of tights
(bleu) clair – light (blue)   (bleu) foncé – dark (blue)

4 À deux. Répondez aux questions de l'exercice 3.

- La mode est-elle importante pour toi?
- ....
- Qu'est-ce que tu portes le soir ou le week-end?
- Normalement/D'habitude, je porte ...
- Quel vêtement as-tu acheté récemment?
- J'ai acheté/C'était un/une/des ...
- Qu'est-ce que tu as porté, la dernière fois que tu es allé(e) à une fête?
- J'ai porté ...

Add interest to what you say or write by using several adjectives together, e.g. un **vieux** pantalon **large** et **vert foncé**

Most adjectives go *after* the noun, but **petit**, **grand**, **beau**, **joli**, **vieux** and **nouveau** go *in front* of the noun.

Expo-langue →→→→

The present, perfect and imperfect tenses

Infinitive	Present	Perfect	Imperfect
acheter (to buy)	j'achète (I buy)	j'ai acheté (I bought)	j'achetais (I used to buy)
porter (to wear)	je porte (I wear)	j'ai porté (I wore)	je portais (I used to wear)
s'habiller (to dress)	je m'habille (I dress)	je me suis habillé(e) (I dressed)	je m'habillais (I used to dress)

---

 5 Lisez le blog de Nathan. Ensuite, choisissez les quatre phrases qui sont correctes.

J'ai quinze ans et j'aime m'habiller à la mode. J'adore les vêtements de marque, surtout les jeans Diesel et les chemises Lacoste. Ça coûte cher, mais j'ai un petit job dans un restaurant et avec mon argent j'achète des vêtements.

La semaine dernière, j'ai acheté une chemise Lacoste bleu foncé, dans les soldes. Le samedi soir, je suis allé à la fête d'un copain et j'ai porté ma nouvelle chemise, avec un beau pantalon noir et des chaussures noires. J'ai reçu beaucoup de compliments, surtout de la part des filles!

Mais bien sûr, je ne m'habille pas comme ça tout le temps! D'habitude, je porte un jean, un tee-shirt blanc et des baskets. Mon style a beaucoup changé. Quand j'étais plus jeune, je ne m'habillais pas à la mode. Je portais un vieux jean moche et démodé et un sweat à capuche horrible. Mais maintenant que je suis plus grand, je m'habille bien.

1 Nathan likes buying designer clothes.
2 Last week, he bought a pair of Diesel jeans.
3 He earns money by working in a shop.
4 He wore a new shirt to go to the party.
5 He also wore jeans and white trainers.
6 He doesn't wear designer clothes all the time.
7 Today, he is wearing old jeans and a hoodie.
8 When he was younger, he didn't dress fashionably.

 6 Imaginez que vous êtes une célébrité. Écrivez un blog pour décrire votre style.

- Mention your attitude towards fashion.
- Adapt Nathan's blog and describe:
  - what you normally wear (present tense)
  - what you bought recently or wore to a special occasion (perfect tense)
  - what you used to wear, when you were younger (imperfect tense).

Controlled assessment interaction

Task

Your French friend is staying with you. He wants to buy some clothes in England before returning home. You see the advertisement on the right and discuss plans to visit the sale at the Fashion Emporium. Your friend wants details about the sale. Use the advertisement to help answer your friend's questions. Remember to ask your friend at least one question. Your teacher will play the part of your friend and will begin the conversation.

SALE
Fashion Emporium

Latest fashions for
14–25s

All prices reduced by
50%

Sale ends Saturday

Opening hours:
10.00 a.m. till 8.00 p.m.

---

1 **You will hear a model conversation between Jason and his French friend about going to the Fashion Emporium. Listen to the first part of the conversation and match up the parts of the sentences.**

1 Il y a des soldes …
2 Le magasin vend …
3 Et toi, qu'est-ce que …
4 On peut y acheter …
5 Le magasin ouvre …
6 L'année dernière, …
7 J'ai vraiment besoin d' …
8 Le dernier vêtement que j'ai acheté …

a … tu veux acheter dans les soldes?
b … et ferme à quelle heure?
c … des vêtements de mode pour les jeunes.
d … j'ai acheté un pantalon Armani.
e … un nouveau jean.
f … à Fashion Emporium était un jean bleu.
g … chez Fashion Emporium en ce moment.
h … quelle sorte de vêtements?

2 **Listen again and note down some examples of where Jason uses the present tense, the perfect tense and the future tense.**

3 **Towards the end of the first part of the conversation, Jason says he might find something that suits him. What phrase does he use to say that?**

4 **Listen to the second part of Jason's conversation and fill in the gaps.**

■ Moi, je voudrais un tee-shirt, un pull et une nouvelle chemise. La mode, est-ce que c'est important pour toi?
● J'aime la mode, mais (**1**) ―――――, c'est important de (**2**) ――――― ton propre style. Je connais (**3**) ――――― jeunes qui (**4**) ――――― tous comme les autres personnes de leur groupe pour être (**5**) ――――― et il est essentiel pour eux d'avoir, par exemple, les (**6**) ――――― baskets que leurs copains. C'est ridicule, ça!
■ Est-ce que tu achètes des vêtements de marque?

● (**7**) ――――― j'achète des tee-shirts et des baskets de marque, mais je n'ai pas beaucoup d'argent. J'ai un petit emploi dans un supermarché mais ce n'est pas très bien payé.
■ Qu'est-ce que tu as acheté récemment comme vêtements?
● Le week-end (**8**) ―――――, j'ai acheté un pantalon noir et un pull gris. Samedi soir, je (**9**) ――――― allé à une fête avec ma copine et j'ai porté mes (**10**) ――――― vêtements avec des chaussures noires.

5 **Now listen to the final part of Jason's conversation and answer the questions.**

1 How does Jason describe his style? How does he manage to bring in the imperfect tense when doing this?

2 He says his mum has no fashion sense. How does he say this?

3 Jason uses the conditional tense at the end of the conversation. What does he say? How does he extend his answer to the question posed by the teacher?

6 **Now it's your turn! Prepare your answers to the task, then have a conversation with your teacher or partner.**

● Use ResultsPlus and the work you have done in exercises 1–5 to help you.

● Make your answers as full as possible and take the initiative by asking some questions yourself.

● Record the conversation. Ask a partner to listen to it and say how well you performed.

Award each other one star, two stars or three stars for each of these categories:
● pronunciation
● confidence and fluency
● range of tenses
● variety of vocabulary and expressions
● using longer sentences
● taking the initiative.

What do you need to do next time to improve your performance?

Results Plus

 To make sure you produce a good answer, you should use:
◆ the main tenses correctly. Jason uses the **present tense** to talk about the type of clothes he wears, the **perfect tense** to describe what clothes he has purchased recently and the **future** tense to say what he's going to buy at the sales.
◆ the **correct form of address**. This is an informal situation, so remember to use *tu* (not *vous*) with the correct verb ending.
◆ **modal verbs** with an infinitive, e.g. *on peut acheter* or *tu veux acheter*
◆ a range of **adjectives** to describe clothing (*un pantalon Armani très chic, une belle chemise, des vêtements démodés*).

 To go a step further, you need to:
◆ **take the initiative** in the conversation. Notice how Jason asks some questions, too (*Qu'est-ce que tu veux acheter? Quand veux-tu y aller?*).
◆ **talk about other people** using the appropriate verb forms correctly. Jason talks about his girlfriend (*Ma petite amie y a acheté …*), his mum (*Elle porte …*), his dad (*Il porte …*) and young people in general (*je connais des jeunes qui …*).
◆ use other tenses in addition to the ones mentioned above. Jason uses the **imperfect** tense to say what he used to wear when he was young, the **future** to say what he will find at the sales, as well as the **conditional** (*Je voudrais un tee-shirt*).

 For a really impressive answer, you need to make sure that you:
◆ use **pronouns** to avoid repeating nouns. Jason uses *y*, meaning 'there' (*On peut y acheter …*).
◆ use **relative pronouns** (*qui* and *que*) to join phrases together to make longer sentences. Notice where Jason does this.
◆ create **complex sentences** such as *Si j'avais …, j'achèterais …*, meaning 'If I had …, I would buy', to show you know how to use different tenses together.

Brille à l'oral!

◆ Use the phrase *avant de … +* an infinitive. Jason says *avant de rentrer en France* to mean 'before returning to France'.

Controlled assessment practice

Ma famille est démodée!

Gagnez un changement de look pour votre famille!

Écrivez-nous pour expliquer pourquoi votre famille a besoin de changer son look.

Je m'intéresse beaucoup à la mode et j'adore les grandes marques, mais je suis lycéenne et ça coûte trop cher pour moi. De temps en temps, j'achète des vêtements de marque, mais la plupart du temps je porte une jupe, avec un haut en coton. Mes couleurs préférées sont le bleu clair et le rose. Le dernier vêtement que j'ai acheté est un jean Levis que j'ai trouvé dans les soldes.

Moi, je suis toujours bien habillée. Mais ma famille, c'est un désastre! Question mode, mon père n'a aucune idée. En été, il porte des chemises hawaïennes et un short horrible. De plus, en hiver, il porte tout le temps un vieux jogging marron très moche. C'est affreux! Pourquoi pas un costume Armani avec une belle chemise?

Ma mère fait plus d'effort, mais elle porte trop de bijoux en or et une robe trop serrée. Quand elle était plus jeune, elle était mince, mais maintenant elle a quelques kilos en trop et elle a l'air ridicule! À mon avis, il faut changer complètement son look.

Finalement, il y a mon frère aîné. Lui, il s'habille toujours en noir. Il ne porte jamais de couleurs. Je voudrais le voir avec un tee-shirt blanc et un beau jean bleu.

Si on gagne votre concours, on sera une famille à la mode et je serai très contente. J'espère qu'on aura de la chance!

Julie

avoir besoin de – to need to
un(e) lycéen(ne) – a secondary-school student
avoir quelques kilos en trop – to be a bit overweight
avoir de la chance – to be lucky

1 Find the French equivalent of these phrases in the text and copy them out.

1 most of the time
2 well-dressed
3 it's a disaster!
4 my father has no fashion sense
5 an Armani suit
6 too much gold jewellery
7 she looks ridiculous
8 we need to completely change her look
9 He always wears black
10 I would like to see him in

2 Complete the following sentences. Which member of Julie's family does each statement describe?

Julie   her mother   her father   her brother

1 ... never wears colourful clothes.
2 ... finds designer clothes too expensive.
3 ... is a bit overweight.
4 ... often wears pink.
5 ... wears a brown tracksuit in the winter.
6 ... ought to wear blue jeans and a white tee-shirt.
7 ... should wear less jewellery.
8 ... should wear a designer suit.
9 ... usually wears a skirt.
10 ... would like to win the competition.

3 You might be asked to write about fashion or to describe what you and others wear as a controlled assessment task. Use ResultsPlus to help you prepare.

ResultsPlus

To produce a good answer, you need to show you can use a variety of tenses, structures and expressions.
- Julie uses colours and other **adjectives** to describe what she and her family wear. Remember, adjectives must agree with the noun they refer to.
- Julie uses the **present tense** to describe what she and others wear, the **perfect tense** to say what she bought and the **future tense** to say what will happen if she wins the competition.
- Try to include *il faut* + **infinitive**. Look at how Julie uses this to say what needs to be done about her mother's look.

To go a step further, you should also be able to use other tenses and writer longer sentences.
- Julie uses the **imperfect tense** to describe how her mother *used* to look, and the **conditional** to say what she *would like* her brother to wear.
- Look at how Julie has used interesting **connectives** (e.g. *de plus*) to link her sentences and plenty of **time** and **frequency expressions** (e.g. *de temps en temps*).

For a really impressive answer:
- include less common **negatives**, such as *ne … jamais* (never) and *ne … aucun* (not … any). Look at how Julie has done this.
- use **direct object pronouns** to replace nouns you have already mentioned, e.g. *Je voudrais le voir avec …*

Brille à l'écrit!
- Try combining several adjectives in a sentence. Make sure you position them correctly (before or after the noun) and use agreement where necessary, e.g. *un **vieux** jogging marron très **moche***.

4 Now write a competition entry to win a fashion makeover for you and your family.
- Adapt Julie's text and use language from the module. Write at least 200 words.
- Look at the blue box on the right. Start by writing about yourself. Make this your opening paragraph.
- Then write a paragraph about each member of your family.
- Finish with a short paragraph about why it is important that you win the competition and a punchy concluding line, as Julie has done.

Introduction

Say what you think of fashion.
Describe the sort of clothes you wear most of the time/when you go out.
What was the last item of clothing you bought?

Main paragraphs

Describe how the members of your family dress.
What do you think of what they wear?
Say how you would like to change their look.

Conclusion

Say why you want to win this competition.
What will happen if you win this competition?
How will you feel if you win?

Check what you have written carefully. Check:
- adjective endings and position
- spelling, especially words with lots of vowels (*couleur, beaucoup, pourquoi*)
- accents: don't confuse grave accents (*frère, très*) with acute accents (*préféré, désastre*). Don't forget cedillas (*ça*) and circumflexes (*coûte*).
- tense formation, especially verb endings (*j'achète, j'ai acheté, j'achèterai*).

L'alimentation
Food

Je voudrais …	*I'd like …*	des chips (f)	*crisps*
du beurre	*butter*	des fraises (f)	*strawberries*
du café	*coffee*	des œufs (m)	*eggs*
du fromage	*cheese*	des pêches (f)	*peaches*
du jambon	*ham*	des petits pois (m)	*peas*
du jus d'orange	*orange juice*	des poires (f)	*pears*
du lait	*milk*	des pommes (f)	*apples*
du pain	*bread*	des pommes de terre (f)	*potatoes*
du poisson	*fish*	des raisins (m)	*grapes*
du poulet	*chicken*	cinq cents grammes	*half a kilo*
du yaourt	*yoghurt*	une tranche	*a slice*
de la confiture (à la fraise)	*(strawberry) jam*	une boîte/une bouteille	*a tin/a bottle*
de la salade	*salad/lettuce*	un paquet/pot	*a packet/a pot/jar*
de l'eau (f) minérale	*mineral water*	un litre	*a litre*

Au magasin de vêtements
At the clothes shop

un haut	*a top*	un sweat	*a sweatshirt*
un jogging	*a tracksuit*	une chemise verte	*a green shirt*
un maillot de foot	*a football top*	une jupe marron	*a brown skirt*
un pantalon	*a pair of trousers*	une robe	*a dress*
un polo	*a polo shirt*	une veste	*a jacket*
un pull	*a jumper/sweater*	des baskets (f) blanches	*white trainers*
un short	*a pair of shorts*	des chaussures (f)	*shoes*

Qui fera quoi?
Who will do what?

J'acheterai (les billets).	*I'll buy (the tickets).*	du riz	*rice*
Je ferai (la cuisine).	*I'll do (the cooking).*	du saucisson	*salami*
On dormira …	*We'll sleep …*	de la bière	*beer*
On ira …	*We'll go …*	de la moutarde	*mustard*
On portera (des bottes).	*We'll wear (boots).*	de l'huile (f) d'olive	*olive oil*
On prendra (le train).	*We'll take (the train).*	des champignons (m)	*mushrooms*
Vous ferez (les courses).	*You'll do (the shopping).*	des framboises (f)	*raspberries*
		des haricots (m) verts	*green beans*
Ce sera chouette!	*It'll be great!*	des pâtes (f)	*pasta*
		des saucisses (f)	*sausages*
du cidre	*cider*		
du pâté	*pâté*		

Le voyage

un aller simple/
  aller-retour
première/deuxième classe
Le train part/arrive à
  quelle heure?

Travel

a single/return ticket

first/second class
*When does the train
  leave/arrive?*

Est-ce qu'il faut changer
  de train?
Le train part de quel quai?

J'ai perdu ...

*Do I need to change
  train?*
*Which platform does
  the train leave from?*
I've lost ...

Ça me va?

Le blouson est trop large.
Le manteau est trop court.
La ceinture est trop longue.
La cravate est démodée.

Les gants sont un peu serrés.

un chapeau

Does it suit me?

The jacket is too baggy.
The coat is too short.
The belt is too long.
*The tie is old-
fashioned.*
*The gloves are a bit
tight.*
a hat

un imper(méable)
un maillot de bain

une casquette
des chaussettes (f)
en coton/cuir/laine
Je peux l'/les essayer?

a raincoat
*a swimming costume/
  trunks*
a cap
socks
cotton/leather/woollen
Can I try it/them on?

Les fêtes

On a fait une grande fête.
On a dansé.
J'ai reçu beaucoup de
  cadeaux.
On a fait un pique-nique.
Il y avait des feux
  d'artifice.
On a fêté Noël en famille.

Special occasions

We had a big party.
We danced.
*I received lots of
  presents.*
We had a picnic.
There were fireworks.

*We had a family
Christmas.*

On s'est offert des
  cadeaux.
On a mangé le grand
  repas traditionnel.
L'année prochaine,
  je vais ...
avoir un scooter
y retourner
aller chez mon oncle

*We exchanged
  presents.*
*We had a big
  traditional dinner.*
*Next year, I'm going
  to ...*
get a scooter
go back there
go to my uncle's

À la mode

des magazines (m)
  de mode
des vêtements (m)
  de marque
ça coûte cher
les dernières baskets
s'habiller comme
  les autres
je ne la suis pas à la lettre

In fashion

fashion magazines

designer clothes

it's expensive
the latest trainers
*to dress like everyone
  else*
*I don't follow it to the
letter*

je ne m'habillais pas à
  la mode
être à l'aise
un sweat à capuche
un collant
(bleu) clair
(bleu) foncé

*I didn't use to dress
  fashionably*
to be at ease
a hoodie
a pair of tights
light (blue)
dark (blue)

Déjà vu 1

1 Écoutez. Copiez et complétez l'emploi du temps.

	lun	mar	mer	jeu	ven
8h00	espagnol	**d**	sciences phys	français	technologie
9h00	**a**	histoire-géo	technologie	**g**	latin
10h00	récré				
10h15	anglais	maths	**f**	anglais	anglais
11h15	étude	français	EPS	maths	français
12h15	déjeuner				
13h30	histoire-géo	SVT		espagnol	**i**
14h30	**b**	**e**		**h**	sciences phys
15h30	**c**	maths		latin	**j**

2 Quel jour sommes-nous?

SVT – sciences et vie de la terre
(sciences naturelles/biologie)
EPS – éducation physique et sportive

1
*Aujourd'hui, j'ai un cours
de latin en fin de journée quand
on est déjà fatigués. Le même jour, j'ai
deux cours de français, un cours d'anglais et
un cours d'espagnol. Comme je ne suis pas
forte en langues, ce n'est pas ma
journée préférée.*

2
*Ma matière préférée,
c'est le dessin. Aujourd'hui, j'ai
deux heures de dessin. En ce moment, on
fait une BD. Nous écrivons l'histoire et
faisons les dessins nous-mêmes.
J'aime ça.*

3
*Cet après-midi, on
a sport directement après
le déjeuner, suivi par deux heures
de matières sérieuses où il faut
se concentrer. Je trouve ça
difficile.*

4
*Je déteste la
musique et je n'aime pas
tellement l'EPS, mais j'aime la
techno et on finit à midi … alors,
c'est ma journée préférée.*

Déjà vu 1

3 Que pensent-ils des différentes matières? Pour chaque personne,
mettez le symbole et le numéro de la bonne raison dans la grille. (1–4)

1 J'ai trop de contrôles à préparer.
2 On n'a pas (trop) de devoirs.
3 On a trop de devoirs.
4 Le prof est sévère.
5 C'est difficile.

6 C'est intéressant.
7 Ce n'est pas mon truc.
8 Je suis fort(e) en …
9 Je suis faible en …
10 C'est ennuyeux/euse.

Opinions
matière préférée ✔✔
aime ✔
bof —
n'aime pas ✗

	maths	français	anglais	sciences	sport
1	✗ 5				
2					

4 À deux. Posez et répondez aux questions.

- Quelles matières étudies-tu?
- Quelle est ta matière préférée?
- Pourquoi?
- Es-tu fort(e) en maths?
- Quelles autres matières aimes-tu?
- Pourquoi?
- Quel est ton jour préféré?
- Aimes-tu le sport?
- Quelle est la matière que tu détestes le plus?
- Pourquoi?
- Quelles autres matières n'aimes-tu pas?
- Pourquoi?

Remember to use **le/la** or **les** in front of school subjects when talking about them and to include intensifiers (**assez, très, trop, un peu**) when expressing your opinions.

J'aime/Je déteste **le** français. C'est **un peu/assez/trop/très** difficile/ facile/intéressant/ennuyeux.

5 Utilisez ce que vous avez fait dans l'exercice 4 pour écrire un petit discours sur vos matières.

6 Quelle heure est-il? Choisissez la bonne horloge. (1–8)

a   b   c   d   e   f   g   h

7 On est quel jour aujourd'hui? Regardez l'emploi du temps dans l'exercice 1.

1 Hier après-midi, je suis allé(e) au collège et j'ai eu une heure d'histoire-géo. Ce matin, j'en ai encore une heure et demain, j'ai une heure de techno.

2 Hier, je ne suis pas allée au collège. Aujourd'hui, j'ai deux heures de dessin – j'aime bien le dessin – et demain, j'ai un cours de SVT.

j'aurai – I will have

hier – yesterday
aujourd'hui – today
demain – tomorrow

3 Super, il n'y a pas de cours d'anglais aujourd'hui! Hier, j'ai eu un cours d'anglais et demain, j'en aurai un autre. Mais aujourd'hui, c'est super, pas d'anglais!

4 Hier, j'ai eu un cours d'EPS et j'en aurai un autre demain. Mais après-demain, on a deux jours de congé!

5 Aujourd'hui, on commence avec l'anglais et on finit avec les maths … Quel jour épouvantable! Demain, c'est mieux, heureusement! On va travailler seulement le matin. Hier, on a eu six cours et une heure d'étude.

8 Qu'as-tu fait hier, que fais–tu aujourd'hui et qu'est-ce que tu vas faire demain?

Hier matin/après-midi, j'ai (eu un cours de …)
Aujourd'hui, j'ai (un cours de …)
Demain, je vais faire (un cours de …)

Déjà vu 2

écouter 1 Que portent-ils? (1–4)

a b c d e

f g h i j

k l m n

> bordeaux – maroon
> bleu marine – navy blue

lire 2 Lisez et trouvez qui écrit.

a b c d

1 *Pour aller au collège, il faut porter une jupe marron, une chemise blanche, un collant marron, un pull marron et une cravate à rayures marron et jaunes. C'est affreux! Les garçons portent un pantalon noir, une chemise grise, la même cravate que les filles et une veste marron. Ce n'est pas très chic!*

2 *Notre uniforme consiste en un pantalon noir, une chemise rouge, une cravate à rayures rouges et noires, un pull noir et une veste rouge. Les filles portent une jupe rouge ou un pantalon noir, une chemise blanche et un pull noir. On ne peut pas porter de baskets. Il faut porter des chaussettes grises et des chaussures marron!*

3 À deux. Décrivez: (a) ce que vous portez au collège,
(b) ce que vous portez d'habitude le week-end,
(c) ce que vous portez pour le sport.

un chandail – cardigan
un collant – tights
un jean – jeans
un maillot – (football) shirt
un pantalon – trousers
un polo – polo shirt
un pull – jumper
un short – shorts
un sweat – sweatshirt
un tee-shirt – tee-shirt
une chemise – shirt
une cravate – tie
une jupe – skirt
une robe – dress
une veste – jacket

des baskets (f) – trainers
des chaussures (f) – shoes
des chaussettes (f) – socks
des sandales (f) – sandals

Expo-langue →→→→

Grammaire **206**

Remember: colour adjectives come after the noun they describe and agree with it.

singular		plural	
masculine	feminine	masculine	feminine
noir	noire	noirs	noires
rouge	rouge	rouges	rouges
blanc	blanche	blancs	blanches

Some colour adjectives don't change:

● when the colour is made up of two parts:
bleu marine, bleu clair, vert pistache, etc.

● when the colour is derived from a noun:
beige – beige, bordeaux – maroon, corail – coral,
lilas – lilac, marron – brown, orange – orange

4 Décrivez votre uniforme.

Pour le collège, les garçons portent … et les filles portent …
Pour le sport, il faut porter ….

5 À deux. Regardez les images et décrivez ce qu'ils portent.

long(ue) – long
court(e) – short
étroit(e) – narrow, tight
large – wide, baggy
délavé(e) – washed out/faded

en jean – denim
en coton – cotton
en laine – woollen
en cuir – leather

6 Décrivez un nouvel uniforme pour votre collège.

Mon nouvel uniforme
Pour les garçons, …
Pour les filles, …
J'ai choisi la couleur … parce que …
C'est plus chic/pratique/confortable …

lire 1 La formation à la française. Lisez le texte et répondez aux questions en français.

En France, les petits vont en maternelle à l'âge de trois ans. Ils passent en primaire à l'âge de six ans.

À l'école primaire, les élèves ne vont pas à l'école le mercredi, mais en revanche, ils y vont le samedi matin. D'abord, ils apprennent l'alphabet et les chiffres. Plus tard, ils apprennent à lire et font des exercices de compréhension et des exercices de calcul.

À l'âge de onze ans, les élèves vont au CES (collège d'éducation supérieure). Ils entrent en sixième.

À partir de quinze ou seize ans, les élèves vont au lycée. Ils choisissent le lycée technique ou le lycée général. D'habitude, ils passent le bac entre dix-sept et dix-neuf ans. S'ils réussissent le bac, ils peuvent aller à l'université.

Les élèves qui ne travaillent pas bien redoublent: ils refont une année d'école. Les élèves de seize ans peuvent quitter l'école.

> passer – to take (an exam)
> réussir – to pass (an exam)
> redoubler – to repeat a year in the same class

D'habitude …

1 À quel âge vont les enfants en maternelle?
2 À quel âge vont-ils au CES?
3 À quel âge vont-ils au lycée?
4 À quel âge peuvent-ils quitter l'école?
5 À quel âge passent-ils le bac?
6 Qu'est-ce qu'ils choisissent à l'âge de 16 ans?
7 Que font-ils à l'école primaire?

écouter 2 Écoutez et remplissez les blancs.

Mes frères jumeaux (1) _____ cinq ans. Ils (2) _____ en maternelle. Quand ils (3) _____, ils (4) _____ bonjour à l'institutrice, ils (5) _____ leur sac par terre et (6) _____ leurs pantoufles.

En classe, ils (7) _____ l'institutrice, (8) _____ des livres et (9) _____ des mots simples. Ils (10) _____ des puzzles, (11) _____ des chansons et (12) _____ des poésies par cœur.

À midi, ils (13) _____ à la cantine où ils (14) _____ un plat et un dessert et (15) _____ de l'eau.

Expo-langue →→→→
Grammaire **200**

In the present tense, the **ils/elles** form of the verb (the 3rd person plural) usually ends in **–ent**. This ending is not pronounced.
ils/elles parl**ent**, ils/elles choisiss**ent**, ils/elles veul**ent**
Note the important exceptions: ils/elles **vont/font/sont/ont**.

Always look for patterns to help you remember the **ils/elles** forms.

- Some verbs in **–ir** and **connaître** add **–ss–**.
  ils/elles choisi**ss**ent fini**ss**ent rempli**ss**ent réussi**ss**ent connai**ss**ent

- Some verbs in **–nir** (**venir**, **tenir**) and **prendre** double the **n**.
  ils/elles vie**nn**ent tie**nn**ent pre**nn**ent

- Some verbs in **–ire** add **–s–** or **–v–**.
  ils/elles di**s**ent (dire) li**s**ent (lire)
  ils/elles écri**v**ent (écrire) boi**v**ent (boire)

- These modal verbs change the stem:
  vouloir – ils/elles v**eu**lent
  pouvoir – ils/elles p**eu**vent
  devoir – ils/elles d**oi**vent

parler **3** À deux. Posez des questions sur le texte de l'exercice 2 et répondez-y.

■ Quel âge ont ses frères? ...

> Où ...?
> Que ...?
> Qu'est-ce qu'ils ...?
> Quel/Quelle ... ?

écrire **4** Faites la comparaison.

En France, les petits enfants vont à l'école à l'âge de ...
Chez nous, ils y vont ...
En France, ils n'y vont pas le mercredi, mais en revanche ...
...

lire **5** Le collège Louis Pasteur. Lisez et répondez aux questions.

Notre collège s'appelle Louis Pasteur en hommage à cet homme qui a découvert la pasteurisation et qui est né assez près d'ici. Il y a environ mille deux cents élèves et plus de soixante profs.

Le matin, les cours débutent à 8h et se terminent à 16h30. Il y a une récré à 10h qui dure un quart d'heure et nous avons une heure et demie à midi pour le déjeuner. Le matin, il y a quatre cours et l'après-midi, trois cours. Nous n'avons pas de cours le mercredi après-midi. Pendant la journée, il y a bien souvent des heures de «trou» où les élèves n'ont pas cours. Dans ce cas, ils ont une heure d'étude où ils en profitent pour faire leurs devoirs et s'avancer pour le reste de la semaine. S'ils doivent proposer un exposé à leur classe, ils peuvent aller au CDI, la «bibliothèque» du collège où ils trouvent tous les renseignements nécessaires à leur recherche.

D'habitude le soir, j'ai au moins deux heures de devoirs. Et toi? Combien d'heures de devoirs as-tu?

1 Louis Pasteur était un (**a**) politicien (**b**) joueur de foot (**c**) chercheur scientifique.
2 Les cours commencent à (**a**) huit heures (**b**) huit heures et demie (**c**) neuf heures.
3 Ils finissent à (**a**) quatre heures (**b**) quatre heures et quart (**c**) quatre heures et demie.
4 D'habitude, il y a (**a**) cinq (**b**) six (**c**) sept cours par jour.
5 Ils n'ont pas de cours (**a**) le mercredi après-midi (**b**) le samedi (**c**) le mercredi.
6 Le CDI est (**a**) un cours de sport (**b**) un centre de documentation (**c**) un centre d'initiatives.

parler **6** À deux. Discutez.

■ Quelles différences y a-t-il entre le collège en France et chez vous?

D'habitude chez nous, les collèges prennent le nom de la ville ou du quartier.
En France, ils prennent le nom ...
En France, les cours débutent ...

écrire **7** Faites un exposé: *Mon collège.*

Notre collège s'appelle (Newtown High School d'après ...)
C'est un collège (mixte) ...
Il y a environ (800) élèves et ...

parler **8** Vidéoconférence. Préparez une présentation de votre collège.

Notre collège s'appelle ...

> Si possible, enregistrez votre présentation!

2 Ma journée – aujourd'hui et hier
Your school day
Reflexive verbs in the present and perfect

1 Une journée scolaire. Lisez et écrivez V (Vrai), F (Faux) ou ? (pas mentionné) à côté de chaque phrase.

Le matin, je me réveille à six heures. Je me lève tout de suite, je me douche et je m'habille. Au petit déjeuner, je mange des céréales et une tartine, c'est-à-dire une tranche de pain avec du beurre, du Nutella ou de la confiture. Je bois du chocolat chaud.

Je me dispute avec ma petite sœur parce qu'elle m'embête, puis je dis au revoir à mes parents et je sors de la maison. Je vais à l'arrêt de bus. Il faut prendre le car de ramassage parce que mon collège est en ville. Comme ma petite sœur va à l'école primaire au village, elle peut encore rester une heure à la maison.

Au collège, je retrouve mes amis. On parle, on rigole et on vérifie nos devoirs. À huit heures, la cloche sonne et on va en classe. À la récré, on sort dans la cour. Je mange un fruit et je bois du yaourt liquide.

À midi, je mange à la cantine car ma maison est trop loin pour rentrer. Le soir, les cours finissent normalement à 16h et je rentre tout de suite.

Mardi, j'ai un cours de musique en ville. Je prends mon goûter avec moi et je reste en ville. Après la leçon de piano, mon père me ramène à la maison. Je finis mes devoirs et je me couche tout de suite parce que je suis fatiguée.

Amélie

1 Elle se lève à six heures.	5 Elle a une sœur aînée.
2 Elle mange du pain.	6 Les cours débutent à huit heures.
3 Elle boit du jus d'orange.	7 Elle n'habite pas près du collège.
4 Elle prend le car de ramassage.	8 À midi, elle mange un fruit.

2 La journée scolaire. Écoutez et notez les réponses de Mélinda et Romain.

1 À quelle heure se réveillent-ils?
2 À quelle heure se lèvent-ils?
3 Que mangent-ils au petit déjeuner?
4 Que boivent-ils?
5 À quelle heure sortent-ils?
6 Comment vont-ils au collège?
7 À quelle heure rentrent-ils?
8 À quelle heure se couchent-ils?

Expo-langue →→→→ Grammaire 200

Reflexive verbs always have a reflexive pronoun before the verb.

se lever – to get up

je **me** lève	nous **nous** levons
tu **te** lèves	vous **vous** levez
il/elle/on **se** lève	ils/elles **se** lèvent

3 À deux. Comparez la journée de Mélinda et Romain.

Mélinda se réveille à … et Romain se réveille à …

4 Ma journée. Que faites-vous d'habitude quand vous avez cours? Décrivez une journée scolaire typique.

D'habitude, je me réveille …

lire 5 Lisez et remplissez les blancs.

Hier, je me suis réveillée à sept heures. Je me suis levée tout de suite. J'ai dû me dépêcher. Je me suis vite douchée, et je me suis habillée sans faire attention. Je suis sortie en courant sans avoir pris de petit déj, puis j'ai raté le bus et quand je suis arrivée au collège, mes copains se sont moqués de moi. J'avais mis le pull de Spider-Man de mon petit frère, et en plus, je l'avais mis à l'envers.
Cécile

1 _____, elle s'est réveillée à sept heures.
2 Elle _____ raté le bus.
3 Quand elle s'est habillée, elle n'a pas _____ attention.
4 Elle n'a pas eu le temps de prendre son _____.
5 Elle s'est trompée de _____.
6 Ses copains se sont _____ d'elle.

Expo-langue →→→→
Grammaire **210**

You use the perfect tense refer to a single action or event in the past. All reflexive verbs use **être** as the auxiliary verb and so the past participle agrees with the subject.

je me suis réveillé(e)	nous nous sommes réveillé(e)s
tu t'es réveillé(e)	vous vous êtes réveillé(e)(s)
il/elle/on s'est réveillé(e)(s)	ils/elles se sont réveillé(e)s

écouter 6 Écoutez et choisissez les bonnes images pour Vincent et Pascaline. (1–2)

1 a   b   c
2 a   b   c
3 a   b   c
4 a   b   c
5 a   b   c

écrire 7 Choisissez Vincent ou Pascaline et comparez ce que vous avez fait hier.

Hier, Vincent/Pascaline s'est levé(e) à … et moi, je me suis levé(e) à …
Il/Elle a mangé …

parler 8 À deux. Posez et répondez aux questions.

Hier …
1 À quelle heure tu t'es levé(e)?
2 Qu'est-ce que tu as mangé au petit déj?
3 Qu'est-ce que tu as bu?
4 À quelle heure es-tu sorti(e) de la maison?
5 Comment es-tu allé(e) au collège?
6 Où as-tu déjeuné?
7 À quelle heure es-tu rentré(e)?
8 Tu t'es couché(e) à quelle heure?

écrire 9 Vidéoconférence. Hier.
Préparez cinq questions à poser et vos réponses par écrit.

■ À quelle heure tu t'es levé(e) hier?
● Hier, je me suis …

Lire et écouter

1 Quels sont les avantages et quels sont les inconvénients?
Choisissez la bonne réponse: a, b ou c.

1 His English partner …
  (a) only had friends in his own class.
  (b) had lots of friends in other classes.
  (c) would not like the French school.

He liked the later start to the day in the English school because he …
  (a) found it more restful.
  (b) could stay in bed longer.
  (c) could have eight hours' sleep a night.

2 He prefers the school in France because the …
  (a) day is shorter.
  (b) lessons are shorter.
  (c) holidays are longer.

3 He thinks the uniform is …
  (a) smart and conducive to learning.
  (b) better than choosing your own clothes for school.
  (c) in depressing colours.

> If you know what a listening passage is going to be about, you can try to predict what will be said. You should also look at the questions before listening to the recording. This conversation is about schools in England and France.
> ● What are they likely to talk about?
> ● Which verbs are likely to be used to express opinions?
> ● What words and expressions would you expect to hear when people are comparing things?

2 Porter un uniforme, pour ou contre? Qui est pour (P) et qui est contre (C)? (1–6)

1 Matthieu 2 Thomas 3 Sophie 4 Chloé 5 Sabine 6 Nicolas

> ● Listen to the voices. How much can you tell from the tone of voice?
> ● Listen for the 'opinion' words/phrases: *à mon avis, selon moi, je trouve que, je pense que.*
> ● Listen for the positive words and expressions to indicate a favourable opinion: *C'est super/cool/bien/une bonne idée/génial.*
> ● Listen for the disparaging words to indicate a negative opinion: *Beurk, c'est stupide/moche/ridicule/un gaspillage.*

3 Réécoutez. Qui dit chaque phrase? Écrivez le bon nom.

1 I wouldn't go to school if I had to wear a uniform.
2 I have never worn a tie.
3 Uniforms are a waste of money.
4 I think ties look smart.
5 Uniforms are a good idea, as they make everyone look the same – rich or poor.
6 Wearing a uniform means that you don't have to choose what to wear each day.

Expo-langue →→→→   **218**

Comparing two things or people

plus = more	C'est plus grand. = It's bigger.
moins = less	C'est moins grand. = It's smaller.
mieux = better	C'est mieux. = It's better.
pire = worse	C'est pire. = It's worse.

4 **Lisez et trouvez les expressions négatives.**

Mes parents ont déménagé en Angleterre il y a un an et je fréquente un collège anglais. Au début, ce n'était pas facile. Je ne pouvais guère comprendre ce qu'on me disait parce que les élèves et les profs avaient un fort accent. Maintenant ça va, mais c'est fatigant parce que je dois me concentrer tout le temps.

Le collège est moins grand que mon ancien collège en France. Il n'y a que 800 élèves. En France, il y avait 1200 élèves. Ici, il y a au maximum 30 élèves dans chaque classe. Je trouve ça mieux.

Heureusement, ce qu'on fait en cours est plus facile que chez nous, par exemple les sciences naturelles. Ce que j'étudie maintenant, je l'ai déjà fait en France l'année dernière. Il n'y a rien de vraiment nouveau. Ni les maths ni les sciences physiques ne sont difficiles. En plus, on peut faire de la musique pop ou du théâtre en cours facultatif. Je n'ai jamais fait de théâtre au collège en France et pourtant j'aime bien ça. Ce que je regrette, c'est qu'on fait beaucoup moins de sport. Ça c'est pire qu'en France.

En France, les cours commencent à huit heures. Ici, les cours ne commencent qu'à neuf heures. Il ne faut pas se lever aussi tôt qu'en France. Super! Les cours sont moins longs et les journées aussi. Il n'y a jamais de cours le samedi. C'est un jour de congé.

Je ne mange pas à la cantine. Je trouve la nourriture meilleure qu'en France mais c'est très cher. J'apporte des sandwichs.

J'ai eu de la chance. Dans ma classe, personne ne se moque de moi à cause de mon accent. Il y en a qui m'appellent «Frog», mais si on n'y fait pas attention, ils s'ennuient rapidement et ne le font plus. Ils me demandent si j'ai déjà mangé des escargots ou des cuisses de grenouille et quand je dis «oui», ils disent «beurk», mais c'est tout. Je m'entends bien avec la plupart des élèves de ma classe et on n'a jamais essayé de me racketter.

Damien

⭐ **Watch out for negatives** – it's easy to miss them. If you don't notice them, you will think the sentence means the exact opposite!

- **ne/n'** usually comes before the verb and tells you that there is going to be a negative statement.
- Sometimes the **ne** is omitted, especially in answer to a question.
  Pas aujourd'hui. = Not today.
  Jamais de la vie ! = Never in my life!
  rien de bon = nothing good
  «Il y a quelqu'un?» «Personne!» = 'Is there anyone there?' 'No one!'

Expo-langue →→→→ *Grammaire* **216**

Negatives

ne … pas = not
ne … plus = no longer
ne … jamais = never
ne … personne = nobody
ne … guère = hardly
ne … que = only
ne … rien = nothing
ni … ni … = neither … nor …

---

 5 **Lisez le texte encore une fois et choisissez les quatre phrases qui sont vraies.**

1 Damien's French school was smaller than the English one.
2 He finds the English school subjects easier.
3 He has to wear a uniform.
4 He used to do drama in his French school.
5 They do more sport in France.
6 The food in the canteen in France is better.
7 He gets on well with most people.
8 He has never been bullied in the English school.

1 Écoutez et lisez.

Il faut …

 Il est interdit de/d'…

1 être à
l'heure

7 porter des bijoux,
des piercings et
du maquillage

2 apporter son
matériel

8 utiliser son
portable en
classe

3 bien se tenir
en classe

9 faire
l'imbécile
en classe

4 faire ses
devoirs

10 mâcher du
chewing-gum/
bubble-gum

5 apprendre
ses leçons

11 dire des
gros mots

6 cacher ses
tatouages

12 fumer

Si vous ne respectez pas les consignes du collège,
vous pouvez recevoir:
- une retenue (une colle)
- une convocation pour vos parents
- un avertissement

un avertissement – warning
une convocation – meeting
une retenue – detention

 2 Écoutez. Ils ont transgressé quelle règle?
(1–5)

 3 Choisissez ensemble les cinq règles les plus
importantes selon vous.

Je crois que la règle la plus importante, c'est …
Selon moi, … est plus important que …
À mon avis, … n'est pas aussi important que …
D'accord./Je ne suis pas d'accord.

Expo-langue →→

 Grammaire **214**

Il faut + infinitive means 'You have
to/must'.
Il faut éteindre son portable. =
You have to switch off your mobile.

Il est interdit de + infinitive means
'It is forbidden to'.
Il est interdit de fumer. =
Smoking is forbidden.

4 Faites une liste de dix règles pour votre collège.

Il faut ...   Il est interdit de ...

5 Lisez et écrivez V (Vrai), F (Faux) ou ?
(pas mentionné) à côté de chaque phrase.

Les contrôles sont imminents et je suis stressé parce que je me sens surchargé. Je ne réussis pas à retenir ce que j'apprends. Mes parents ne peuvent pas m'aider. Qu'est-ce que je peux faire? Mon père me tuera si je n'ai pas de bonnes notes. La plupart de mes copains ont le même problème.

Toby

D'abord, tu exagères – ton père ne te tuera pas, mais il y a des moyens pour éviter le stress et pour mieux réussir au collège. Au pire, tu devras redoubler l'année! Il y a des méthodes pour mieux apprendre et éviter le stress, il faut seulement les utiliser, toi et tes copains!

Nicolas

1 Toby veut avoir des conseils.
2 Il ne s'entend pas bien avec ses copains.
3 Il a été racketté.
4 Ses copains se sentent surchargés.
5 Toby doit redoubler.
6 Il oublie tout ce qu'il apprend.
7 Ses parents ne l'aident pas avec les devoirs.
8 Son père le tuera.

6 Écoutez. Que font-ils? (1–4) Copiez la grille et mettez ✓ (bien),
– (bof) ou ✗ (pas assez bien).

name	eat	sleep	exercise	revise regularly
1 Yanis				
2 Gabriel				
3 Lena				
4 Camille				

7 Discutez à deux: que faites-vous pour bien apprendre?

Mangez-vous sainement?	Je mange .../Je mange trop de .../ Je ne mange pas assez de ...
Organisez-vous bien votre travail?	Oui: d'habitude, je révise régulièrement. Non: je n'en fais que quand j'ai un contrôle.
Faites-vous de l'exercice?	D'habitude, j'en fais deux fois par semaine. Je fais/Je joue régulièrement ...
Vous vous couchez de bonne heure?	D'habitude, je me couche à/vers ... De temps en temps, je me couche ...

 8 Écrivez des conseils à Toby.

Il faut ...   Il ne faut pas ...

écouter 1 Écoutez et lisez le texte. Trouvez les 22 verbes au futur.

Ton avenir, il sera comment?

Que feras-tu quand tu quitteras le collège?

Si j'ai de bonnes notes, j'irai au lycée où je continuerai mes études. Puis quand je quitterai le lycée, j'irai à l'université où je ferai une licence de commerce.

Raoul

Moi, je quitterai le collège à seize ans et je ferai un apprentissage chez Macintosh. J'apprendrai à réparer les ordinateurs parce que je m'intéresse beaucoup à l'informatique.

Que feras-tu plus tard dans la vie?

Je ne sais pas exactement ce que je ferai quand je quitterai la fac, mais si c'est possible, je travaillerai à l'étranger — aux États-Unis, par exemple — ou bien je ferai du bénévolat en Afrique.

Si mes rêves se réalisent, j'aurai ma propre entreprise à trente ans! Ça sera un magasin d'informatique ou un service de réparation d'ordinateurs, par exemple.

Comment sera ta vie personnelle?

J'espère que je rencontrerai la femme de mes rêves et qu'on aura deux ou trois enfants!

Je serai très riche et très heureuse, bien sûr! Et j'habiterai à la campagne ou au bord de la mer, je crois.

Marine

lire 2 Relisez le texte et écrivez V (Vrai), F (Faux) ou ? (pas mentionné) à côté de chaque phrase.

1 Dans cet article, on parle de l'avenir.
2 Raoul ne quittera pas le collège si ses notes sont bonnes.
3 Il continuera ses études au lycée.
4 Il ira à l'université à Paris pour faire sa licence.
5 Marine ira au lycée pour faire son apprentissage.
6 Elle fera un apprentissage de réparation de voitures.
7 Raoul travaillera comme professeur en Afrique.
8 Marine aura peut-être son propre magasin d'informatique.
9 Si ses rêves se réalisent, Raoul aura des enfants.
10 Si elle est riche, Marine habitera à Paris.

Expo-langue →→→ Grammaire 224

To talk about your plans, you can use either **aller** + the infinitive (*going to* …) or the future tense (*will* …).

The future tense is formed from a stem plus the future tense endings (**–ai, –as, –a, –ons, –ez, –ont**).

For regular verbs, the stem is the infinitive (**–er** and **–ir** verbs) or the infinitive minus the final **–e** (**–re** verbs): **quitter**ai, **finir**as, **apprendr**a

je quitterai	nous quitterons
tu quitteras	vous quitterez
il/elle/on quittera	ils/elles quitteront

Some verbs are irregular, so you need to learn the stem separately:
aller – j'**ir**ai   avoir – j'**aur**ai
être – je **ser**ai   faire – je **fer**ai

3 **Copiez et complétez le texte.**

Quand je (**1**) ▬▬▬▬ le collège à seize ans, j'(**2**) ▬▬▬▬ au lycée où je
(**3**) ▬▬▬▬ mes études. Après, j'(**4**) ▬▬▬▬ en faculté où je (**5**) ▬▬▬▬ une
licence de marketing. Mais mon copain Thomas n'(**6**) ▬▬▬▬ pas au lycée. Il
(**7**) ▬▬▬▬ un apprentissage chez Citroën où il (**8**) ▬▬▬▬ à réparer les
voitures. Plus tard dans la vie, je (**9**) ▬▬▬▬ dans le marketing et j'(**10**) ▬▬▬▬
à la campagne, mais Thomas espère qu'il (**11**) ▬▬▬▬ son propre garage. J'espère
qu'on (**12**) ▬▬▬▬ tous les deux riches et heureux!

You usually only pronounce **s, t** and **x** at the end of a word if the next word begins with a vowel sound.

 4 **Prononcez les paires de phrases. Attention aux lettres en gras!**

J'irai aux magasins.
J'irai au**x** États-Unis.

Ils sont amis.
Ils sont frères.

Je continuerai me**s** études.
Je continuerai me**s** devoirs.

 5 **Écoutez et vérifiez.**

 6 **À deux. Répondez aux trois questions de l'exercice 1. Parlez de vous-même ou utilisez les détails ci-dessous.**

16 ans: quitter collège
apprentissage (salon de coiffure)
(apprendre à couper les cheveux des clients)
35 ans: propre salon de coiffure
rencontrer homme/femme de mes rêves
2 enfants
appartement centre-ville

quitter collège → lycée
université (licence français et commerce)
bénévolat en Inde
30 ans: propre entreprise: librairie
rencontrer partenaire de mes rêves
pas d'enfants, 2 chiens

 7 **Imaginez que vous êtes Bart ou Lisa Simpson, ou un(e) autre enfant célèbre. Écrivez un paragraphe sur votre avenir. Utilisez votre imagination!**

Mentionnez:
● à quel âge vous quitterez le collège et si vous continuerez vos études
● ce que vous ferez comme travail après avoir fini les études
● comment sera votre vie personnelle (famille, domicile, etc.).

Task

You are visiting a school in France. The French teacher asks you to talk about your school to the French students. Speak about your school and compare it with the school in France. You could include:

● basic information about your school (name, types of buildings, age group of students)
● the most striking difference between your school and schools in France
● differences in the school day
● differences in what is worn to school
● any other differences
● your plans for next year.

1 **You will hear a model conversation. Below are some of the sentences, split in half, which Kevin uses to address the first two points in the assessment task above. Predict how the sentence halves will match up, then listen to check.**

1 D'habitude chez nous …
2 On peut rester …
3 Il n'est pas nécessaire de …
4 Je ne connais que …
5 Il y a seulement 800 élèves …
6 Même les profs …

a … changer d'école.
b … disent «bonjour» aux élèves.
c … les élèves de ma classe et nos profs.
d … on va au collège à l'âge de onze ans.
e … et tout le monde se connaît.
f … dans le même établissement jusqu'à dix-huit ans.

2 **Listen again and note down the French words and phrases that Kevin uses to say the following.**

1 easily
2 usually
3 like
4 until
5 far bigger
6 on the other hand
7 only
8 everybody
9 often

3 **Listen to the second part of Kevin's conversation and fill in the gaps.**

■ Est-ce que c'est vrai que vous devez porter un uniforme?

● Oui, (1) ———— c'est normal. (2) ———— collège a un uniforme différent. Nous, nous (3) ———— un pantalon gris, une chemise grise, un sweat rouge et une veste noire. Les filles portent une chemise blanche et il est interdit de mettre du maquillage, mais elles en mettent quand même. (4) ———— l'avantage c'est qu'on sait toujours quoi porter, mais (5) ———— c'est simplement que je déteste notre uniforme! Je préfère porter un jean et un sweat comme ici, c'est beaucoup plus confortable.

■ Quelles différences y a-t-il en ce qui concerne la journée scolaire?

● Alors … d'abord chez nous les cours (6) ———— à neuf heures, pas à huit heures! Et ils (7) ———— toujours à quatre heures. Quand nous n'avons pas de cours, nous (8) ———— rester au collège. Nous n'avons (9) ———— cours le samedi. Ici, la journée est plus longue, mais (10) ———— on a beaucoup de jours de congés et les vacances sont beaucoup plus longues! Je préfère ça!

4 **Now listen to the final part of Kevin's conversation and answer the questions.**

1 Which phrase meaning 'for example' does he use to steer the conversation onto his hobby of music?

2 How does he then use the past and near future tenses to talk about music?

3 Which phrase meaning 'that depends …' does he use to make his answer more interesting?

4 How does he say what he'd like to do in future? (There are two examples of this.)

5 What is the unprepared question that the examiner asks Kevin?

6 How does Kevin say 'there are several'?

5 **Now it's your turn! Prepare your answers to the task and then have a conversation with your teacher or partner.**

● Use ResultsPlus and your answers to exercises 1–4 to help you.
● Adapt what Kevin said, taking your examples from your own school.
● Base your talk on the questions, but don't be limited by them if you have something more interesting to say.
● Record the conversation. Ask a partner to listen to it and say how well you performed.

Award each other one star, two stars or three stars for each of these categories:
● pronunciation
● confidence and fluency
● range of tenses
● variety of vocabulary and expressions
● using longer sentences
● taking the initiative.

What do you need to do next time to improve your performance?

ResultsPlus

 To make sure you produce a good answer:
◆ mention something that happened in the **past** and something that is going to happen in the **future**. Kevin says *j'ai joué* (I played), *je vais apprendre* (I am going to learn) and *je ferai* (I will do).
◆ use **noises and phrases to give you time to think** of what you are going to say next and to help to make it flow. Kevin uses: *euh, ben, par exemple, c'est-à-dire.*
◆ use the **comparative** – *plus* or *moins* + adjective – to make comparisons between the French and English school systems
◆ use a variety of **modal verbs** with the infinitive, e.g. *on peut …* and *il faut …*

 To go a step further:
◆ aim for accuracy in **verb forms**, especially plural ones. Notice how Kevin uses these correct verb forms: *les cours commencent, ils finissent, nous devons.*
◆ use a variety of phrases to give your **opinion**, e.g. *selon moi, à mon avis, en revanche, ça dépend*
◆ use the **conditional** to say what you would like to do.

 For a really impressive answer:
◆ use a **relative pronoun**. Listen to how Kevin uses *qui* to say 'clubs **that** are organised' and *que* to say 'subjects **that** he has failed'.
◆ use **adverbs** to make your descriptions more interesting, e.g. *seulement, simplement*
◆ use a variety of **negative statements**. Listen to how Kevin uses *ne … jamais* to say he **never** has lessons on a Saturday and *ne … que* to say he **only** knows the pupils in his classes.

Brille à l'oral!

◆ Put several grammar points together to make a complex sentence, like this one containing a *si* clause, a future tense and a relative pronoun: *mais si je ne réussis pas, je referai les matières que j'ai ratées.*

Le collège Louis Pasteur

Notre collège a été fondé en 1978 et s'appelle le collège Louis Pasteur, d'après l'homme qui a découvert la pasteurisation.

Les locaux sont grands. Ils s'étendent sur trois étages, mais ne sont pas modernes. Il y a quatre labos de sciences, un CDI, un gymnase et deux salles d'informatique. Les vestiaires ont besoin d'être modernisés et le bâtiment est trop petit parce qu'il a été construit pour 800 élèves, mais maintenant, il y a environ 1.200 élèves et 60 profs.

Les cours débutent à 8h00 du matin et finissent à 16h00 ou 17h00. Un cours dure une heure. D'habitude, en France on n'a pas de cours le mercredi mais on a cours le samedi matin. L'année dernière, chez nous, on a décidé de ne plus avoir cours le samedi parce qu'on ne voulait pas travailler le week-end. En revanche, nous avons cours le mercredi matin et si on a fait des bêtises, la retenue c'est le mercredi après-midi.

Pour moi, ce qu'il y a de mieux, c'est qu'on peut choisir le sport comme option facultative. Mes matières préférées sont les sciences et le sport. L'année dernière, j'ai fait du basket et du hockey sur gazon, cette année je fais de l'escalade et du foot, et l'année prochaine, au lycée, je vais faire de l'escalade et de l'escrime.

Notre collège est jumelé avec deux collèges, un aux États-Unis et un à la Martinique, aux Caraïbes. L'année dernière, on a organisé un échange scolaire pour les élèves de troisième avec le collège aux États-Unis. Nos élèves sont allés là-bas et cette année les Américains vont nous rendre visite. L'année prochaine, nos élèves iront à la Martinique. Quelle chance! Je voudrais bien y aller mais malheureusement je dois réviser pour les contrôles.

L'année prochaine, on va construire un nouveau centre de sports, mais ce sera trop tard pour moi: je serai au lycée!

Matthieu

> les locaux (m) – the premises
> s'étendre sur – to be spread over
> l'escrime (f) – fencing

1 Find the French equivalent of these phrases in the text and copy them out.

1 was founded in
2 need to be modernised
3 on the other hand
4 we have lessons on Wednesday morning
5 detention
6 for me, the best thing is
7 it will be too late for me
8 I will be

2 This is mainly about 'advertising' your school, not about what you do, so a lot of the verbs are in the third person plural, i.e. the *ils* form.

1 Find five examples of the *ils* form in the present tense.
2 Find one in the perfect tense and one in the future tense.

3 Answer the questions in English.

1 What part of the school needs modernising?
2 Why is the school too small?
3 Why would students need to attend school on a Wednesday afternoon?
4 Which two sports would Matthieu like to try next year?
5 Which country did students visit last year on an exchange trip?
6 What will be built next year at the school?

Controlled assessment practice

4 **You might be asked to write an article or a brochure about your school as a controlled assessment task. Use ResultsPlus to help you prepare.**

Results Plus

 To produce a good answer, you need to show you can use key tenses correctly. Look at how Matthieu does this. He uses the:

- **present tense** to talk about what he normally does: *je fais de l'escalade*
- **perfect tense** to say when the school was founded and to talk about last year: *j'ai fait du basket*
- **future tense** to say what he is going to do and to talk about next year: *on va construire.*

He also uses a variety of **modal verbs** correctly with the infinitive: *on peut choisir, je dois réviser.*

 To go a step further, you should aim for accuracy in a range of verb endings.

- Use the **third person singular and plural** correctly: *débuter – il/elle débute, ils/elles débutent; aller – va/vont; avoir – a/ont, être – est/sont; faire – fait/font; finir – finit/finissent.* Look at how Matthieu has used the **third person plural** to say when the lessons start and when they finish.

For a really impressive answer, use:

- the **pronoun *y*** (there): *je voudrais bien y aller* (I'd really like to go there)
- the correct **plural possessive adjectives**: e.g. *notre/nos* (our).

Brille à l'écrit!

- Include the expressions *Ce qu'il y a de mieux, c'est qu'on peut …* (the best thing is you can …) and *Le pire, c'est qu'on ne peut pas …* (the worst thing is that you can't …).

5 **Now write a description of your own school.**

- Write at least 200 words.
- Adapt Matthieu's text and look back at Module 3 for descriptions of places.
- If you need to write something which is not in the book, keep it simple.
- When you look a new word up in French, it is a good idea to cross-check by looking up the English meaning of the French word you find to make sure it is the word you need.
- Structure your work carefully. Organise it into paragraphs.

Introduction

Give the name of the school (including any details on how it got its name) and what sort of school it is.
Le collège s'appelle Newtown High School, du nom de la ville.
C'est un collège mixte qui est spécialisé dans l'enseignement du sport et de la musique.

Main paragraphs

Talk about the facilities.
Mention some of the more interesting subjects studied, but don't give long lists as this will get you low marks.
Give details of the length of the school day.
Describe the uniform if you have one, including details of the colours.
Mention any special features, such as clubs, events or connections with schools abroad.

Conclusion

Talk about the past and the future, mentioning something that used to happen (e.g. l'année dernière) and something that will happen (e.g. l'année prochaine) at your school, so that you can demonstrate your ability to use the different tenses.

Check what you have written carefully. Check:

- agreement of adjectives (gender and number) with the noun they qualify
- plurals of nouns and adjectives (most make the plural by adding –s, but words which end in –al, –au and –eau make it with –x: *régional/ régionale/régionaux/ régionales; nouveau/ nouvelle/nouveaux/ nouvelles*)
- verb endings.

Les matières / Subjects

Les matières	Subjects
Ma matière préférée, c'est …	My favourite subject is …
le français	French
le théâtre	drama
les sciences (f) physiques	physical sciences
la biologie	biology
la chimie	chemistry
la physique	physics
la technologie	technology
les maths (f)	maths
les sciences	science

les SVT/sciences (f) et vie de la terre	natural sciences/biology
l'histoire-géo (f)	history-geography
l'allemand (m)	German
l'espagnol (m)	Spanish
Hier matin, j'ai eu un cours d'EPS.	Yesterday morning I had a PE lesson.
Aujourd'hui, j'ai deux heures d'anglais.	Today I have two hours of English.
Demain, je vais faire un cours de dessin.	Tomorrow I'm going to have an art lesson.

Mon opinion / My opinion

Mon opinion	My opinion
j'adore	I love
j'aime bien	I like
je déteste	I hate
c'est …	it's …
intéressant	interesting
difficile	difficult

facile	easy
ennuyeux	boring
Je suis fort(e) en langues.	I am good at/strong in languages.
Je suis faible en sciences	I am weak at science.
Ce n'est pas mon truc.	It's not my thing.

L'uniforme / Uniform

L'uniforme	Uniform
Il faut porter …	You have to wear …
un chandail	a cardigan
un collant	tights
un jean	jeans
un maillot (de foot)	a (football) shirt
un pantalon	trousers
un polo	a polo shirt
un pull	a jumper
un short	shorts
un sweat	a sweatshirt
un tee-shirt	a tee-shirt
une chemise	a shirt
une cravate	a tie
une jupe	a skirt
une robe	a dress

une veste	a jacket
des baskets (f)	trainers
des chaussures (f)	shoes
des chaussettes (f)	socks
des sandales (f)	sandals
C'est chic/pratique/confortable.	It's stylish/practical/comfortable.
Un uniforme doit être …	A uniform should be …
pas trop cher	not too expensive
en coton/cuir/jean/laine	cotton/leather/denim/woollen
en tissu facile à laver	in an easy to wash material
en tissu qui n'a pas besoin de repassage	in a material that doesn't need ironing

Les couleurs / Colours

Les couleurs	Colours
blanc(he)	white
bleu(e)	blue
bordeaux	maroon
gris(e)	grey
jaune	yellow
noir(e)	black
orange	orange

rose	pink
rouge	red
vert(e)	green
bleu clair	pale blue
bleu foncé	dark blue
bleu marine	navy blue
à rayures	striped

La formation

Ils vont à l'école primaire.

Ils vont au collège à l'âge
de ...
Notre lycée s'appelle ...
C'est un collège mixte.

Il y a environ ... élèves.

Les cours débutent à ...

Education

They to to primary
school.
They go to secondary
school at the age of ...
Our college is called ...
It's a mixed
secondary school.
There are around ...
pupils.
Lessons start at ...

Les collèges prennent
le nom ...
l'instituteur/institutrice
le/la professeur
le directeur/la directrice

le comportement
la discipline
les devoirs
la récré

Schools take the
name ...
primary teacher
secondary teacher
headmaster/
headmistress
behaviour
discipline
homework
break

Ma journée

Je me réveille à 7 heures.

Je me lève tout de suite.
Je me douche et je
m'habille.
Je me couche vers
10 heures.
Hier, je me suis
réveillé(e) ...
je me suis levé(e)
je me suis douché(e)

My day

I wake up at seven
o'clock.
I get up straight away.
I have a shower and
get dressed.
I go to bed at about
ten.
Yesterday I woke
up ...
I got up
I had a shower

je me suis habillé(e)
je me suis couché(e)
Au petit déjeuner, j'ai
mangé du pain.
J'ai bu du chocolat chaud.

Je suis sorti(e) à 8h15.
Je suis allé(e) au collège
en car.
Je suis rentré(e) à 16h30.

I got dressed
I went to bed
For breakfast I had
some bread.
I drank some hot
chocolate.
I left at 8.15.
I went to school by
bus.
I came home at 4.30.

Au négatif

ne ... pas
ne ... plus
ne ... que
ne ... jamais

In the negative

not
no longer
only/not until
never

ne ... rien
personne ne ...
ni ... ni ...

nothing
nobody
neither ... nor ...

Les consignes

Il faut ...
Il ne faut pas ...
Il est interdit de ...

un avertissement
une convocation
une retenue/une colle

Instructions

You have to ...
You mustn't ...
You're not allowed to .../
It is forbidden to ...
warning
meeting
detention

Je crois que la règle la plus
importante, c'est ...
être racketté(e)

se sentir surchargé(e)
redoubler

I think the most
important rule is ...
to be bullied into giving
money
to feel overburdened
to retake a year at
school

Que feras-tu?

Si j'ai de bonnes notes, ...
J'irai au lycée/
à l'université.
Je ferai une licence de
commerce.
Je ferai un apprentissage
chez Citroën.

Je travaillerai à l'étranger.
Je ferai du bénévolat.

J'aurai ma propre
entreprise.

What will you do?

If I get good results ...
I will go to college/
university.
I will do a business
degree.
I will do an
apprenticeship with
Citroen.
I will work abroad.
I will do voluntary
work.
I will have my own
business.

Je serai très riche.
J'habiterai aux États-Unis.
Je continuerai mes études.

Je rencontrerai le/la
partenaire de mes rêves.
Je ne sais pas exactement
ce que je ferai quand je
quitterai le collège.
Je m'intéresse beaucoup
à ...

I will be very rich.
I will live in the USA.
I will continue my
studies.
I will meet the
partner of my dreams.
I don't know exactly
what I'll do when I
leave college.
I'm very interested
in ...

L'argent, l'argent Discussing jobs and money
Indirect object pronouns

Déjà vu

1 Reliez les images et les phrases.

a b c d e

f g h i

faire la vaisselle
garder ma petite sœur

passer l'aspirateur
promener le chien
ranger ma chambre
sortir la poubelle

vider le lave-vaisselle
mettre la table
laver la voiture

2 On parle de l'argent de poche et du travail à la maison. Écoutez et complétez la grille. Utilisez les lettres des images de l'exercice 1. (1–5)

	argent de poche	travail à la maison	content(e) O ou pas content(e) N?
1	10€ par semaine	g (2 x par sem.) ...	

3 À deux. Choisissez deux personnes de l'exercice 2 et faites un dialogue en utilisant les questions ci-dessous.

- Qu'est-ce que tu fais pour aider à la maison?
- Est-ce qu'on te donne de l'argent de poche?
- En es-tu content(e)?

Déjà vu

Ma mère/Mon père/Mes grands-parents ...
... me donne(nt) (10)€ par semaine/mois comme argent de poche.
... ne me donne(nt) pas d'argent de poche.
... paie(nt) mes affaires scolaires/mes vêtements.
(Pour ça,) je dois aider (beaucoup/un peu) à la maison. Je dois ranger ma chambre ...
.... tous les jours/deux fois par semaine/avant le dîner ...
Je suis (assez/très) content(e)./Je trouve ça pas mal/assez généreux.
Je ne suis pas (du tout) content(e)./Je trouve ça un peu dur/injuste.
Ce n'est pas juste!/J'ai quand même besoin d'argent!

4 Écrivez un paragraphe sur deux des personnes de l'exercice 2.

Ses parents lui donnent ... Pour ça, il/elle doit ... Il/Elle trouve ça ...

Expo-langue →→→→

Grammaire 220

Me, **te** and **lui** are indirect object pronouns and go in front of the verb. They mean 'to me', 'to you' and 'to him/her', but the word 'to' is not always used in English.

	indirect object pronoun
(to) me	me
(to) you	te
(to) him/her	lui

Mes parents **me** donnent 10€ par semaine.
= My parents give (to) me €10 a week.
On ne **lui** donne pas d'argent de poche.
= They don't give (to) him/her any pocket money.

5 Écoutez ce qu'ils achètent avec leur argent de poche.
Combien de fois est-ce qu'on mentionne chaque chose?

Exemple: a 2 fois

a
des bonbons ou des chocolats

b
des magazines

c
des cadeaux

d
du maquillage

e
du matériel scolaire

f
des CD ou des DVD

g
des jeux de console

h
des baskets

6 Vidéoconférence. Répondez aux questions en
utilisant les phrases ci-dessous. Utilisez un
dictionnaire, si nécessaire.

- Qu'est-ce que vous achetez avec votre argent?
- Faites-vous des économies? Si oui, pourquoi?

Avec mon argent, je dois acheter ...
À part ça, j'achète/j'ai besoin de ...
J'économise/Je fais des économies/
 Je mets de l'argent de côté pour ...
J'essaie d'économiser/de mettre de côté
 ... livres par semaine/mois pour
 acheter ... parce que ...

Expo-langue →→→→

You use **du/de la/de l'/des**
('some') when talking about what
you buy, even though 'some' isn't
always used in this context in English.

J'achète **du** maquillage et **des**
magazines. = I buy (some) make-up
and (some) magazines.

If you need to look up new vocabulary
in a dictionary, make sure you choose
the right word! If you want to say you
are saving up for a pair of boots, make
sure you chose the word for what you
wear on your feet, not the boot of a car,
etc. Look for any example sentences
and check the English meanings of the
word you choose in the French–English
section of the dictionary.

 7 Écrivez un paragraphe sur
ce que vous achetez avec
votre argent. Mentionnez
aussi si vous mettez de
l'argent de côté et si oui,
pourquoi. Essayez d'utiliser
ces mots et expressions:

j'en achète beaucoup – I buy a lot (of it/them)
avec l'argent qui me reste – with the money that's left
à part ça – apart from that
quelquefois/parfois – sometimes
toujours – always
coûte(nt) assez/très cher – cost(s) (quite) a lot
les marques comme ... – brand names/labels such as ...

écouter **1** Qui fait quel job? Écoutez et trouvez les bonnes images. (1–8)

a   b   c   d

e   f   g   h

écouter **2** Écoutez encore une fois. Copiez et complétez la grille en français. (1–8)

	jour(s)/fréquence	horaires	salaire
1	tous les samedis	de 13h à 18h	32,50€

lire **3** Trouvez les paires de phrases pour les images de l'exercice 1.

Exemple: a 13, ...

1 Mon petit boulot, c'est dans un supermarché.

2 Je dois passer l'aspirateur et faire le café pour les clients.

3 J'ai un petit job dans un fast-food.

4 Je dois donner à manger aux animaux.

5 Je travaille à la caisse.

6 Je livre des journaux.

7 Mon travail, c'est dans l'épicerie de mon oncle.

8 Je fais des livraisons aux maisons près de chez moi.

9 J'ai un job dans une ferme.

10 On doit servir des hamburgers aux clients.

11 J'ai un petit boulot dans un salon de coiffure.

12 Je dois ranger l'équipement sportif.

13 Je m'occupe des enfants de mes voisins.

14 Je travaille dans un centre de loisirs.

15 Je dois remplir les rayons du magasin.

16 Je fais du baby-sitting.

parler **4** À deux. Imaginez que vous êtes une des personnes de l'exercice 1. Faites un dialogue en utilisant ces questions.

- ■ As-tu un job/un petit boulot?
- ● ...
- ■ Quand fais-tu ça?
- ● Je fais ça tous les samedis/le dimanche matin/deux fois par semaine ...
- ■ Quels sont les heures de travail?
- ● Je travaille de ... à .../Je commence à ... et je finis à .../Je fais trois heures de travail ...
- ■ Tu gagnes combien?
- ● Je gagne .../Je reçois .../On me paie ...
- ■ Qu'est-ce que tu dois faire?
- ● ...

5 Lisez les textes. Puis regardez les phrases en dessous. Pour chaque personne, écrivez P (Positive), N (Négative) ou P/N (Positive-Négative).

Exemple: 1 Lin (**a**) le salaire N, (**b**) ...

When you do an exam-style task like this, it is important to look very closely at the text in order not to miss small words which can completely change the meaning of a sentence. Look for:

- negatives (e.g. même si ce **n'**est **pas** très bien payé)
- words like **trop** (too) and **sauf** (except), which turn a positive statement into a negative one
- adjectives which have a positive meaning (e.g. **intéressant**) or a negative one (e.g. **monotone**)
- expressions which contrast one thing with another, such as **parfois ... , mais d'habitude** (sometimes ... , but usually), **même si** (even if), **par contre** (on the other hand) and **malgré cela** (in spite of that).

1

J'aime bien mon job au fast-food, même si ce n'est pas très bien payé. Mes collègues sont sympas et on s'amuse bien ensemble. Mon patron, Monsieur Rachid, est parfois un peu sévère, mais en général, il est gentil.

Lin

2

Mon petit boulot au garage ne me plaît pas beaucoup et je m'ennuie. Je trouve ça monotone de nettoyer des voitures toute la journée. Et les heures sont trop longues aussi. La seule bonne chose, c'est que le salaire est assez intéressant.

Clément

3

La patronne du magasin où je travaille est toujours souriante et elle a un bon sens de l'humour. L'inconvénient, c'est que je dois me lever très tôt le samedi parce que je commence le travail à huit heures. Par contre, je finis à midi et c'est bien d'avoir l'après-midi libre.

Mathilde

4

Je suis tout à fait content de ce qu'on me paie pour mon travail au marché. Je m'entends bien avec les autres marchands avec qui je travaille, sauf le fils du propriétaire qui est arrogant et qui m'énerve. Malgré cela, je suis assez satisfait de mon job.

Guillaume

1 Lin: (**a**) le salaire (**b**) la personne pour qui elle travaille (**c**) les gens avec qui elle travaille
2 Clément: (**a**) le genre de travail (**b**) les heures de travail (**c**) le salaire
3 Mathilde: (**a**) la personne pour qui elle travaille (**b**) les heures de travail
4 Guillaume: (**a**) le salaire (**b**) les gens avec qui il travaille

 6 Préparez une présentation d'une minute sur votre job. Si vous n'avez pas de job, utilisez les détails ci-dessous. Mentionnez:

- ce que vous faites comme job
- les horaires de travail et le salaire
- les avantages et les inconvénients.

A *magasin de vêtements*
samedi 9h–17h ☹
passer l'aspirateur/remplir et ranger les rayons
salaire 45€ ☺   patronne ☺
collègues ☺

B *restaurant*
dimanche 10h–14h30 ☺
servir les clients/faire la vaisselle
salaire 20€ ☹   propriétaire ☹
collègues ☺ ☹

 7 Écrivez un paragraphe sur votre job, réel ou imaginaire.
Adaptez les textes de l'exercice 5, si vous voulez.

écouter

1 Écoutez cette interview avec un reporter cameraman. Notez les questions dans le bon ordre.

1 Pourquoi l'aimez-vous?

2 Vous travaillez combien d'heures par semaine?

3 Depuis quand faites-vous ce travail?

4 Quels sont les inconvénients de votre travail?

5 Comment vous appelez-vous?

6 Comment vous êtes devenu reporter cameraman?

7 Où travaillez-vous en ce moment?

8 Qu'est-ce que vous faites comme travail?

9 Vous aimez votre travail?

Expo-langue →→→→

Grammaire **205**

You can form questions in a number of different ways:

1 by taking a statement and changing the intonation: **Vous aimez votre travail?**

2 by putting **Est-ce que** in front of a statement: **Est-ce que** vous aimez votre travail?

3 by using inversion (putting the verb before the subject): **Aimez-vous** votre travail?

Some questions require the use of question words, e.g. **où** (where), **pourquoi** (why), **que** (what), **quel** (which/what), **comment** (how), **(depuis) quand** ((since) when), **combien de** (how much/many).

Que is often used in the phrase **Qu'est-ce que ... ?**: **Qu'est-ce que** vous faites comme travail?

lire

2 Complétez le texte en utilisant les mots ci-dessous.

Je m'appelle Guillaume Marchant. Je suis reporter cameraman (1) _____ quinze ans à peu près. Après avoir quitté le lycée, j'ai fait des (2) _____ de journalisme dans une école spécialisée à Bordeaux. En ce moment, je travaille beaucoup en (3) _____. En général, je travaille (4) _____ trente-cinq et quarante heures par (5) _____. Ce que j'aime surtout, c'est la (6) _____ du travail. D'ailleurs, j'aime beaucoup (7) _____; je n'aimerais pas être enfermé dans un bureau. Et c'est assez bien (8) _____ aussi! Les (9) _____ sont qu'on n'est pas souvent à la maison et que quelquefois, on (10) _____ travailler le week-end.

semaine   doit   université   Afrique   depuis   voyager   entre

intéressant   inconvénients   études   variété   payé

parler

3 À deux. Faites une interview de Nathalie Lafontaine ou Jean-Luc Blier en utilisant les renseignements à droite.

Nathalie Lafontaine/Jean-Luc Blier
infirmière/infirmier depuis 7 ans
lycée → l'IFSI (institut de
    formation en soins infirmiers)
travaille dans un hôpital à Paris
30 heures par semaine
♥ son travail
♥ aider les gens malades
✘ pas bien payé; travailler la nuit

écrire

4 Écrivez un paragraphe pour Nathalie ou Jean-Luc. Adaptez le texte de l'exercice 2.

lire 5 Trouvez la bonne image pour chaque texte.

a
médecin

b
fermier/fermière
(agriculteur/agricultrice)

c
agent de police

d
facteur/factrice

e
chef de cuisine

1 C'est dur de travailler toute l'année en plein air, surtout en hiver. Mais c'est bien si on aime les animaux et si on a horreur d'être enfermé dans un bureau.

2 C'est un métier qui est parfois dangereux. Cependant, c'est bien de pouvoir faire quelque chose pour améliorer la société et on a beaucoup de contacts avec les gens.

3 Ce n'est pas très bien payé, c'est un peu monotone et on doit faire des kilomètres à pied ou à vélo. Par contre, on n'a pas trop de responsabilités et on a pas mal de temps libre.

4 Le salaire est bon. De plus, guérir et même sauver la vie des gens malades, c'est quelque chose de très gratifiant. Mais c'est souvent stressant comme métier.

5 C'est bien si on s'intéresse à l'alimentation et si on est propriétaire du restaurant. Mais on doit travailler le soir et on a souvent très chaud dans la cuisine.

lire 6 Trouvez, dans le glossaire ou dans un dictionnaire, l'équivalent en anglais des mots en bleu dans l'exercice 5.

écouter 7 Écoutez. Donnez au moins un avantage et un inconvénient de chaque métier. Complétez la grille en français. (1–5)

	avantages	inconvénients
1 caissier/caissière de supermarché	contact avec les gens ...	monotone ...
2 chauffeur de poids lourds		
3 boulanger/boulangère		
4 coiffeur/coiffeuse		
5 garçon de café (serveur) /serveuse		

parler 8 À deux. Quels métiers voudriez-vous ou ne voudriez-vous pas faire?

■ Quel métier voudrais-tu faire et pourquoi?
● Je voudrais bien travailler comme ... parce que ...
■ Quel métier est-ce que tu n'aimerais pas faire et pourquoi?
● Je n'aimerais pas être ... parce que ...

3 C'est de la part de qui? Applying for jobs
Using formal language

1 Lisez les offres d'emploi et répondez aux questions en anglais.

A

Devenez un de nos animateurs en club.
Vous souhaitez apprendre un métier valorisant vos aptitudes sportives et vos talents artistiques?
Devenez l'un de nos 15 animateurs h/f en formation professionnelle.
Après deux mois de formation à Vichy, vous rejoindrez les équipes de nos villages vacances (Caraïbes et bassin méditerranéen) pour une période de mise en pratique de cinq mois.
Début du contrat le 5 septembre 2010

Merci d'adresser votre dossier de candidature par courrier (CV + lettre de motivation sous la référence 2MN/CP) à Look Voyages, service format

B

Un CDI sans renoncer à vos vacances d'été
Hôtesses et Hôtes d'accueil
À temps partiel (après-midi ou matin) ou à temps complet
Votre rôle: vous avez en charge l'accueil visiteurs et téléphonique de sociétés prestigieuses basées à Paris, 78, 91, 92, 93, 94.
Vos atouts: excellente présentation, bon relationnel, maîtrise de l'anglais.
Contactez Isabelle Lepage au

C

> You don't need to understand every word of the texts to tackle exercise 1. Look for clue words (e.g. **sport, sportive, temps, deux mois** …). Your answers to exercise 1 should then help you to find the words you need in exercise 2.

Leader mondial des jeux et équipements de loisirs renforce ses équipes et recrute dans le cadre de ses opérations sur le site de Disneyland© Resort Paris:
OPÉRATEURS D'ATTRACTIONS
PLEIN TEMPS – SAISON 2010 – (H/F)
Postes évolutifs en contrat CDI
Lieu de travail: MARNE-LA-VALLÉE
Qualités requises: Disponible le soir jusqu'à 2h et week-end – Dynamique –
Goût pour le sport – Sens du contact et de l'accueil
Langue: Une langue étrangère appréciée
Disponibilité: Immédiate ou ultérieure
Au-delà de votre formation, votre disponibilité et votre motivation feront la différence! Alors, rejoignez-nous!
Adressez CV, photo, lettre de motivation en précisant votre date de disponibilité à:
CIRSA AMUSEMENT France S.A.

In which job …

1 is an ability or liking for sports a requirement? (2 jobs)
2 is it important to have fluent English?
3 could you work either part-time or full-time?
4 will you be given two months' training?
5 do you need to be available to work at nights and at the weekend?
6 will you spend time at a holiday village in the Caribbean or the Mediterranean?
7 will you have to welcome visitors in person and on the phone?
8 would the ability to speak a foreign language be appreciated?
9 does it specify that you should send your letter of application by post?
10 are your availability and motivation key factors?

2 Écrivez l'équivalent en anglais de ces mots et expressions tirés des annonces de l'exercice 1. Devinez d'abord, puis vérifiez dans un dictionnaire.

1 vos aptitudes sportives
2 goût pour le sport
3 maîtrise de l'anglais
4 deux mois de formation
5 disponible le soir jusqu'à 2h et week-end
6 Caraïbes
7 l'accueil visiteurs
8 une langue étrangère appréciée
9 votre dossier de candidature
10 votre disponibilité

3 On téléphone pour avoir des renseignements sur quel emploi ci-dessus? A, B ou C? (1–3)

4 Écoutez et complétez le dialogue.

■ Allô, (1) ▬▬▬▬ Cécile Moreau. Je peux vous aider?

● Bonjour, madame. Je voudrais (2) ▬▬▬▬ à Mademoiselle Chagny, s'il vous plaît.

■ Je (3) ▬▬▬▬, monsieur, mais elle n'est pas là en ce moment. Vous voulez (4) ▬▬▬▬ un message?

● Oui, je veux bien, s'il vous plaît.

■ C'est de la (5) ▬▬▬▬ de qui, monsieur?

● C'est de la part de Mathieu Gesbert.

■ Gesbert, ça (6) ▬▬▬▬ comment, s'il vous plaît?

● G-E-S-B-E-R-T.

■ (7) ▬▬▬▬ est votre numéro de téléphone, s'il vous plaît, monsieur?

● C'est le 06 10 77 34 30.

■ Et quel est votre message?

● C'est que je (8) ▬▬▬▬ un peu en retard pour notre réunion cet après-midi parce que mon train a une demi-heure de (9) ▬▬▬▬.

■ Bon, merci. Je lui passerai (10) ▬▬▬▬ message. Elle vous rappellera plus tard.

● Merci, madame. Au revoir.

■ De rien, monsieur. Au revoir.

> retard
> numéro
> serai
> s'écrit
> parler
> quel
> laisser
> écoute
> part
> votre
> ici
> regrette

Expo-langue

Remember to use **vous** and **votre/vos** in a formal, work-related situation. French people also use **monsieur**, **madame** and **mademoiselle** a lot in order to be polite. You need to use these in formal letters, as well as the proper starting and signing off expressions (see below).

5 À deux. Pratiquez le dialogue de l'exercice 4.

6 Adaptez le dialogue de l'exercice 4 en changeant les mots en bleu. Utilisez les détails ci-dessous.

Gérard/Geneviève Lenoble
Madame Renault
Christophe/Christine Papignon
01 39 85 43 19
malade – ne peut pas venir à la réunion
de 10h30

Pascal/Pascale Dubois
Monsieur Léon
Sayed/Suraya Djamal
03 55 71 40 29
arrivera à la gare SNCF à 15h25

7 Posez votre candidature! Adaptez la lettre à droite en utilisant l'annonce A ou B de l'exercice 1. Inventez certains détails, si vous voulez.

20 mai 2009

Madame/Monsieur,

J'ai vu votre annonce dans le journal d'hier et je voudrais poser ma candidature pour le poste d'opérateur d'attractions chez Cirsa.

Comme vous verrez dans mon CV, j'ai déjà travaillé comme animateur de sport pour enfants dans une colonie de vacances. J'ai aussi un petit boulot comme garçon de café le samedi après-midi, donc j'ai de l'expérience avec les clients. J'aime beaucoup travailler en équipe et surtout travailler avec les enfants.

Je suis assez sportif et je participe à des compétitions de natation. Je parle bien l'anglais, puisque j'apprends cette langue depuis sept ans. Quant à mon caractère, je suis travailleur, agréable et poli. Je m'entends bien avec les autres.

Veuillez trouver ci-joint mon CV.

Dans l'attente de votre réponse, madame/monsieur, je vous prie d'agréer l'expression de mes salutations sincères.

Samuel Rousseau

4 Ce n'est pas juste! Discussing problems at work
Using *qui* and *que*

lire **1** **Trouvez les paires de phrases.**

a *Le chômage, c'est un problème qui démoralise les gens.*

b *Une chose que je trouve tout à fait inacceptable est le sexisme au travail.*

c *On ne doit jamais accepter de blagues racistes d'un collègue.*

d *La discrimination contre les handicapés est quelque chose qu'il ne faut pas tolérer.*

e *J'ai une copine en fauteuil roulant que le problème d'accès empêche de travailler.*

f *Un patron ou une patronne qui tolère le racisme est quelqu'un qu'on ne peut pas respecter.*

g *L'égalité des sexes est quelque chose qui n'existe pas toujours au travail.*

h *Je connais des chômeurs pour qui le manque d'argent pose des difficultés.*

Expo-langue →→→→

223

Qui refers to the *subject* of a sentence and means 'who', 'which' or 'that':
Il y a beaucoup de gens **qui** sont au chômage. = There are lots of people **who/that** are unemployed.

Que refers to the *object* of a sentence and means 'whom', 'which' or 'that'.
Que shortens to **qu'** in front of a vowel sound:
Mon patron est quelqu'un **qu'**on ne peut pas respecter. = My boss is someone **whom/that** you can't respect.
Look for examples of **qui** and **que** in exercise 1 and decide why each one has been used in each case.

écrire **Traduisez en français en adaptant les phrases de l'exercice 1.**

1 Racism is something that you mustn't tolerate.
2 You must never accept a boss who makes sexist jokes.
3 A colleague who allows discrimination is someone you can't respect.
4 Something I find unacceptable is discrimination against handicapped people.
5 I have a friend for whom unemployment causes difficulties.

écouter **3** **Écoutez et notez la bonne lettre. Pour chaque personne, le problème, c'est … (1–5)**

a le chômage
b le racisme au travail
c le sexisme au travail
d l'accès aux handicapés
e trop de travail

4 Prononcez les paires de mots français et anglais.

1 sexisme   sexism
2 raciste   racist
3 discrimination   discrimination
4 problème   problem
5 inacceptable   unacceptable

> Be careful with the pronunciation of French words that look similar to English words. For example, **–isme** in French (**racisme**, **sexisme**) is not pronounced the same as **–ism** in English. Also, the stress or emphasis in a French word often falls in a different place to the English (e.g. unac**cept**able, inaccept**able**).

 5 Écoutez et vérifiez. Répétez les mots si vous avez fait des erreurs de prononciation.

6 Vidéoconférence. Préparez et mémorisez votre réponse aux questions ci-dessous.

■ La discrimination, est-ce que ça existe dans ton collège?
■ Quelle est ton attitude concernant ce problème?

> À mon avis, le plus grand problème dans notre collège, c'est (le sexisme/le racisme/ la discrimination contre les handicapés). Par exemple, (je connais des gens qui font des blagues sexistes/les bâtiments ne sont pas adaptés aux gens qui sont en fauteuil roulant). Je crois qu'on ne doit jamais accepter .../C'est quelque chose qu'il ne faut pas tolérer/Je trouve que c'est une chose qui est tout à fait inacceptable ...

7 Écrivez un paragraphe sur le(s) problème(s) dont vous avez parlé dans l'exercice 6.

8 Lisez et complétez ces lettres.

Dans l'usine où je travaille, il y a pas mal d'immigrés d'origine tunisienne ou algérienne. Mon
(1) _____ fait souvent des remarques ou des
(2) _____ racistes et c'est (3) _____ que je trouve inacceptable. Mais qu'est-ce que je peux faire?

J'ai une copine qui est en
(6) _____ roulant et qui travaille dans une épicerie. Elle a des (7) _____ parce que le magasin n'est pas adapté à l'accès aux
(8) _____. Mais le propriétaire refuse de le changer et il dit que si elle insiste, elle (9) _____ au chômage. Vous pouvez me donner des conseils?

Il ne (4) _____ jamais tolérer le racisme au travail. Vous devez parler au directeur ou à la directrice de (5) _____.

C'est un préjugé contre les handicapés et un tel patron est quelqu'un qu'on ne peut pas (10) _____. Votre copine doit consulter un avocat.

---

l'usine

travaillera

bureau

fauteuil

handicapés

blagues

respecter

faut

quelque chose

sera   patron

difficultés

écouter 1 Écoutez, et lisez les phrases dans les bulles. Qui parle? (1–6)

Mon stage en entreprise

J'ai fait mon stage dans le bureau d'une usine de produits électriques.
Lydie

J'ai fait mon stage dans une agence de voyages.
Yann

J'ai passé quinze jours dans une école maternelle.
Shazia

J'ai fait mon stage dans un garage Citroën.
Ryan

J'ai travaillé pendant deux semaines dans une banque.
Amélie

J'ai fait mon stage dans un cabinet de vétérinaire.
Hakim

Expo-langue →→→→

Grammaire 212

You use the perfect tense for single events in the past.
J'**ai fait** mon stage dans un bureau. = I did my work experience in an office.

You use the imperfect tense to describe things which you did regularly in the past. It often means 'used to'.

Je **travaillais** à la caisse. = I worked/used to work on the till.
Les clients me **téléphonaient**. = Customers called/used to call me.

lire 2 Trouvez la seconde partie des phrases pour les personnes de l'exercice 1.

1 Ryan: J'aidais les mécaniciens à ...
2 Lydie: Je classais des fiches et je faisais ...
3 Hakim: Je m'occupais des animaux qui ...
4 Amélie: Je servais les clients avec ...
5 Yann: J'envoyais des brochures de vacances ...
6 Shazia: Je surveillais les enfants ...

a ... aux clients.
b ... pendant l'heure du déjeuner.
c ... un des employés permanents.
d ... des photocopies.
e ... réparer les véhicules.
f ... arrivaient pour des opérations.

écrire 3 Écrivez d'autres phrases à l'imparfait pour les personnes de l'exercice 1 en utilisant les verbes ci-dessous.

1 Ryan (ranger les outils; changer les pneus des voitures)
   Je rangeais les outils et je ...
2 Lydie (prendre des commandes au téléphone)
3 Hakim (prendre les rendez-vous au téléphone; accompagner la vétérinaire dans ses visites à des fermes)
4 Amélie (travailler à l'ordinateur; devoir compter l'argent)
5 Yann (répondre au téléphone; faire le café pour les autres employés)
6 Shazia (jouer avec les enfants; les aider pendant leurs leçons)

4 Écoutez et notez si leur stage en entreprise était une expérience positive (P), négative (N) ou positive-négative (P/N), et pourquoi. Complétez la grille. (1–5)

Remember, when people are giving an opinion, their tone of voice, as well as the actual words they use, can help you to work out whether they are being positive, negative or neutral.

	Expérience P, N ou P/N?	Pourquoi?
1	P	

5 À deux. Pratiquez le dialogue ci-dessous.

■ Où as-tu fait ton stage en entreprise?
● J'ai fait mon stage dans un magasin de vêtements.
■ Tu l'as fait pendant combien de temps?
● J'ai fait ça pendant deux semaines, en mai.
■ Qu'est-ce que tu devais faire?
● Je travaillais à la caisse, je servais les clients. Quelquefois, je remplissais les rayons et je rangeais les vêtements aussi.
■ C'était comment?
● En général, c'était bien. Mes collègues étaient sympa et j'ai appris beaucoup de choses. Mais ma patronne était parfois de mauvaise humeur et j'étais souvent très fatigué(e) le soir.

6 Interviewez votre partenaire sur son stage en entreprise en changeant les détails en bleu dans le dialogue ci-dessus. Si vous n'avez pas fait de stage, inventez les détails.

C'était une expérience positive/ une perte de temps totale.
Ce n'était pas complètement positif.
J'étais un peu déçu(e)/très satisfait(e).
J'ai beaucoup apprécié mon stage.
J'ai appris beaucoup de choses.
Je n'ai pas appris grand-chose./ Je n'ai rien appris.
D'une part … D'autre part …
Il n'y avait pas grand-chose à faire pour moi.
J'avais beaucoup/trop de travail à faire.
Le travail était varié/monotone.

On me donnait des choses intéressantes à faire.
Mon/Ma patron(ne)/Le/La propriétaire (n') était (pas) …
Mes collègues étaient (tous) (toujours/ souvent) gentil(le)(s)/(dés)agréable(s)/de bonne humeur.
… avait/avaient un bon sens de l'humour.
Je m'entendais bien avec … (sauf un/une qui était …)
On s'amusait bien ensemble.
Je me suis ennuyé(e).
Je me sentais un peu exploité(e).

7 Vous avez lu un article dans un magazine *«Les stages en entreprise: une bonne chose ou une perte de temps?»*. Écrivez une réponse au magazine en français en donnant vos idées et vos opinions sur les stages. Mentionnez:

● où vous avez fait votre stage et pendant combien de temps
● ce que vous deviez faire comme travail
● si c'était réussi: pourquoi/pourquoi pas?
● votre opinion sur les stages en entreprise.

Controlled assessment interaction

Task

You have seen an advert on the Internet for a summer job in France and decide to phone the company for details.

● Use the advert to ask for details about the job and reply to questions you are asked.

● Explain why you are interested in this job.

● You will need to ask questions to find out about the working hours and the type of work you will have to do. You should also ask what the salary is.

Your teacher will play the part of the person you speak to and will start the conversation.

CLUB DE VACANCES LES SABLES D'OR
CÔTE D'AZUR

Cherche
Animateurs/Animatrices d'activités pour enfants
(Début juin jusqu'à fin août)
Langues étrangères appréciées
Hébergement et repas gratuits
Téléphoner au 00 33 (0) 4 92 33 12 18

1 **Make a list in French of the questions you will need to ask to do the task, plus two extra questions you could ask.**

2 **You will hear a model interview. Liam is taking part in the above interview with his teacher. Listen to the first part of their interview and note down:**

1 how Liam asks the questions required by the task.
2 the two extra questions he asks.

How do Liam's questions compare with yours?

3 **Listen to the second part of Liam's interview and fill in the gaps.**

■ Pourquoi ce travail vous intéresse-t-il?
● Je (**1**) _____ ce poste parce que j'aime travailler avec des enfants. (**2**) _____, j'ai fait mon stage en entreprise dans une école primaire. C'était une expérience très (**3**) _____ pour moi. J'ai décidé (**4**) _____, plus tard dans la vie, je voudrais travailler comme instituteur.
■ Qu'est-ce que vous avez fait comme travail pendant votre stage?
● Le travail était assez (**5**) _____. Le matin, je (**6**) _____ aider les enfants en cours, puis je les surveillais pendant l'heure du déjeuner. Et (**7**) _____ je jouais au foot et au basket avec eux, pendant les cours d'éducation physique.
■ Aimez-vous donc le sport?
● Ah, oui, je suis très sportif! Je suis membre de l'équipe de basket de mon collège (**8**) _____ deux ans. (**9**) _____, je fais de la natation trois fois par semaine.
■ À part le sport, vous vous intéressez à autre chose?
● Oui, j'aime beaucoup la musique, surtout le rock. J' (**10**) _____ jouer de la guitare: j'ai un cours tous les samedis matins.

4 **Now listen to the final part of Liam's interview and answer the questions.**

1 Which two verbs in the conditional does Liam use to answer the first question?

2 How does he show that he can use the perfect tense, too?

3 How does he create an interesting sentence about the languages he speaks?

4 How does he avoid just giving a list of adjectives to describe his personality?

5 **Now it's your turn! Prepare your answers to the task and then take part in the interview with your teacher or partner.**

- Use ResultsPlus and the work you have done in exercises 1–4 to help you.

- Adapt what Liam says to talk about yourself.
- Take the initiative: volunteer information and ask extra questions.
- Record the interview. Ask a partner to listen to it and say how well you performed.

Award each other one star, two stars or three stars for each of these categories:
- pronunciation
- confidence and fluency
- range of tenses
- variety of vocabulary and expressions
- using longer sentences
- taking the initiative.

What do you need to do next time to improve your performance?

 Results Plus

 To make sure you produce a good answer, you should:
- use key tenses correctly. Liam uses the **present tense** to refer to the current situation (e.g. which languages he speaks, what he is like as a person) and the **perfect tense** to refer to past events (e.g. when and where he did his work experience, his family holiday in Nice).
- **ask questions** correctly. Remember, this is a formal situation – you do not know the person you're calling. So use *vous* (not *tu*), with the correct verb ending (usually *–ez* in the present tense).
- aim to include a range of **adjectives**. Remember to make endings agree with the noun they refer to.

 To go a step further:
- aim for maximum **accuracy**, e.g. (singular) What **is** …? = *Quel(le)* **est** …?
  (plural) What **are** …? = *Quel(le)s* **sont** …?
- show that you can use the **imperfect tense** and the **conditional**. Listen to how Liam includes these in his interaction.
- try borrowing the following expressions from Liam: *bien sûr* (of course), *de plus* (what's more), *surtout* (especially), *plus tard dans la vie* (later in life), *quelquefois* (sometimes)
- use **espérer + infinitive** (to hope to), e.g. *J'espère continuer mes études de français.*

 For a really impressive answer, use:
- **pour + infinitive** (in order to …), e.g. *Je voudrais travailler en France pour améliorer mon français.*
- **adverbs**, such as *évidemment* (obviously) and *généralement* (generally, usually)
- a **relative pronoun**, such as *qui* or *que*, e.g. *C'est une région de la France que j'adore.*
- direct object pronouns to avoid repeating nouns, e.g. *Je devais aider les enfants en cours, puis je les surveillais …*

Brille à l'oral!
- Begin sentences with *Je m'intéresse à/ J'apprends à/ J'ai décidé de* (+ infinitive).

Controlled assessment practice

Mon stage en entreprise

Dans mon collège, tous les élèves de troisième ont fait un stage en entreprise au mois de mai. Le stage a duré quinze jours et j'ai eu de la chance de trouver une place dans un garage Toyota dans la ville où j'habite. Je m'intéresse beaucoup aux voitures et un jour, je voudrais devenir mécanicien ou même avoir mon propre garage, donc je pensais que ce serait une bonne expérience pour moi.

Dans l'ensemble, mon stage a été très positif et j'ai appris beaucoup de choses. Le travail était assez varié. Je n'avais pas le droit de réparer les véhicules tout seul, mais j'aidais les mécaniciens qualifiés et on me laissait changer les pneus. Quelquefois, je sortais en camionnette avec un de mes collègues pour aider les clients dont la voiture était en panne. De temps en temps, je devais faire des petits boulots moins intéressants, comme laver les voitures, passer l'aspirateur et faire le café pour mes collègues, mais ça ne me dérangeait pas.

Je m'entendais bien avec mes collègues qui étaient tous sympas et on s'amusait bien ensemble. Mon patron, le propriétaire du garage, n'était pas toujours de bonne humeur, mais il a dit qu'il était très content de mon travail et il m'a proposé de faire un apprentissage chez lui. Je ne sais pas encore si je continuerai mes études après mes examens GCSE ou si je quitterai le collège à seize ans, mais j'ai beaucoup apprécié mon stage au garage et je voudrais bien retourner y travailler.

Lucas

1 **Find the French equivalent of these phrases in the text and copy them out.**

1 all Year 10 pupils did work experience in May
2 the work experience lasted a fortnight
3 I am very interested in cars
4 I would like to become a mechanic
5 I learned a lot of things
6 the work was quite varied
7 from time to time I had to do some less interesting chores
8 I got on well with my workmates
9 my boss, the garage owner, wasn't always in a good mood
10 I really enjoyed my work experience

2 **Which tenses are used in each sentence in exercise 1? For each sentence write 'present', 'perfect', 'imperfect' or 'conditional'.**

3 **Find the four correct statements.**

1 Lucas spent a week working in the Toyota garage.
2 He'd like to have his own garage one day.
3 He wasn't allowed to change tyres.
4 He went out in the van to help customers who had broken down.
5 He also had to do the vacuuming and make the coffee.
6 His boss was not happy with Lucas' work.
7 Lucas doesn't know yet whether he will continue his studies next year.
8 He would not like to go back to the garage to work.

4 You might be asked to write about your work experience as a controlled assessment task. Use ResultsPlus to help you prepare.

 Results**Plus**

 You need to use key tenses correctly and express opinions to produce a good answer.
- Lucas uses the **present tense** to say he is interested in cars.
- Look at how Lucas uses the **perfect tense** to say where he did his work experience, how long it lasted, what he learned and how much he enjoyed it.
- To talk about your future plans (e.g. to continue studying next year or leaving school), use either **aller + infinitive** or the **future tense**.

 To go a step further, you should use other tenses, too, such as the imperfect and the conditional.
- Look at how Lucas uses the **imperfect tense** to describe what kind of jobs he had to do.
- He uses the **conditional + infinitive** to say that he would like to be a mechanic one day.
- Make sure you **refer to other people**, using the il/elle/ils/elles forms of the verb correctly. Lucas does this when he describes his workmates and his boss.
- Make sure your account reads well by using a variety of **connectives**, **time** and **frequency expressions**.

 For a really impressive answer:
- include a **complex sentence with si (if)**, which combines more than one tense. Look at how Lucas does this towards the end of his text.
- use **relative pronouns** (qui, que or dont). Look at how Lucas uses two of these to refer to his workmates and customers whose cars had broken down.

Brille à l'écrit!

- Include a sentence with comme + infinitive (like doing something). See how Lucas uses this to describe the less interesting chores he had to do.

5 Now write an account of your work experience.
- Adapt Lucas's text and use language from unit 5. Write at least 200 words.
- If you need to write something which is not in the book, you can produce a more sophisticated answer with complex sentences, but use a dictionary carefully, especially if you need specialised vocabulary, such as 'computer parts': des pièces d'ordinateur.
- Structure your text carefully. Organise what you write in paragraphs.

Introduction

Background to your work experience: When did you do it? (In which school year? In which month?) How long did it last? Why did you choose to do your work experience in this particular place?

Main paragraphs

Say what types of jobs you had to do. Talk about the other staff and how you got on with them.

Conclusion

Say whether you would like to work there, or do a similar job, in the future. Say why.

Check what you have written carefully. Check:
- spelling and accents
- gender and agreement (e.g. adjectives, past participles of être verbs)
- verb endings for the different persons: il/elle/ils/elles, etc.
- tense formation (e.g. j'ai commencé/je continuerai).

Les tâches ménagères — *Household chores*

Je dois …	*I have to …*	passer l'aspirateur (m)	*do the vacuum-cleaning*
aider à la maison	*help around the house*	promener le chien	*walk the dog*
faire la vaisselle	*do the washing-up*	ranger ma chambre	*tidy my bedroom*
garder ma petite sœur	*look after my little sister*	sortir la poubelle	*take the dustbin out*
mettre la table	*lay the table*	vider le lave-vaisselle	*empty the dishwasher*

L'argent de poche — *Pocket money*

Je reçois (10 euros).	*I get (10 euros).*	Avec mon argent, j'achète …	*With my money, I buy …*
Ma mère me donne/Mes parents me donnent (10 euros).	*My mother/My parents give(s) me (10 euros).*	du maquillage	*make-up*
		du matériel scolaire	*school equipment*
par semaine/mois	*per week/month*	des bonbons (m) et des chocolats (m)	*sweets and chocolates*
Mes parents paient …	*My parents pay for …*		
mes affaires (f) scolaires	*my school things*	des cadeaux (m)	*presents*
mes vêtements (m)	*my clothes*	des jeux de console (m)	*console games*
Je suis content(e).	*I'm happy.*	quelquefois/parfois	*sometimes*
C'est pas mal/assez généreux.	*It's not bad/quite generous.*	toujours	*always*
		J'économise/Je fais des économies pour …	*I'm saving up for …*
Je ne suis pas content(e).	*I'm not happy.*		
Je trouve ça dur/injuste.	*I find it hard/unfair.*	Je mets de l'argent de côté pour …	*I put money aside for …*
Ce n'est pas juste.	*It's not fair.*		
J'ai besoin d'argent.	*I need money.*		

Les petits boulots — *Part-time jobs*

Je travaille dans …	*I work in …*	Je gagne (5€) par heure.	*I earn (€5) an hour.*
un centre de loisirs	*a leisure centre*	Je fais le café pour les clients.	*I make coffee for the customers.*
un fast-food	*a fast-food restaurant*		
un salon de coiffure	*a hairdresser's*	Je travaille à la caisse.	*I work on the till.*
un supermarché	*a supermarket*	Je fais des livraisons.	*I do deliveries.*
Je fais du baby-sitting.	*I do babysitting.*	Je sers les clients.	*I serve the customers.*
Je livre des journaux.	*I deliver newspapers.*	Je range l'équipement sportif.	*I tidy up the sports equipment.*
Je travaille de (9h00) à (17h30).	*I work from (9 a.m.) until (5.30 p.m.).*	Je remplis les rayons.	*I fill the shelves.*

Les métiers — *Jobs/Professions*

l'agent (m) de police	*policeman/policewoman*	le facteur/la factrice	*postman/postwoman*
le/la boulanger/ère	*baker*	le/la médecin	*doctor*
le/la caissier/ère	*cashier/checkout person*	le serveur/le garçon de café	*waiter*
le/la chauffeur de poids lourds	*lorry driver*	la serveuse	*waitress*
le/la chef de cuisine	*cook/chef*	le steward/l'hôtesse (f) de l'air	*airline steward/stewardess*

Les avantages et les inconvénients — *Advantages and disadvantages*

Ce que j'aime surtout, …	*What I like most of all …*	monotone	*monotonous*
c'est la variété du travail	*is the variety of work*	satisfait(e)	*satisfied*
le/la patron(ne)	*boss*	sévère	*strict*
mes collègues (m/f)	*my colleagues/workmates*	enfermé(e) dans un bureau	*shut up in an office*
le salaire	*salary*	fatigant(e)	*tiring*
les heures (m) de travail	*hours of work*	gratifiant(e)	*rewarding*
les gens (m)	*the people*	sale	*dirty*
sauf	*except*	stressant(e)	*stressful*
même (si)	*even (if)*	On a/On n'a pas …	*You have/don't have …*
C'est/Ce n'est pas bien payé.	*It is/It isn't well paid.*	beaucoup de/pas mal de	*a lot of*

contact avec les gens (m)	*contact with people*
responsabilité	*responsibility*
temps libre	*free time*
On doit se lever tôt.	*You have to get up early.*
On reçoit un pourboire.	*You get a tip.*
On travaille en équipe.	*You work in a team.*
On voyage beaucoup.	*You travel a lot.*
Les heures (f) sont longues.	*The hours are long.*

Les offres d'emploi — *Job adverts*

l'aptitude (f) sportive	*sporting ability*
la maîtrise de l'anglais	*fluency in English*
les langues (f) étrangères	*foreign languages*
J'ai vu votre annonce ...	*I saw your advert ...*
Je voudrais poser ma candidature pour le poste de ...	*I would like to apply for the job of ...*
Comme vous verrez dans mon CV, ...	*As you will see from my CV ...*
Veuillez trouver ci-joint ...	*Please find attached ...*
Dans l'attente de votre réponse	*Looking forward to hearing from you*
Je vous prie d'agréer l'expression de mes salutations sincères	*Yours sincerely*

Au téléphone — *On the telephone*

Ici, (Pierre Dupont).	*(Pierre Dupont) speaking.*
Je voudrais parler à ...	*I'd like to speak to ...*
Je regrette. Il/Elle n'est pas là en ce moment.	*I'm sorry. He/She isn't here at the moment.*
Vous voulez laisser un message?	*Do you want to leave a message?*
C'est de la part de qui?	*Who's it from?*
Ça s'écrit comment?	*How do you spell that?*
Ne quittez pas.	*Hold the line.*
Je vais vous passer (Madame Mériel).	*I'll put you through to (Madame Mériel).*
Quel est votre numéro (m) de téléphone/portable/fax?	*What's your telephone/ mobile/fax number?*
Je rappellerai demain.	*I'll call back tomorrow.*

Les problèmes au travail — *Problems at work*

Le plus grand problème, c'est ...	*The biggest problem is ...*
le racisme	*racism*
le sexisme	*sexism*
les blagues (f) racistes	*racist jokes*
la discrimination contre	*discrimination against*
l'handicapé(e)	*disabled person*
l'immigré(e)	*immigrant*
le/la musulman(e)	*Muslim*
il ne faut pas tolérer	*you/we must not tolerate*
tout à fait inacceptable	*completely unacceptable*
le préjugé	*prejudice*

Les stages en entreprise — *Work experience*

J'ai fait mon stage dans ...	*I did my work experience in ...*
J'ai fait ça pendant une semaine.	*I did it for a week.*
J'ai passé deux semaines dans ...	*I spent two weeks in ...*
un garage	*a garage*
une agence de voyages	*a travel agency*
une banque	*a bank*
une école primaire/ maternelle	*a primary/nursery school*
une usine	*a factory*
J'ai appris beaucoup de choses.	*I learned a lot.*
Je n'ai pas appris grand-chose.	*I didn't learn much.*
Je n'ai rien appris.	*I didn't learn anything.*
C'était ...	*It was ...*
une perte de temps totale	*a complete waste of time*
une expérience positive	*a positive experience*
Ce n'était pas complètement positif.	*It wasn't completely positive.*
J'aidais les mécaniciens.	*I helped the mechanics.*
Je rangeais les outils.	*I put away the tools.*
Je faisais des photocopies.	*I did the photocopying.*
Je classais des fiches.	*I did the filing.*
Je prenais des commandes.	*I took down orders.*
Je prenais des rendez-vous.	*I booked appointments.*
Je servais les clients.	*I served customers.*
Je travaillais à l'ordinateur.	*I worked on the computer.*
Je répondais au téléphone.	*I answered the telephone.*
J'envoyais des brochures.	*I sent out brochures.*
Je faisais le café.	*I made the coffee.*
Je surveillais les enfants.	*I watched the children.*
J'aidais pendant leurs leçons.	*I helped in lessons.*
Je n'avais pas grand-chose à faire.	*I didn't have much to do.*
Je (ne) m'entendais (pas) bien avec ...	*I (didn't get) got on well with ...*
Je me suis ennuyé(e).	*I was bored.*
Je me sentais un peu exploité(e).	*I felt a bit exploited.*

7 Tourisme

Destinations touristiques
Talking about holiday venues
Using the verb *aller*

Déjà vu 1

lire **1** C'est quel site touristique?

Exemple: 1 c

a
les châteaux de la Loire

b
la tour Eiffel

c
Disneyland Paris

d
la Dordogne

e
la Bretagne

f
Futuroscope

g
le Mont-Blanc

h
la côte d'Azur

1 C'est un grand parc d'attractions avec beaucoup de manèges.

2 Ce monument a été construit en 1889 pour l'Exposition universelle à Paris. À cette époque, c'était la plus haute tour d'Europe.

3 C'est une rivière qui a donné son nom à cette région pittoresque et touristique du centre-ouest de la France.

4 Les maisons secondaires des rois et des nobles: en été, ils quittaient la capitale pour aller à la campagne et chasser.

5 C'est une région littorale appréciée de ceux qui font de la voile et pêchent. Cette région se trouve dans le nord-ouest de la France.

6 C'est un bâtiment futuriste qui abrite un parc d'attractions basé sur les médias et l'image.

7 C'est surtout une région de vacances appréciée pour ses plages et son climat chaud et ensoleillé.

8 C'est la plus haute montagne d'Europe, qui domine la vallée de Chamonix. C'est aussi un site privilégié pour le ski et l'alpinisme.

> You might not understand all the words in the text, but don't be put off. Use words you know as clues to work out the general meaning.

le manège – carousel
une exposition – exhibition
chasser – to hunt
littoral – coastal

Expo-langue

The irregular verb **aller** (to go) is very important. Make sure you know it.

Présent		*Passé composé*
je vais	nous allons	je suis allé(e)
tu vas	vous allez	*Futur proche*
il/elle/on va	ils/elles vont	je vais aller

parler **2** Où sont-ils allés l'année dernière et où vont-ils cette année?

	l'année dernière	cette année
moi	Dordogne	Paris
Hugo et Didier	châteaux de la Loire	Mont-Blanc
Florence	côte d'Azur	côte d'Azur
Stéphane	Paris	Bretagne

3 Où passe-t-on la nuit? Faites correspondre les images, les titres et les textes.

1   2   3   4   5

hôtel   auberge de jeunesse   gîte

camping   chambre d'hôte

a Ici, on peut louer une chambre pour une ou plusieurs nuits. Les repas y sont servis.

b Maison où l'on vous sert uniquement le petit déjeuner.

c Appartement ou maison que l'on peut louer, d'habitude pour la semaine, sans service de repas.

d Lieu normalement équipé de sanitaires où l'on peut dormir sous une tente.

e Maison où les jeunes peuvent se loger et se nourrir lorsqu'ils font un voyage.

4 Écoutez et notez. Où vont-ils, avec qui et où vont-ils loger? Écrivez les bonnes lettres pour chaque personne. (1–5)

Exemple: Mélanie, à Paris, 2, b

Avec qui?

Mélanie
Nicolas
Jérôme
Sébastien
Delphine

1 ma famille
2 ma classe
3 mes grands-parents
4 mon père
5 ma mère

Destination?

à Paris
au bord de la mer
à Disneyland Paris
en Dordogne
les châteaux de la Loire

Logement?

a   b   c
d   e   f

5 Imaginez que vous êtes Mélanie, Jérôme, etc. Écrivez un paragraphe sur les projets de vacances pour chaque personne.

Je pars avec …
Nous allons à/en …
On va loger dans …

The verb **visiter** is a false friend: you can use it to visit a place or building (e.g. a museum), but not a person. For this, use **aller voir** or **rendre visite à**.
J'ai déjà **visité** la Dordogne.
On **va visiter** les châteaux.
Je **vais voir** mon correspondant.
Je **vais rendre visite à** mon correspondant.

Déjà vu 2

Déjà vu 2

 1 **À deux. Discutez. Mettez les phrases dans la grille.**

	hier (imparfait)	aujourd'hui (présent)	demain (futur)
	il faisait beau	il fait beau	il fera beau

il
il y a
il fera
il faisait
il y aura
il fait
il y avait

pleut
neige
des nuages
neigeait
pleuvait
neigera
des orages
du brouillard
du vent
pleuvra
beau

Expo-langue

To talk about the weather:

- what it was like in the past: use the imperfect — *Il faisait beau.*
- what it is like now: use the present — *Il fait beau.*
- what it will be like in the future: use the future — *Il fera beau.*

2 **Écoutez et vérifiez.**

3 **À deux. Quel temps faisait-il, fait-il et fera-t-il?**

le nord – north
le sud – south
l'est – east
l'ouest – west

Hier   Aujourd'hui   Demain

4 **Trouvez la bonne définition.**

1 ensoleillé   **a** le ciel est couvert
2 nuageux   **b** une pluie qui tombe tout à coup et ne dure pas longtemps
3 averse   **c** un moment où la pluie s'arrête
4 orage   **d** quand le soleil brille
5 éclaircie   **e** une grosse pluie avec des éclairs et des coups de tonnerre

5 Écoutez la météo et choisissez les bons symboles pour chaque région.

Exemple: **1** b, c, h

a **ensoleillé**

b **nuageux**

c **la pluie**

d **des averses**

e **des orages**

f **des éclaircies**

g **du brouillard**

h **du vent**

Île de France
Bretagne
Alsace
le Massif Central
les Hautes-Alpes
Midi-Pyrénées
le Midi

6 Le temps chez nous. Écoutez et lisez. C'est V (Vrai), F (Faux) ou PM (Pas Mentionné)?

1 En été, il pleut d'habitude le soir.

2 Le foehn est un type d'orage.

3 En automne, Alizée aime les couleurs des arbres.

4 En hiver, il fait très froid pendant la nuit.

5 En hiver, il fait quelquefois chaud pendant la journée.

6 Au printemps, il ne pleut pas.

J'habite en montagne. D'habitude en été, il fait beau et il y a du soleil. De temps en temps, il y a un vent désagréable qui arrive du sud et qui s'appelle le foehn. Quelquefois, il y a de grands orages le soir, mais normalement, le mauvais temps passe vite.

En automne, il y a souvent des nuages et il pleut beaucoup. C'est un moment un peu triste. Les feuilles tombent des arbres et il commence à faire froid.

Un jour, en hiver, on se réveille et le monde est couvert d'une neige qui brille au soleil. Quelquefois, nous avons plus d'un mètre de neige en une nuit. Les jours d'hiver sont souvent ensoleillés et même chauds: il faut mettre de la crème solaire. En altitude, le soleil est dangereux!

Le printemps arrive souvent en retard chez nous. La neige fond, les rivières débordent et nous avons beaucoup de brume et de précipitations, mais finalement, les fleurs apparaissent à nouveau sur les alpages et on peut de nouveau ranger ses pulls!

Alizée

7 Écrivez la météo pour la Grande-Bretagne.

Au sud de l'Écosse, il y a/aura ....

Aujourd'hui

Demain

Irlande du Nord
Écosse
Pays de Galles
Angleterre

Irlande du Nord
Écosse
Pays de Galles
Angleterre

1 **Lisez et trouvez un hôtel qui convient à chaque personne.**

● accùeil   ● hôtels   ● comptes rendus   ○ offres spéciales | St Luc | rechercher

Les Hôtels à St Luc

Il y a un grand choix d'hébergement en ville. Voici une sélection des meilleurs hôtels trois et quatre étoiles.

Hôtel Belle-vue ★★★
Au centre-ville, près de la gare principale
120 chambres

Hôtel Excelsior ★★★★
Accès direct à la plage
Restaurant français et pizzeria
200 chambres

Hôtel Maxime ★★★
Sur la plage sableuse
60 chambres

Hôtel de la Poste ★★★★
En ville, près du centre commercial
Bus gratuit pour aller à la plage
150 chambres

Je cherche un hôtel de luxe à St Luc pour mes vacances. Moi, j'aime faire du shopping et bien manger. Pour moi, avoir une connexion Internet n'est pas nécessaire. Ce que je trouve plus important, c'est d'avoir une piscine.
Lucy

Je préfère rester dans un petit hôtel sur la plage pour des vacances relaxantes avec ma famille. J'ai deux enfants de sept ans et neuf ans qui aiment nager dans la mer et jouer sur une aire de jeux.
André

Être près de la plage n'est pas le plus important pour moi. Je cherche un bon hôtel avec un gymnase et une piscine en plein air.
Aude

À mon avis, le meilleur hôtel c'est cet hôtel-ci avec un grand choix d'activités pour toute la famille. J'aime les grands hôtels et celui-ci est le plus grand hôtel de la ville!
Philippe

 2 **Écoutez la conversation. On choisit quel hôtel? Pourquoi? Notez les raisons en anglais.**

Expo-langue →→→→

Grammaire 218

To compare two things, you use the **comparative** form of the adjective.
L'hôtel Excelsior est **plus cher que** l'hôtel de la Poste.
L'hôtel de la Poste est **moins cher que** l'hôtel Excelsior.

The adjective needs to agree with the noun it describes.
La piscine de l'hôtel Excelsior est plus **grande** que la piscine de l'hôtel de la Poste.

The comparative of **bon** is irregular: **meilleur**.

Expo-langue →→→→

You use the **superlative** to say something is 'the biggest', 'the most interesting', etc.
le plus haut immeuble = the tallest building   l'hôtel **le plus connu** = the best-known hotel

lire 3 Reliez les images et les bulles.

1

a S'il fait mauvais, on risque d'avoir le mal de mer.

2

b S'il y a du brouillard, les vols sont quelquefois annulés.

3

c Le parking de l'aéroport est très cher.

4

d En seulement 2h35 on arrive au centre de la capitale française.

5

e On peut voir la mer et c'est si relaxant.

6

f C'est plus rapide de prendre l'avion.

7

g C'est plus pratique de voyager par l'Eurostar.

8

h C'est moins cher de prendre le bateau.

écouter 4 Paul et ses copines discutent pour décider comment ils vont voyager en France. Écoutez et répondez aux questions.

1 Which mode of transport do they choose?
2 Why?

parler 5 À deux. Vous allez voyager en France. Dites comment vous préférez voyager et pourquoi.

■ Comment préfères-tu voyager en France?
● Je préfère voyager en bateau parce qu'on peut voir la mer et c'est si relaxant, et je n'aime pas voyager en avion parce que le parking de l'aéroport est très cher.

2 Mes projets pour les vacances
Making holiday plans
The future and conditional

 1 Lisez et trouvez les bonnes photos pour chaque personne.

Exemple: Max: f, …

c   **d**   **e** **f**

1 Cette année, comme d'habitude, je passerai mes vacances chez mes grands-parents. Ils habitent une petite ferme à la campagne. Mes parents imaginent que j'aime passer les vacances au bout du monde. Je préférerais aller au bord de la mer avec mes copains, louer un appartement dans une station balnéaire avec une ambiance agréable. Quand je serai plus grand, j'irai au bord de la mer faire du camping avec mes copains. Pour le moment, c'est faire du kayak, aider à la ferme et faire du vélo avec mes petits cousins!

Max

2 Pendant les grandes vacances, je ferai des petits jobs pour gagner de l'argent. Puis je ferai un stage de surf. J'irai à Hossegor, au bord de l'océan Atlantique, avec mon copain. Les vagues y sont super pour faire du surf et puis après le stage, je resterai à Hossegor avec la famille de mon copain. Ils louent une grande caravane sur un terrain de camping, et Luc et moi dormirons sous une tente. Un soir, Luc et moi aimerions faire un feu sur la plage et dormir à la belle étoile, si ses parents nous le permettent.

Kévin

 2 Relisez. Copiez et complétez la grille en anglais. Que feront-ils et qu'est-ce qu'ils voudraient faire?

	Will: go where?	Who with?	Would like: to do what?	Who with?
Max				
Kévin				

Expo-langue →→→→

Grammaire **224**

The future tense (what you **will** do)
This is made from the infinitive of regular verbs and the future endings, which are the same as the present tense of **avoir: –ai –as –a –ons –ez –ont**

e.g. jouerai, joueras, jouera, jouerons, jouerez, joueront

The conditional tense (what you **would** do)
This is made from the infinitive of regular verbs

and the conditional endings, which are:
–ais –ais –ait –ions –iez –aient

e.g. jouerais, jouerais, jouerait, jouerions, joueriez, joueraient

Many common verbs are irregular, e.g.:

Infinitive	Future	Conditional
aller	j'irai	j'irais

3 Écoutez. Choisissez la bonne image pour chaque personne. (1–3)

Exemple: 1 a, g, etc.

Où iront-ils?

a

b

c

d

e

Que feront-ils?

f

g

h

i

j

Ça sera comment?

k

l

m

n

o

4 Parlez de vos projets de vacances.

Cette année	j'irai	au bord de la mer/à la campagne/chez mes grands-parents
Comme d'habitude		à Paris/en Espagne /en France/aux États-Unis
Pour la première fois	je resterai à la maison parce que …	
… avec mes parents/mon copain/ma copine/ma classe …		
Je ferai	du sport/du VTT/de la natation/de l'équitation	
Je jouerai	au football/volley/tennis/basket	
Je me reposerai … je ne ferai rien!		
J'aurais préféré aller	aux États-Unis/au bord de la mer/à la montagne/en Italie	
J'aurais préféré faire	un stage d'équitation/de la planche à voile/du parapente …	
	du camping avec mes copains/copines …	

Expo-langue →→→→

To say what you would have preferred, you use the
perfect form of the conditional: **j'aurais préféré** + infinitive
j'aurais préféré aller = I would have preferred to go
j'aurais préféré manger = I would have preferred to eat
j'aurais préféré rester = I would have preferred to stay

5 Écrivez un paragraphe sur Françoise, Vincent et vous-même.

	Françoise	Vincent
Où iront-ils? Françoise/Vincent ira …		
Que feront-ils? Elle/Il fera/jouera …		
Ils auraient préféré Elle/Il aurait préféré …		

Et toi? Où iras-tu? Que feras-tu? Et qu'est-ce que tu aurais préféré faire?

Pour vos vacances en Ardèche, choisissez un camping familial et vivant situé au cœur de la région.

Au pied des vignes et dans une immense forêt naturelle, le camping est conçu comme un jardin botanique où chaque emplacement exprime les charmes de l'Ardèche.

Sur le camping

los boules

- ◎ piscine 150m²
- ◎ pataugeoire
- ◎ épicerie et snack
- ◎ salle de jeux
- ◎ mini-golf et ping-pong
- ◎ ateliers pour les enfants
- ◎ aire de jeux

- ◎ terrain de pétanque et de volley
- ◎ randonnées
- ✳ commerces à 1 km
- ✳ supermarché à 4 km
- ✳ équitation à 15 km
- ✳ rafting à 7 km
- ✳ gorges de l'Ardèche à 15 km

lire **1** **Trouvez les mots/les phrases dans le dépliant.**

1 bowls
2 children's workshops
3 play area

4 games room
5 grocer's
6 walks/hikes

7 paddling pool
8 shops

Expo-langue →→ *Grammaire* 206

notre/nos (*our*) always agrees with the noun it is with:
notre tente   **nos** bagages

Expo-langue →→→→

The **nous** form of the verb almost always ends in **–ons**.
(Exception: **être**: nous **sommes**)

présent	passé composé	imparfait	futur	conditionnel
nous faisons	nous avons fait	nous faisions	nous ferons	nous ferions

parler **2** **À deux. Décrivez ce que vous avez fait hier au camping.**

Use the **nous** form here.
Watch out for which tense to use.

écrire **3** **Écrivez un e-mail à votre copain/copine. Dites-lui ce que vous avez l'intention de faire demain.**

4 Camping des Sapins. Écoutez les informations sur le camping et choisissez les bonnes réponses.

		(a)	(b)	(c)
1	Situation:	(a) mer	(b) campagne	(c) montagne
2	Hébergement:	(a) caravanes	(b) tentes	(c) chalets
3	Distance des commerces:	(a) 2 minutes	(b) 5 minutes	(c) 7 minutes
4	Piscine:	(a) 75m^2	(b) 150m^2	(c) 180m^2
5	Pataugeoire:	(a) 20m^2	(b) 25m^2	(c) 50m^2
6	Animations enfants:	(a) tous les jours	(b) tous les matins	(c) tous les après-midis

5 Lisez la lettre et choisissez la bonne réponse.

1 Beth Fraser veut (a) se plaindre.
   (b) réserver un emplacement.
   (c) souhaiter de bonnes vacances.
2 L'emplacement était (a) à l'ombre.
   (b) près du parking.
   (c) près de la piscine.
3 Il n'y avait pas d'eau (a) assez près.
   (b) après 22h00. (c) propre.
4 Les sanitaires étaient (a) trop loin.
   (b) sales. (c) sans eau.
5 Elle veut (a) un remboursement.
   (b) une lettre d'excuses.
   (c) une lettre de confirmation.

> To say what something was like in the past, or that it didn't work, you use the imperfect tense.
> Il **était** … Il y **avait** ….
> Il/Elle ne **marchait** pas.
> Il/Elle ne **fonctionnait** pas.

Madame/Monsieur

Je vous écris pour me plaindre de mon séjour dans votre camping au mois d'août cette année.

J'ai réservé et payé d'avance, mais quand nous sommes arrivés dans le camping, celui-ci était complet et il n'y avait pas d'emplacement pour nous. Vous nous avez trouvé un emplacement en plein soleil et il y avait trop de bruit provenant du parking d'à côté.

Le branchement d'électricité fonctionnait à peine et nous avons dû aller à plus de 100m pour chercher de l'eau. Les sanitaires n'étaient pas propres et il y avait des feuilles dans la piscine. Malgré l'interdiction d'allumer la radio après 22h, il y avait beaucoup de gens qui le faisaient …

Nous avons payé pour deux semaines, mais vu que les conditions n'étaient pas acceptables, nous sommes partis après deux jours. J'attends donc un remboursement.

Dans l'attente de vous lire dans les meilleurs délais, je vous prie d'agréer, madame/monsieur, l'expression de mes sentiments les plus distingués.

Beth Fraser

> Dans l'attente de vous lire dans les meilleurs délais – Looking forward to hearing from you soon

6 Ils se plaignent de quoi? (1–5)

 7 Imaginez. Vous avez passé de mauvaises vacances.
Écrivez une lettre pour vous plaindre.

La station balnéaire de la Baule se vante d'être une des plus belles plages d'Europe, avec 9 kilomètres de sable fin et blond.

Située dans la banlieue du grand port de Saint Nazaire, elle bénéficie d'un climat doux. Dans un rayon de 25 km, vous trouverez 50 plages, six ports de pêche et de plaisance et plus de 100 courts de tennis, un terrain de golf qui met à votre disposition 45 trous (deux terrains à 18 trous et un à neuf trous), des kilomètres de sentiers pédestres, pistes cyclables et allées cavalières et des clubs où l'on peut apprendre ou pratiquer la voile et la planche à voile.

La ville est desservie par le train, le TGV direct à partir de Paris.

Visitez également:

- Le Croisic: le premier port français pour la pêche à la crevette rose
- La Turballe: le premier port pour l'anchois et la sardine. À ne pas manquer: le retour des chalutiers escortés par des goélands et des mouettes
- Guérande: une cité médiévale et ses remparts
- Les marais salants où on canalise et évapore l'eau de l'océan dans des bassins pour en récupérer «l'or blanc» (le sel)

Gastronomie

Dégustez les saveurs et recettes de Bretagne

- Les crustacés et les coquillages: huîtres, coquilles St Jacques, langoustines, homards …
- La fameuse galette bretonne: une crêpe salée
- Les pommes de terre de la région
- Le gâteau au beurre et le gâteau aux pommes
- Le cidre de la région

Lire et écouter

Lisez et trouvez les mots.

1 Find five French words in the text which are spelt the same as an English word.
2 Find five words which are related to these English words:
benefit, cavalry, evaporate, pedestrian, cycle.
3 Find five more words which begin like a related English word.

- **Check the context**. Before you answer the questions, decide what sort of text it is, as this will help you to understand it better. Look for clues: read the titles, look at the layout, look at the photographs. What do they tell you?
- **Read for gist**. Think of what sort of language you would expect to find. For example, in a tourist brochure like this, you'd expect information on places of interest, local sights and – particularly in France – food and drink!
- **Read for detail**. Use what you already know about the way French works to deduce the meaning of words you don't know. Check if:
  – it's a noun, adjective, verb, etc.
  – it's related to an English word you know
  – any part of it is like an English word that would make sense in this context.
- You won't need to understand every word to answer the questions but look carefully at the detail and don't jump to conclusions!

2 Choisissez les quatre phrases qui sont vraies.

1 There are lots of opportunities for sport.
2 La Baule is a ski resort.
3 It has extreme weather conditions.
4 Brittany is famous for its beer.
5 A *galette* is a savoury pancake.
6 The beach at la Baule is 9 km long.
7 *Les marais salants* is where they catch the best prawns.
8 Apple cake is a local speciality.

 Are there still some words you need to know?

- Try saying the words aloud and see if that helps: **crustacés** (crustaceans), **coquillages** (cockles/shellfish), **plaisance** (pleasure).
- Read the questions. They may help!

 3 Écoutez et choisissez: V (Vrai) ou F (Faux).

1 She stayed with her grandparents in Brittany.
2 In the evening, she went fishing.
3 They barbecued the fish on the beach.
4 She enjoyed eating the fish.

 You will have to answer different sorts of listening questions in your GCSE exam, like the ones below. But however the questions are phrased, you can always make sure you get as many answers right as possible by following a few simple rules:

- Read all the statements or questions first, so that you have an overall understanding of the context.
- Read the statements/questions again and predict what words you are likely to hear.
- If you are sure of the answers, do them straight away, but If you are not sure, remember you will hear the recording a second time. Make notes beside the ones you don't know if that would be helpful.
- Check you have understood the question. There may be one key word that you might have missed when you read it the first time!
- When you have finished all the questions, go through your answers again and check you have crossed out any notes you have made.

Expo-langue →→→→

The perfect infinitive
To say 'after having done something you went on to do something else', you use the perfect infinitive:
après + **avoir/être** + past participle.

après avoir mangé = after eating
après être arrivé(e) = after arriving

après avoir fini mes devoirs = after finishing my homework
après être rentré(e) = after getting home

 4 Écoutez et répondez aux questions.

1 Where did his parents sleep?
2 Where did he sleep?
3 Who with?
4 Why did he prefer it?

5 Écoutez et choisissez la bonne réponse: a, b ou c.

1 His mother is … (**a**) a fisherwoman. (**b**) from Brittany. (**c**) British.
2 What she cooks depends on … (**a**) what his father has bought. (**b**) who is having the meal. (**c**) whether she has been to work.
3 The speaker's favourite dish is … (**a**) fish and potato cakes. (**b**) seafood with mashed potatoes. (**c**) pancakes with prawns and cider sauce.

écouter 1 Où vont-ils? Qu'est-ce qu'ils mangent? (1–4)

a

b

c

d

e

f

écouter 2 Écoutez Nicolas et Sophie au restaurant. C'est Vrai (V), Faux (F) ou Pas Mentionné (PM)?

1 Il a faim.
2 Ils vont boire du coca.
3 Elle va prendre une salade niçoise.
4 Il va prendre de la soupe.
5 Il va manger un poulet frites.
6 Ils n'aiment pas les choses sucrées.

Expo-langue →→→→ *Grammaire* 224

Remember to use the conditional to translate 'would':
What *would* you *like*?   Que **voudrais**-tu?

To form the conditional, you add the imperfect endings to the future stem:
j'**aimerais**, je **voudrais**, j'**irais**

j'aimerais
tu aimerais
il/elle/on aimerait
nous aimerions
vous aimeriez
ils/elles aimeraient

3 À deux. Vous avez faim et soif et 35€ à vous partager!
Regardez le menu et décidez ensemble ce que vous allez commander.

Les boissons

Coca-cola, Orangina, limonade 2€
eaux minérales 1€
jus de fruits 1,50€
café express ou déca 1€
vin rouge 25cl 3€

Les entrées

soupe du jour 3€
salade de tomates 4€
salade verte 3€
pâté maison 4€

Les pâtes

spaghettis bolognaise 5€
tagliatelles carbonara 5,50€
lasagnes maison 6€

Les plats

faux-filet haché frites 6€
poulet frites 5€
steak frites 5€
côtelettes d'agneau, haricots et riz 7€
poisson du jour, carottes et riz 7€
salade niçoise 4,50€
omelette 4€

Le plateau de fromages
3€

Les desserts

mousse au chocolat 2€
tarte au citron 3€
tarte aux pommes 3€
crème brûlée aux prunes 3€
glaces: vanille, fraise, chocolat, mangue, pistache 1,50€

– Qu'est-ce que tu prends?
– Je prends … (comme entrée) et puis … Et toi?
– Moi, je prends …
– Ça fait combien?
– …

4 Ils ont mangé où? Qu'est-ce qu'ils ont mangé? C'était comment? (1–3)

	Où?	plat 1	opinion	plat 2	opinion
1					

a Il/Elle était trop sucré(e).
b Il/Elle était trop salé(e).
c Il/Elle était trop cuit(e).
d Il n'y avait pas assez de sauce.
e Il/Elle était trop sec/sèche.
f C'était cher.

5 À deux. Discutez: *En vacances.*

Quand tu pars en vacances …
■ Dînes-tu souvent en plein air?
■ Aimes-tu faire des pique-niques?
■ Préfères-tu dîner au restaurant, au fast-food ou à la pizzeria?
■ Avec qui préfères-tu dîner?
■ Qu'est-ce que tu aimes manger?
■ Que bois-tu?

D'habitude, …
Ça dépend. …
S'il fait beau, …
De temps en temps, …

6 Imaginez. Hier, c'était l'anniversaire de ta grand-mère. Vous êtes sortis dîner au restaurant. Où êtes-vous allés? Qu'est-ce que vous avez mangé? C'était comment? Écrivez un paragraphe.

lire 1 Qu'est-ce qu'ils aiment faire et qu'est-ce qu'ils n'aiment pas faire?
Copiez et complétez la grille.

a   b   c   d   e   f

g   h   i   j   k   l

Les grandes vacances, c'est le meilleur moment de l'année. J'aime nager dans la mer ou dans une piscine et j'aime jouer au volley avec mes copains. Quand on était petits, on faisait des balades et des pique-niques en famille dans la forêt, mais maintenant, le plus important, c'est de revoir mes amis. Ce que je n'aime pas, c'est visiter les musées ou traîner dans une grande ville pendant que mes parents font du shopping!
Vincent

Je déteste les vacances en famille. Quand j'étais petit, ça allait, mais maintenant je m'ennuie. Je n'aime pas me reposer sur la plage. Je n'aime pas me bronzer. En fait, je dois même éviter de passer trop de temps au soleil. J'ai la peau sensible. Ce que j'aime, c'est faire du sport comme du parapente, de l'escalade ou de la randonnée en haute montagne. J'ai besoin d'un défi.
Sophie

Mon père et moi, nous aimons faire de la randonnée avec sac à dos et dormir à la belle étoile. J'adore ça, sauf quand il pleut! Quand j'étais petit, on allait à la plage avec ma mère, mais maintenant, mes parents sont séparés et je passe les grandes vacances avec mon père. Nous n'aimons pas la plage, les stations balnéaires avec les parcs d'attractions et leurs fast-foods et leurs boîtes en plastique que l'on retrouve partout par terre.
Christian

J'aime partir en vacances, mais cette année, on reste chez nous parce que mon père est au chômage. Ce que j'aime le plus, c'est aller à la piscine au parc aquatique. Je peux y aller en vélo. Il y a du monde et on s'amuse bien. On trouve toujours de nouveaux amis et on peut jouer au volley. Je n'aime pas rester à la maison et ne rien faire ou bien regarder la télé ou lire des livres. Je ne peux même pas envoyer des e-mails à mes amis parce qu'ils sont tous partis en vacances, et cela me donne trop envie de partir, moi aussi!
Coralie

> défi – challenge

nom	aime	n'aime pas
Vincent	a, …	c, …

écouter 2 Écoutez et notez. Relisez les textes de l'exercice 1 si nécessaire. (1–4)

a Who's speaking: Vincent, Sophie, Christian or Coralie?
b What does he/she usually do on holiday?
c What would he/she prefer to do?

parler 3 À deux. Posez les questions et répondez-y.

- ■ Qu'est-ce que (Vincent/Sophie/Christian/Coralie) aime faire?
- ■ Et qu'est-ce qu'(il/elle) n'aime pas faire?
- ■ Qu'est-ce qu'(il/elle) faisait quand (il/elle) était petit(e)?
- ■ Qu'est-ce qu'(il/elle) préférerait faire maintenant? Pourquoi?
- ■ Et toi? Qu'est-ce que tu aimes/n'aimes pas faire?
- ■ Que faisais-tu quand tu étais petit(e)?
- ■ Qu'est-ce que tu préférerais faire maintenant?

4 Lisez les textes et les phrases. C'est quel séjour?

1

Séjour sportif à la Martinique

Plongée sous-marine, kayak, trekking, baignades,
équitation au bord de la mer ◆ Excursions, soirées
Ce séjour aux Caraïbes vous permettra de combiner
la découverte de l'île et la détente au bord de la mer.
7 heures de vol de Paris et navette de l'aéroport jusqu'au
lieu d'hébergement dans un hôtel quatre étoiles
Équipement fourni: combinaison de plongée, bouteilles, sac étanche

2

Séjour multi-activités Biarritz

Moto, karting, cyclisme, piscine, surf, beach volley, judo, tennis, foot,
excursions dans les Pyrénées
Hébergement hôtel familial deux étoiles
Le transport à l'hôtel sera effectué en minibus directement de la gare.
Ce séjour permettra aux jeunes d'expérimenter plusieurs sports.
Équipement fourni: vélo ou moto, casque, gants et genouillères

3

Visite culturelle *La découverte de la capitale*

Ce séjour permettra aux jeunes de découvrir la capitale à travers les
monuments et les quartiers typiques de Paris.
La tour Eiffel, l'arc de Triomphe, Notre-Dame, la Cité des sciences et de
l'industrie, visite des quartiers typiques, le parc d'attractions Parc Astérix
Les jeunes seront logés en auberge de jeunesse.
Le transport sera effectué en car grand tourisme.

a   Vous visiterez les monuments les plus importants avec un guide qualifié.
b   Vous partirez de l'aéroport Charles-de-Gaulle à Roissy.
c   Les déplacements seront effectués en car.
d   Vous n'aurez pas besoin d'apporter un équipement spécial pour la plongée.
e   L'auberge de jeunesse est à dix minutes du centre-ville.
f   Vous pourrez apprendre un nouvel art martial.
g   Il fera très chaud.
h   Les chambres sont bien équipées avec balcon donnant sur la mer.
i   Des randonnées en montagne sont au menu.

 5 À deux. Discutez. Donnez votre
opinion sur chaque séjour.

> C'est super/cool/nul/ennuyeux.
> J'aimerais faire ce séjour parce que …
> Je n'aimerais pas faire ce séjour parce que
> … et c'est pas mon truc.

 6 Mes vacances. Faites un résumé.

D'habitude, je vais …   Quand j'étais petit(e), je …
En vacances, j'aime …   Maintenant, je préférerais …
Je n'aime pas …   parce que …

1 Les vacances de Jérôme. Écoutez et lisez le texte.
Décidez: V (Vrai), F (Faux) ou PM (Pas Mentionné)?

L'année dernière, nous sommes allés en Bretagne chez mes grands-parents. J'avais voulu faire un stage de plongée avec mon copain, mais il coûtait trop cher. Le voyage était affreux. La voiture était pleine à craquer. Nous étions cinq personnes, le chien, tous les bagages, les vélos et deux planches à voile. Chose curieuse, ma sœur a toujours une grande valise, mais une fois qu'on est là-bas, elle ne porte que des bikinis!

Nous sommes partis à six heures du matin. Mais il y avait tellement de monde qui partait au même moment qu'il y avait des embouteillages partout sur l'autoroute. On a dû faire la queue pour l'essence et aux toilettes. Heureusement, nous avions emporté des sandwichs. Quand nous sommes arrivés, mes grands-parents dormaient dans leurs fauteuils devant la télé.

Le lendemain, il a plu et nous sommes allés faire du shopping à l'hypermarché, mais après, il y a eu du soleil presque tout le temps. La mer était un peu froide pour nager, mais nous avons mis une combinaison de plongée et mon frère et moi, nous avons joué dans l'eau et fait de la planche. Mon grand-père a un bateau à voile et il nous a appris à faire de la voile. Un jour, j'étais à peine rentré d'une promenade avec le chien quand une fille s'est approchée de moi. Elle m'avait vu sur le bateau de mon grand-père et elle voulait aussi apprendre à faire de la voile. Elle était super chouette. Nous nous entendions très bien. J'espère qu'elle viendra l'année prochaine. J'ai voulu lui envoyer des e-mails, mais j'ai perdu son adresse.

1 Jérôme a passé ses vacances au bord de la mer.
2 Ses grands-parents habitent en Bretagne.
3 Il est parti avec sa famille.
4 Il y est allé en car.
5 Il emporte toujours une grande valise.

6 Le voyage s'est passé sans difficultés.
7 Ils ont logé dans une auberge de jeunesse.
8 Il a fait de la planche à voile avec son père.
9 Il a trouvé une nouvelle petite copine.
10 Il lui envoie des e-mails.

Expo-langue →→→→

226

à peine –
just/hardly

Look out for time markers which tell you to use a past tense:
hier, l'année dernière, la semaine dernière, etc.

When talking about what happened on a single occasion in the past, use the *perfect tense*:
Hier, j'**ai fait** du judo/j'**ai reçu** un e-mail de mon copain.
La semaine dernière, je **suis allé(e)** en France.

You use the pluperfect tense to say 'had done', 'had gone', etc. Like the perfect tense, it is formed using an auxiliary – **avoir** or **être** – plus a past participle, but the auxiliary is in the imperfect tense.
Elle m'**avait** vu sur le bateau. = She **had** seen me on the boat.
J'**étais** à peine rentré. = I **had** only just got back.

2 Écoutez et choisissez les bonnes lettres. (1–3)

● Ou sont-ils allés? ● Pour combien de temps? ● Avec qui? ● Comment y aller?

a aux États-Unis
b en Espagne
c en Corse
d chez la famille

e deux semaines
f trois semaines
g dix jours
h une semaine

i mes parents
j ma classe
k ma mère
l ma sœur

m en voiture
n en avion
o à pied
p en train

3 Tour de France. À deux. Décrivez le voyage de Tom et Matthieu.

Jour 1. Ils sont partis de ...
Ils ont pris le train ...

4 Imaginez. Vous êtes partis avec Tom et Matthieu. Décrivez vos vacances!

Nous sommes partis à 6h. Nous avons pris le train à ... Il faisait déjà chaud et il y avait du monde à la gare ... Nous nous sommes arrêtés à ....

5 Qu'est-ce qu'ils ont fait, font et feront? Copiez et complétez la grille. (1–3)

	l'année dernière	cette année	l'année prochaine
1	un stage de planche à voile en Bretagne		
2			

6 Écrivez. Qu'est-ce que vous avez fait l'année dernière, qu'est-ce que vous faites cette année et qu'est-ce que vous ferez l'année prochaine?

You don't know what you're going to do? Say so.
Je ne sais pas encore ...
Say what you would like to do instead.
... mais j'aimerais ...

Controlled assessment picture discussion

Task

Prepare a discussion based on a photograph or picture/ postcard of a holiday destination. You could include:

● a description of the resort, how you got there, who you went with
● where you stayed and what it was like there
● the activities you did and your opinions of them, and what the weather was like
● plans for future holidays/ your ideal holiday.

1 **You may be asked why you have chosen this photo. Prepare three possible ways of answering the question.**

2 **Prepare some brief notes in French for each bullet point in the task. You may write up to 30 words to help you to remember what to talk about.**

3 **Make a list of eight questions you might be asked about your photograph. Check back later when you have finished listening to the whole conversation to see how many questions you were able to anticipate.**

4 **You will hear a model conversation between Jonathan and his teacher, based on the photograph above. Listen to the first part of the conversation and note down answers to the questions.**

　1 What reason does Jonathan give for choosing this photo?
　2 As he is talking about his holiday last year, Jonathan uses lots of verbs in the perfect tense. Write down at least four examples of this tense that he uses.
　3 Jonathan also uses the imperfect tense to say what things were like, for example. Apart from *était*, *étaient*, *étions* and *pouvait*, what is the other imperfect tense verb he uses?

5 **Listen to the second part of Jonathan's conversation and fill in the gaps.**

■ Où est-ce que vous êtes restés?
● On est resté dans un camping au bord de la mer. C'était assez confortable, mais (1) ▬▬▬ préféré rester dans un hôtel! (2) ▬▬▬ un restaurant, une piscine et un magasin d'alimentation au camping.
■ Quelles activités est-ce que vous avez faites?
● (3) ▬▬▬, nous (4) ▬▬▬ allés à la piscine et nous avons joué au volley sur la plage. Un jour, nous avons loué des planches à voile et mon père (5) ▬▬▬ a appris à (6) ▬▬▬ de la planche. C'était ma première fois et c'était assez difficile.
■ Tu as visité des monuments?
● Mon père aime beaucoup l'histoire et un jour on a visité un musée et une cathédrale. Moi, je ne m'intéresse (7) ▬▬▬ à l'histoire et j'ai trouvé ça très ennuyeux!
■ Qu'est-ce que tu as fait le soir?
● Le soir, (8) ▬▬▬ au restaurant en ville. Moi, j'aime beaucoup la cuisine espagnole, surtout les fruits de mer, et j'adore dîner (9) ▬▬▬ parce qu'en Angleterre ce n'est pas souvent possible (10) ▬▬▬ mauvais temps!

6 Now listen to the final part of Jonathan's conversation and answer the questions.

1 What six questions is Jonathan asked in this final section?

2 Jonathan uses five different tenses in his replies. Find one example of each one.

7 Now it's your turn! Choose a photograph showing a holiday destination and prepare a discussion about it.

- Use ResultsPlus and the work you have done in exercises 1–6 to help you.
- Look back through the module for more ideas.
- Practise your discussion with a partner, using your photograph until you feel confident. When you are practising, you might want to prepare some prompt cards to help you remember what to talk about. These could be visuals.

- Consider how the discussion might develop and try to prepare appropriate answers. Remember to include a range of tenses.

Award each other one star, two stars or three stars for each of these categories:

- pronunciation
- confidence and fluency
- range of tenses
- variety of vocabulary and expressions
- using longer sentences
- taking the initiative.

What do you need to do next time to improve your performance?

Results Plus

 To make sure you produce a good answer, you need to show you can use a variety of tenses, structures and expressions.

- Jonathan uses lots of **perfect tense** verbs, as he's talking about a past holiday, but he also varies this by using the **present** and **future** tenses.
- Use **verbs plus the infinitive** (*J'adore dîner en plein air*).
- Use **connectives** to make longer sentences. Listen to how Jonathan uses *mais*, *donc* and *parce que*.
- Use interesting **adjectives**. Note how Jonathan uses *agitée* to describe the sea and *merveilleux*, *amusant* and *chouette* to describe aspects of his holiday.
- Use a variety of ways of expressing **opinions**. Here are some examples that Jonathan uses: *Je n'aime pas …/Mes vacances étaient vraiment merveilleuses*. How many more examples can you find?

 To go a step further, you need to:

- show you can use other tenses such as the **conditional**. Jonathan uses this tense to talk about where he would like to go. He also uses the **imperfect** to describe the weather (*il faisait …*) and the **perfect** to talk about isolated incidents of weather (*un jour il y a eu un orage*).
- talk about **other people** as well as yourself. Jonathan begins his discussion with *Je suis allé …* but then uses the *nous* form (*nous avons fait le voyage en bateau* and *nous étions tous très fatigués*).
- check your **verb endings** and that you're using the right auxiliary verb (*avoir* or *être*) in the perfect tense
- show that you can use more complicated verb forms such as **reflexive verbs**: *je m'intéresse, je me suis amusé, je ne m'intéresse pas du tout à l'histoire*.

 For a really impressive answer, you should aim to:

- use **adverbs** as Jonathan did here. For example, *normalement, généralement, malheureusement*.
- include the **pluperfect tense**: *Je n'avais jamais fait de ski avant*.
- use **direct object pronouns** to replace nouns: *Mon père **nous** a appris …*
- use the **imperfect of modal verbs** + **infinitive**. Notice where Jonathan uses this: *Mon frère Peter ne pouvait pas venir*.

Brille à l'oral!

- Show you can use the imperfect and conditional together correctly in a sentence beginning with 'si' as Jonathan does: *Si j'avais beaucoup d'argent j'irais …*

Mes vacances

L'année dernière, je suis allé en Espagne avec ma famille. Nous nous sommes levés à quatre heures du matin pour être à l'aéroport à l'heure, mais quand nous sommes arrivés en Espagne, il y avait une grève à l'aéroport et nous avons dû attendre pendant trois heures pour récupérer nos bagages. Quand nous sommes arrivés, nous étions fatigués et nous avions faim et soif.

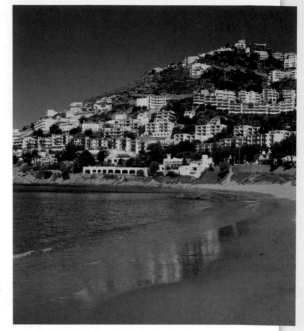

Mon père avait loué un appartement dans un grand bâtiment moderne à dix minutes de la plage. Nous étions au troisième étage. Mon frère et moi avons dormi sur des canapés-lits. C'était grand et commode, en face de la plage et à deux minutes des commerces! En bas, il y avait trois piscines et une grande pataugeoire.

Le matin, on se levait tard, on déjeunait et faisait les courses. L'après-midi, nous restions autour de la piscine. Mon frère et moi, nous nous sommes fait des amis. Le soir, nous dînions au restaurant. Mes parents n'aiment pas la cuisine espagnole. On mangeait donc dans des restaurants avec une carte française. J'aurais préféré manger de la cuisine espagnole car j'aime les tapas. En Espagne, le soir, tout le monde sort se promener et l'ambiance est festive.

Un jour, nous sommes allés en car à un parc aquatique où il y avait plusieurs piscines, une piscine à vagues et six toboggans. Le toboggan «noir» était vraiment terrifiant. Nous l'avons pris plusieurs fois. Un autre jour, on est allé faire du karting. Je n'avais pas voulu aller en Espagne mais c'était sensass!

Cette année, on retourne en Espagne, mais l'année prochaine, nous irons rendre visite à nos grands-parents en Normandie. Je préférerais aller en Espagne parce que j'adore le soleil. J'apprendrai même l'espagnol! J'en connais déjà quelques mots! *¡Adiós!*

Vincent

les canapés-lits (m) – sofa beds   le toboggan – slide/flume
une pataugeoire – paddling pool

1 Find the French equivalent of these phrases in the text and copy them out.

1 We got up
2 when we arrived
3 there was a strike
4 we were tired
5 we made some friends
6 everyone goes out
7 I hadn't wanted to go to Spain
8 I would prefer to go to
9 I love the sun
10 I will learn

2 Which tenses are used in the sentences in exercise 1? For each sentence, write 'present', 'perfect', 'imperfect', 'future', 'conditional' or 'pluperfect'.

3 Find the four correct statements.

1 Last year, they flew to Spain.
2 They had to wait for their luggage.
3 They arrived relaxed at their destination.
4 His parents don't like Spanish food.
5 Their apartment was near the shops.
6 He would prefer to spend his holidays in Normandy.
7 They did something different every day.
8 He was too scared to go down the black flume.

Controlled assessment practice

4 You might be asked to write about a holiday as a controlled assessment task. Use ResultsPlus to help you prepare.

 Results**Plus**

 To produce a good answer, you need to use key tenses correctly and give opinions. Look at how Vincent does this.
- ◆ He uses the **present tense** to say what someone likes or dislikes.
- ◆ He uses the **perfect tense** to say when he went to Spain and when he got up that morning.
- ◆ He uses the **future tense** to say where he is going next year.
- ◆ Look for the **adjectives** he uses to describe his holiday.

 To go a step further, use the **imperfect tense** and the **nous** form in the different tenses.
- ◆ Vincent uses the imperfect tense to talk about things he did every day: *on déjeunait et faisait les courses.*
- ◆ Use the perfect with *avoir: nous avons dû.*
- ◆ Use the perfect with *être: nous sommes allés.* (Remember to make the past participle agree.)
- ◆ Use the future: *nous irons.*

 For a really impressive answer:
- ◆ look at how Vincent has used the **conditional** to say what he would prefer to do: *je préférerais* + infinitive
- ◆ use a **direct object pronoun** to say 'it': *Nous l'avons pris plusieurs fois.*
- ◆ use the **pluperfect tense** to say what you had or hadn't done: *Je n'avais pas voulu* (I hadn't wanted).

Brille à l'écrit!
- ◆ To say what you would have preferred, you can use the expression: *J'aurais préféré* + infinitive (= the perfect tense of the conditional).

5 Now write an account of a holiday.
- ● Adapt Vincent's text and use language from the module. Write at least 200 words.
- ● Try to use or adapt some of the phrases from the texts in unit 1 or from the rest of the module.
- ● Structure your text carefully. Use time markers to say when you are talking about.
- ● If you have to look up new words in a dictionary, make sure you choose the correct French word. Look carefully at any example sentences given. Cross-check by looking the French word up at the other end of the dictionary. What English translations are given?

Introduction

Where did you go?
Who with?
Did anything particular happen on the way?

Main section

Where did you stay?
What did you do?
What was it like?
Did anything special happen?
What was the weather like?

Conclusion

Future plans: What are you going to do, or what would you like to do next year?

Check what you have written carefully. Check:
- ● spelling and accents
- ● gender and agreement (e.g. adjectives, past participles of *être* verbs)
- ● verb endings, especially *nous* forms (*–ons*)
- ● tense formation (e.g. *nous sommes allé(e)s / il faisait / nous aimerions*).

En vacances — *On holiday*

le camping	*campsite*
le gîte	*holiday house*
la caravane	*caravan*
la chambre d'hôte	*bed and breakfast*
la tente	*tent*
l'auberge (f)	*inn*
l'auberge (f) de jeunesse	*youth hostel*
l'hôtel (m)	*hotel*

Je pars avec ma famille/ ma classe/mes amis.	*I'm going (away) with my family/my class/my friends.*
Nous allons à Paris/ en Dordogne.	*We're going to Paris/ to the Dordogne.*
On va loger dans un hôtel.	*We're going to stay in a hotel.*
J'ai visité le Louvre.	*I visited the Louvre.*
On va visiter les châteaux.	*We're going to visit the castles/chateaux.*

Le temps — *The weather*

la météo	*weather forecast*
Il fait beau.	*It is fine.*
Il y a du brouillard.	*It is foggy.*
Il y a des nuages.	*It is cloudy.*
Il y a des orages.	*There are storms.*
Il y a du soleil.	*It is sunny.*
Il y a du vent.	*It is windy.*
Il neige.	*It is snowing.*
Il pleut.	*It is raining.*
Il faisait beau.	*It was fine.*

Il y avait des orages.	*It was stormy.*
Il pleuvait.	*It rained.*
Il fera beau.	*It will be fine.*
Il y aura du vent.	*It will be windy.*
Il neigera.	*It will snow.*
au nord de l'Angleterre	*in the north of England*
au sud de l'Écosse	*in the south of Scotland*
à l'est de l'Irlande du Nord	*in the east of Northern Ireland*
à l'ouest du Pays de Galles	*in the west of Wales*

Les saisons — *The seasons*

au printemps	*in spring*
en été/automne/hiver	*in summer/autumn/winter*

Les vacances — *Holidays*

les grandes vacances	*the summer holidays*
je passerai mes vacances …	*I'll spend my holidays …*
je ferai du baby-sitting	*I'll do some babysitting*
j'irai chez …	*I'll go to …'s house*
je ferai de la pêche	*I'll go fishing*
je ferai des balades en vélo	*I'll go for bike rides*
je ferai de la planche à voile	*I'll go windsurfing*
je jouerai au tennis	*I'll play tennis*

j'irai au bord de la mer	*I'll go to the seaside*
je ferai des petits jobs	*I'll do some part-time work*
je ferai un stage de (surf)	*I'll do a (surfing) course*
je préférerais passer mes vacances …	*I'd prefer to spend my holidays …*
quand je serai plus grand(e)	*when I'm older*
louer une caravane/ un appartement	*to hire a caravan/ apartment*

Au camping — *At the campsite*

la pataugeoire	*paddling pool*
l'épicerie (f)	*grocery shop*
la salle de jeux	*games room*

le terrain de pétanque	*bowling area*
les randonnées (f)	*hikes*

Se plaindre

Je vous écris pour me plaindre de mon séjour.	*I'm writing to you to make a complaint about my stay.*
complet/complète	*full*
Il/Ils fonctionnait/fonctionnaient à peine	*It/they hardly worked*
Il n'y avait pas d'emplacements.	*There weren't any sites.*
Les sanitaires n'étaient pas propres.	*The toilets weren't clean.*
Il y avait trop de bruit.	*There was too much noise.*
vu que les conditions n'étaient pas acceptables	*as the conditions weren't acceptable*
J'attends donc un remboursement.	*So I expect a refund.*

Un dépliant touristique — *A tourist brochure*

la Bretagne	*Brittany*	des sentiers (m) pédestres	*footpaths*
breton/bretonne	*from Brittany*	des pistes (f) cyclables	*cycle paths*
une station balnéaire	*a seaside resort*	des allées (f) cavalières	*bridle paths*
se vante d'être	*claims to be*	visitez …	*visit …*
bénéficier de	*to enjoy*	dégustez …	*try … (food/drink)*
un terrain de golf (à neuf trous)	*a (nine-hole) golf course*		

La nourriture — *Food*

au restaurant	*at the restaurant*	l'omelette (f)	*omelette*
au fast-food	*at the fast-food restaurant*	les frites (f)	*chips*
		les lasagnes (f)	*lasagne*
à la pizzeria	*at the pizzeria*	les boissons (f)	*drinks*
à la crêperie	*at the creperie*	l'eau (f) minérale	*mineral water*
Que voudrais-tu?	*What would you like?*	le vin rouge/blanc	*red/white wine*
Je voudrais …	*I'd like …*	la tarte au citron/aux pommes	*lemon/apple tart*
Qu'est-ce que tu prends?	*What are you having?*		
Je prends … (comme entrée).	*I'm having … (as a starter).*	la glace	*ice cream*
		l'addition (f)	*the bill*
le plat	*main course*		
la crêpe	*crepe/pancake*	Il/Elle était trop …	*It was too …*
le dessert	*dessert*	cuit(e)	*well done*
le plat du jour	*dish of the day*	salé(e)	*salty*
le plateau de fromages	*cheese board*	sec/sèche	*dry*
la salade (de tomates)	*(tomato) salad*	sucré(e)	*sweet*
la soupe du jour	*soup of the day*	Il n'y avait pas assez de sauce.	*There wasn't enough sauce.*
l'agneau (m)	*lamb*		

Mes vacances — *My holidays*

Quand j'étais petit(e), …	*When I was little …*	Nous sommes partis à 6h.	*We left at 6 o'clock.*
on faisait des balades	*we used to go for walks*	Il y avait du monde à la gare.	*It was very busy at the station.*
ça allait	*that was OK*		
Maintenant, j'aimerais …	*Now I would like …*	Nous nous sommes arrêtés à …	*We stopped at …*
je préférerais	*I would prefer*		
Je n'aimerais pas faire ce séjour parce que …	*I wouldn't like to go on this holiday because …*	L'année prochaine, j'irai aux États-Unis.	*Next year I'll go to the United States.*
		Je ferai un séjour d'escalade.	*I'll go on a climbing holiday*
L'année dernière, nous avons pris le train pour Paris.	*Last year, we took the train to Paris.*		

Ce qu'on mange et ce qu'on boit — Talking about food and drink
en (of it/of them)

Déjà vu 1

1 Écoutez Nicolas et Amélie. Que mangent-ils et que boivent-ils d'habitude?
Copiez et remplissez la grille. (1–2)

un biscuit	du jambon	du pain grillé	un steak haché
des céréales	du jus d'orange	des pâtes	une tarte aux
du chocolat chaud	du lait	de la pizza	pommes
de l'eau	des légumes	du poisson	une tartine
des frites	une mousse au	une pomme	un yaourt
du fromage	chocolat	du poulet	du yaourt liquide
un fruit	du Nutella	de la soupe	
un gâteau	du pain	de la salade	

	petit déjeuner	à midi	goûter	dîner
Nicolas				
Amélie				

2 Une journée scolaire. Choisissez ✔ ou ✘.
Qu'est-ce qu'il mange et qu'est-ce qu'il ne mange pas?

a b c d e f

g h i j k l

Le matin, je n'ai pas le temps de bien manger. Je suis toujours trop pressé. Je prends vite un bol de céréales et du jus d'orange et je quitte la maison, une tartine à la main. À midi, je mange à la cantine. Alors, ça dépend de ce qu'il y a: la viande est bonne en général, mais d'habitude, le poisson n'est pas bon et je n'en mange pas. D'habitude, je prends les pâtes, s'il y en a, ou des frites et un steak haché ou du poulet. Avec ça, je mange une salade verte (parce que les légumes sont dégueulasses) et du pain. Comme dessert, je préfère le fromage, mais quelquefois, il y a de la tarte au citron et c'est délicieux. Pour le goûter, ma mère fait souvent des petits gâteaux, mais je n'en mange pas. Je préfère un fruit parce que je ne veux pas prendre de kilo! D'habitude pour le dîner, je mange des pâtes, de la salade mixte et un yaourt.

Expo-langue →→→→

Grammaire **220**

En means *(of) it/them*. It is used to replace a quantity with **de, du, de la, de l'** or **des**.

Manges-tu du fromage? Oui, j'**en** mange.
  Do you eat cheese? Yes, I do eat *it*.
Manges-tu des frites? Non, je n'**en** mange pas.
  Do you eat chips? No, I don't eat *them*.

Remember: you use **si** to say *yes* when you answer a negative question.
Tu ne manges pas de poisson? – Don't you eat fish?
Si, j'en mange. – Yes, I do eat fish.

3 À deux. Posez des questions et répondez-y.

■ Manges-tu ... pour le petit déj/à midi/pour le dîner?
● Oui, j'en mange ...
● Non, je n'en mange pas ...
● Ça dépend ...
■ Bois-tu ... pour le petit déj/à midi/pour le dîner?
● D'habitude, j'en bois ...
● J'en bois (de temps en temps).
● Si je ne suis pas trop pressé(e), ...

 4 Que mangez-vous et buvez-vous d'habitude pendant une journée scolaire? Écrivez. Trouvez des mots et des expressions dans les exercices ci-dessus pour vous aider.

Pour le petit déj, ...
À la récré, ...
À midi, ...
Pour le goûter, ...
Pour le dîner, ...

D'habitude, ...
Quelquefois, ...
Ça dépend ...
Je préfère ...
S'il y a ... , j'en mange/je n'en mange pas.

 5 Lisez et puis faites correspondre les phrases.

> Le dimanche, on fait la grasse matinée. Quand je me lève, je vais à la boulangerie chercher du pain frais. Je mange un croissant et un pain au chocolat et je bois du chocolat chaud. D'habitude à midi, on a de la salade, puis de la viande (mon plat préféré, c'est le poulet rôti avec des pommes de terre et des légumes comme des haricots, des carottes ou du chou-fleur), puis le plateau de fromages et finalement, le dessert, de la tarte aux pommes (que j'adore) ou un pudding.
>
> Le soir, on ne mange pas grand-chose parce qu'on a trop mangé à midi. D'habitude, je mange du pain avec du jambon, de la confiture ou du Nutella et pour m'aider à dormir, je bois du lait chaud.

1 Le dimanche,   a il boit du lait chaud.
2 Il va à la boulangerie   b il ne mange pas beaucoup.
3 Pour le déjeuner, il préfère   c le poulet rôti.
4 Son dessert préféré est   d pour acheter du pain.
5 Pour le dîner,   e il reste au lit.
6 Avant de se coucher,   f la tarte aux pommes.

 6 Vidéoconférence. Préparez une présentation sur ce que vous mangez et buvez d'habitude pendant une journée scolaire.

Déjà vu 2

1 À deux. Trouvez les parties du corps correspondantes.

Quelle est la partie du corps qu'on utilise pour … ?

1	marcher	a	le nez
2	toucher	b	les oreilles
3	regarder	c	l'estomac
4	sentir une odeur	d	les yeux
5	digérer	e	les doigts
6	écouter	f	la langue
7	goûter	g	les jambes
8	manger	h	la bouche

2 Écoutez et vérifiez vos réponses.

3 Faites correspondre les phrases et les images.

1 J'ai mal aux dents.
2 J'ai mal au bras.
3 J'ai mal au dos.
4 J'ai mal à la tête.
5 J'ai mal à la gorge.
6 J'ai mal au ventre.
7 J'ai de la fièvre. J'ai une grippe.
8 Je suis enrhumé(e).
9 Je me suis cassé la jambe.
10 J'ai été piqué(e) par une guêpe.
11 Je tousse.

> ## *Expo-langue* →→→→
>
> **Avoir** (*to have*) is used in a wide range of expressions which are translated using the verb *to be* in English.
>
> il **a** froid = he *is* cold
> nous **avons** chaud = we *are* hot
> elle **a** faim = she *is* hungry
> vous **avez** soif = you *are* thirsty

> ## *Expo-langue* →→→→
>
> Remember   **à** + **le** = **au**
>   **à** + **la** = **à la**
>   **à** + **les** = **aux**
>
> J'ai mal **au** ventre. = I have stomachache.
> Tu as mal **à la** jambe. = You have a sore leg.
> Il a mal **aux** oreilles. = He has earache.

Déjà vu 2

a

b

c

d

e

f

g

h

i

j

k

écouter 4 Pourquoi sont-ils absents? Choisissez la bonne image de l'exercice 3. (1–8)

Arthur   Louise   Amélie   Jérôme

Hugo   Valentin   Charline   Boris

parler 5 À deux. Vérifiez vos réponses de l'exercice 4.

- ■ (Arthur) a mal …
- ● Oui, c'est vrai./Non, il/elle a …
  Charline s'est cassé le bras.

lire 6 Copiez les articles sur la liste et trouvez les bonnes images.

Contenu de la trousse:
- ● de l'aspirine
- ● des pastilles antiseptiques
- ● de la crème antiseptique
- ● une paire de ciseaux
- ● des pansements adhésifs
- ● une solution antiseptique

une trousse de premiers soins

a   b   c   d   e   f

écrire 7 Imaginez: vous n'avez pas de chance! Écrivez un paragraphe …

Je n'ai jamais
de chance, moi!
La semaine
dernière, …   aujourd'hui   la semaine prochaine

lire 1 Les excuses. Lisez et trouvez l'image qui correspond à chaque texto.

a   b c   d e

1

Je ne peux pas venir à ta fête cet après-midi parce que ce matin, je suis tombé et je me suis tordu la cheville. Le médecin a dit qu'il vaut mieux aller à l'hôpital pour faire une radio pour vérifier que je n'aie rien de cassé.
Julien

2

Je regrette, je ne peux pas venir car je suis enrhumée. J'ai mal à la gorge, je tousse et j'ai le nez qui coule. Je dois rester à la maison. Je ne veux pas que tu l'attrapes!
Laurie

3

J'ai mal aux dents depuis deux jours et ma mère m'a pris un rendez-vous chez le dentiste cet après-midi.
Sophie

4

J'ai de la fièvre depuis deux jours. Le médecin a dit que c'est une grippe et il m'a fait une ordonnance. Je dois prendre des antibiotiques. Je dois rester au lit et boire beaucoup d'eau et me reposer.
Raoul

5

Ce matin, j'ai été piqué par une guêpe et comme je suis allergique aux piqûres d'insectes, il a fallu aller chez le médecin. Il a mis un pansement adhésif sur la piqûre et il m'a donné un médicament qu'il faut prendre toutes les deux heures.
Romain

se tordre la cheville – to twist an ankle
il vaut mieux … – it would be better …
faire une radio – to have an x-ray
couler – to run/flow
attraper – to catch
une ordonnance – prescription
une piqûre – sting

écouter 2 Julien et ses copains parlent au téléphone. Écoutez, et relisez les textos dans l'exercice 1. Qui parle? Quand est-ce qu'ils peuvent retourner au collège? (1–5)

Expo-langue →→→→

The impersonal verb **falloir** (to be necessary) is used only in the **il** form.
It is followed by an infinitive.

Il faut aller chez le médecin. = I have (etc.) to go to the doctor.
Il a fallu aller chez le dentiste. = I had (etc.) to go to the dentist.

Il vaut mieux (it would be better) is also impersonal and is also followed by an infinitive:
Il vaut mieux prendre un rendez-vous. = It would be better to make an appointment.

3 À deux. Discutez et complétez les instructions.

Si vous avez …
- *mal à la tête*
- *mal à la gorge*
- *de la fièvre*
- *une grippe*
- *soif*
- *faim*

Si vous toussez et vous êtes enrhumé(e)
Si vous vous êtes cassé la jambe

il faut …
- *prendre de l'aspirine/un médicament*
- *sucer une pastille antiseptique*
- *boire de l'eau*
- *rester au lit/assis(e)*
- *mettre de la crème antiseptique/un pansement adhésif*

il vaut mieux …
- *prendre un rendez-vous chez …*
- *aller à l'hôpital faire un examen/une radio*
- *se reposer*

4 Qu'est-ce qu'il faut faire? Suggérez un remède pour chaque personne.

Eva – gorge   Clément – genou   Julie – tête

Thibaud – dents   Noélie – doigts   Bastien – main

 5 Rendez-vous chez le médecin. Notez pour chaque personne le problème, et le jour et l'heure du rendez-vous. (1–3)

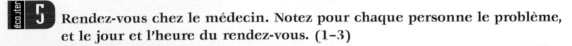

	problème	jour du rendez-vous	heure du rendez-vous
1	de la fièvre, …		

6 À deux. Chez le médecin. Faites des dialogues.

- ■ Bonjour, (Corinne).
- ● Bonjour, monsieur/madame.
- ■ Qu'est-ce qui ne va pas?
- ● J'ai mal

- ■ Est-ce que tu ?

- ● Oui, je … /Non, je ne … pas.
- ■ (As-tu bien dormi?) (As-tu vomi?)
- ● Oui, j'ai …/Non, je n'ai pas …
- ■ Tu es … (Tu as …) Je te fais une ordonnance. Va à la pharmacie. Sucer . Prendre

  toutes les (quatre heures).
  Et (repose-toi bien)!
- ● Merci. Au revoir, monsieur/madame.

1 Lisez et trouvez qui parle.

D'habitude le matin, j'ai juste le temps de prendre une tartine. Par conséquent, à midi, j'ai tellement faim que je mange des frites ou des pâtes plutôt que de la salade ou des légumes. À la récré, je mange n'importe quoi, un Twix parce que c'est ce qui me fait le plus envie. Le soir, généralement, je n'ai pas le temps de faire de l'exercice. Le mercredi, je vais à la piscine avec mes copains et après, on mange au McDo. Quand j'étais petite, je mangeais ce que je voulais et je ne faisais pas d'exercice. Maintenant, je commence à prendre des kilos et je dois faire plus de sport, mais j'en ai marre des régimes.
Flavie

Je mange sainement. Le matin, je prends des céréales et un yaourt, à la récré un fruit et à midi, de la salade ou des légumes et un fruit ou un yaourt. Pour le goûter, je mange une banane et le soir, je mange de la soupe aux légumes, une omelette et du pain. J'essaie de ne pas manger trop de sucreries, mais j'ai un faible pour le coca. Je ne mange pas de beurre ou de fromage et je ne mange plus de viande depuis deux ans. Je joue régulièrement au foot et je fais du vélo ou du roller avec mes copains le soir avant de commencer mes devoirs. Je pourrais faire plus d'exercice, mais je ne veux pas parce que je suis paresseux.
Antoine

Je fais de la natation depuis six ans et je m'entraîne régulièrement, une heure et demie quatre fois par semaine. Je fais également attention à ce que je mange. Je dois manger des protéines parce que c'est nécessaire pour le corps, des céréales pour me donner de l'énergie et beaucoup de fruits et de légumes parce qu'ils sont bons pour la santé. Je ne bois pas de boissons gazeuses parce que je sais que ce n'est pas bon. Je bois seulement de l'eau. Mon plat préféré, c'est la pizza.
Anaïs

| j'en ai marre de … – I have had enough of … |
| le régime – diet |

Qui …
1 ne mange pas de bonbons?
2 mange trop de bonbons?
3 est végétarien(ne)?
4 fait le plus d'exercice?
5 mange le plus de fruits et de légumes?
6 est le/la moins sportif/ve?
7 mange le plus sainement, selon vous?
8 mange le moins sainement?

Grammaire 219

Expo-langue →→→→

To form most adverbs, add **–ment** to the feminine form of the adjective.

Adverbs usually come directly after the verb, but sometimes they are used at the start of the sentence.

également – equally/also	rapidement – quickly
finalement – finally	régulièrement – regularly
généralement – generally	sainement – healthily
heureusement – fortunately	seulement – only
lentement – slowly	uniquement – solely

A few adverbs are not formed in this way:
bien – well	mieux – better
mal – badly	toujours – always

2 Écoutez Valentin et notez les bonnes réponses, a, b ou c.

Selon lui, …
1 (a) il est sportif. (b) il n'est pas sportif. (c) il est assez sportif.
2 (a) il mange toujours sainement. (b) il ne mange pas sainement.
   (c) il essaie de manger sainement.
3 (a) il mange trois fruits et deux légumes par jour. (b) il n'en mange pas assez.
   (c) il adore les légumes.

Quand il était petit, …
4 (a) il mangeait sainement. (b) il ne mangeait pas sainement.
   (c) il mangeait seulement de la salade.
5 (a) il faisait beaucoup d'exercice. (b) il ne faisait pas assez d'exercice.
   (c) il n'aimait pas regarder la télé.

3 À deux. Posez et répondez aux questions.

Aujourd'hui
- Est-ce que tu es en pleine forme?
- Que fais-tu pour garder la forme?
- Manges-tu sainement?
- D'habitude, que manges-tu au déjeuner, par exemple?
- Fais-tu de l'exercice régulièrement?

Quand tu étais petit(e)
- Que faisais-tu pour garder la forme?
- Mangeais-tu sainement?
- Faisais-tu du sport?

Plus tard
- Que pourrais-tu mieux faire pour garder la forme?

 4 Mettez les images dans l'ordre mentionné dans le texte.

Selon ma mère, quand j'étais petit, je ne mangeais pas de salade ou de légumes. Je me nourrissais presque uniquement de pâtes ou de frites avec du ketchup et je buvais des boissons gazeuses. Elle a essayé de réduire la quantité de bonbons et d'autres sucreries que je consommais, mais avec peu de succès. Elle continuait à trouver des papiers dans ma chambre jusqu'au jour où j'ai fait un concours de judo et je n'ai pas gagné.

Gagner a toujours été important pour moi, mais cette fois-ci, mon adversaire était nettement plus en forme que moi. Après quelques instants, j'étais par terre et à bout de souffle. Mon entraîneur m'a dit que c'était de ma faute: si je voulais vraiment être champion, il fallait faire attention à ma forme. C'était un défi. J'ai cherché dans des livres et sur l'Internet des informations sur ce sujet et maintenant, je mange sainement: du steak, des légumes, du riz, du pain aux céréales, des fruits et je ne bois que de l'eau. Je fais du jogging chaque jour et plus de télé: je fais mes devoirs et je me couche de bonne heure ... Depuis, c'est moi qui suis champion régional!

 5 Que faisait-il et qu'est-ce qu'il fait maintenant? Lisez et complétez les phrases.

Quand il était jeune, ...
1 il mangeait ...
2 il buvait ...
3 il faisait ...
4 il était ...

Aujourd'hui, ...
5 il mange ...
6 il boit ...
7 il fait ...
8 il est ...

 6 Que faisiez-vous et que faites-vous maintenant?

(Avant), je mangeais/buvais/faisais ...
Aujourd'hui, je mange/bois/fais ...
Je pourrais manger/boire/faire ...

1 La dépendance: qu'est-ce qu'ils en pensent? Écoutez, et copiez et remplissez la grille en anglais. (1–7)

	For or against?	Why?
1 Chloé	against	disgusting/smelly clothes
2 Kévin		
3 Sarah		
4 Louis		
5 Delphine		
6 Éric		
7 Manon		

Listening for opinion

- Listen to the tone of voice. Do they sound as if they approve or disapprove?
- Listen for negative expressions using **ne … pas**: Je **ne** pense **pas**.
- Listen for negative words: **dégoûtant**.
- Predict what might be said. Listen for words you would associate with this topic: **gaspillage** – waste; **cancer des poumons** – lung cancer.

Lire et écouter

2 Choissisez les trois phrases qui sont vraies.

Je fume depuis quatre ans. Je ne voulais pas commencer, mais presque tous les garçons de ma classe fumaient et ils se moquaient de moi parce que je ne voulais pas fumer. Finalement, ils m'ont presque forcé à en fumer une. La première fois, je me suis senti malade et j'ai vomi, mais je m'y suis vite habitué et je suis même devenu dépendant. Quand je fume, j'ai le sentiment d'appartenir à un groupe et ça me donne confiance. Je me dis toujours que je peux arrêter quand je veux, mais ce n'est pas vrai, c'est très difficile. J'ai essayé plusieurs fois et j'ai arrêté pendant six mois, mais j'ai toujours recommencé. Maintenant, je joue au foot et il faut absolument que j'arrête, mais je ne sais pas si je vais réussir.

Benjamin

1 He began smoking when he was four.
2 He was influenced by his friends.
3 His parents smoke.
4 He quickly got used to smoking.
5 His first cigarette made him ill.
6 He stopped six months ago.

Reading strategies

- Read the whole passage for context: Who is writing? An adult or a teenager?
- Read for gist: Do you get the impression he is for or against smoking?
- Predict the sort of key language you would expect when talking about smoking: **s'habituer** – to get used to; **dépendant** – dependent; **arrêter** – to stop/give up.
- Reading for detail: Pick out the words which confirm your first impression and fill out the story: **malade** – ill; **difficile** – difficult; **recommencer** – to begin again.

écouter 3 Quels sont les problèmes des jeunes? Écrivez la bonne lettre dans la case. (1–5)

1 Sébastien ☐

2 Patrick ☐

3 Charlotte ☐

4 Syanna ☐

5 Vincent ☐

a Drugs
b Smoking
c Obesity
d Anorexia
e Stress
F AIDS
g Alcohol

> What do you think the age of the speakers is?
>
> Predict what they might say and the words they might use.

lire 4 C'est quel problème? Pour chaque phrase, choisissez parmi les problèmes de l'exercice 3.

1 On mange très peu pour maigrir.
2 On boit trop de boissons alcoolisées et on risque de ne plus se contrôler.
3 On risque d'avoir des problèmes cardiovasculaires plus tard.
4 On peut en devenir dépendant et souffrir de changements d'humeur.
5 On perd son immunité aux maladies à cause d'un virus.

lire 5 Lisez et choisissez les mots qui manquent dans la liste ci-dessous.

DAMIEN

Selon moi, c'est (**1**) _____. Beaucoup de jeunes dans ma classe boivent (**2**) _____. Ils achètent des canettes et des bouteilles à l'hypermarché (ou un ami plus âgé en achète), et puis ils en boivent et fument. Ils ne remarquent pas quand ils ont trop bu, ils deviennent (**3**) _____ et ils ne savent plus ce qu'ils font et disent.

THOMAS

Le problème le plus (**4**) _____ de nos jours, c'est (**5**) _____. Il faut toujours faire attention parce qu'on ne sait jamais qui en souffre, on l'attrape par les relations sexuelles sans (**6**) _____, le sang contaminé ou le partage des seringues.

KARIMA

À mon avis, c'est (**7**) _____. Ma copine a commencé à prendre de l'ecstasy quand elle sortait avec son copain. Elle était rigolote et sociable, mais maintenant elle est toujours de mauvaise humeur. Quand elle en prend, elle se dit très gaie et contente, mais après, c'est la déprime. Elle ne peut pas se concentrer en cours. Elle va s'abimer la (**8**) _____ et ruiner son avenir.

le tabagisme   agressifs   grave

l'alcool   le SIDA   la drogue

protection   assez   santé   trop

1 Écoutez et notez. Qui veut se marier? (1–5)

2 Lisez et répondez aux questions.

> Je ne veux pas me marier parce que je ne veux pas avoir d'enfant. Si on veut en avoir, il faut se marier. Moi, je veux devenir médecin et voyager. Je veux aller en Afrique et travailler pour Médecins Sans Frontières. Je veux une petite copine mais pas une femme.
>
> **François**

> Je veux trouver un petit copain riche. Je suis romantique. Je veux tomber amoureuse. Je veux que mon fiancé m'achète une bague et s'occupe de moi. Je veux porter une robe blanche, me faire belle et être la princesse d'une journée, et puis avoir des enfants et vivre heureuse.
>
> **Zoé**

> Ma petite copine et moi, nous voulons louer un petit appartement et vivre ensemble, mais nous ne voulons pas de grand mariage parce que ça coûte trop cher. Plus tard, on veut avoir des enfants et se marier, mais d'abord il faut gagner de l'argent! Les enfants coûtent cher et puis, il faut s'occuper d'eux tout le temps. On ne peut plus sortir quand on veut quand on a un bébé!
>
> **Nathan**

1 Qui veut un grand mariage? Pourquoi?
2 Qui ne veut pas se marier? Pourquoi?
3 Qui ne veut pas de grand mariage? Pourquoi?

3 Qu'en pensez-vous? Discutez.

- Es-tu romantique?
- Veux-tu te marier?
- Veux-tu un grand mariage?
- Veux-tu avoir des enfants?

- …
- Je veux … parce que …
- Je ne veux pas … parce que …
- Ça dépend … si …

4 Lisez et trouvez les phrases dans les textes.

> Mes parents sont divorcés. Ils se disputaient tout le temps. C'est mieux maintenant. J'habite chez ma mère, mais je passe mes vacances chez mon père.

> Mes parents se disputent tout le temps, mais je pense que c'est mieux qu'ils restent ensemble. C'est normal qu'on se dispute. Mon frère et moi, nous nous disputons tout le temps, mais ce n'est pas grave.

> Mes parents se sont séparés. J'habite chez ma mère. Nous avons un tout petit appartement et ma mère pleure tout le temps. Mon père a une grande maison et une petite amie qui a vingt ans. Ce n'est pas juste.

> Les parents de mon copain se sont séparés et il pense que c'est à cause de lui. C'est triste. Il se sent responsable des disputes. Son père habite près du collège et il passe devant l'immeuble après le collège parce qu'il veut voir son fils, mais sa mère ne veut pas qu'il lui rende visite.

> J'habite chez ma mère et son nouveau petit copain. Ils sont toujours amoureux, ils s'embrassent et se disent des bêtises comme «mon petit chou», «mon trésor». C'est la honte, surtout quand ils le font devant mes amis.

1 it's normal
2 it's better
3 it's not fair
4 it's not serious
5 it's sad
6 it's embarrassing

5 Que font-ils? C'est comment?

Ils s'aiment/se marient/se disputent/se séparent/divorcent …
C'est …

 6 Lisez la lettre de Karima. Pour chaque phrase, écrivez
V (Vrai), F (Faux) ou ? (pas mentionné).

Chère Loulou

J'en ai marre de mon père. Il est souvent absent et quand il est là, il se dispute avec ma mère et il ne nous parle plus. La semaine dernière, ma mère m'a dit qu'ils allaient divorcer. La femme qui travaille dans le bureau de mon père va avoir un bébé de lui et il veut habiter avec elle. Mes parents vont vendre la maison et acheter un petit appartement pour nous et ma mère. L'appartement n'aura pas de jardin. Je ne veux pas quitter ma maison et je ne veux pas que mon père nous laisse, mais je crois qu'il ne nous aime plus. Je n'aime pas sa petite amie et je ne veux pas de demi-frère ou demi-sœur. Ma mère pleure tout le temps et je crois que mon petit frère va faire des bêtises – ça me fait peur. Il a déjà rayé la voiture de mon père. Qu'est-ce que je peux faire? J'ai quinze ans.
Karima

rayer – to scratch

1 Ses parents ne vivent plus ensemble mais ils s'entendent bien.
2 Sa mère a un nouveau petit ami qui veut habiter avec elle.
3 Sa mère va avoir un bébé.
4 La petite copine ne travaille pas parce qu'elle va avoir un bébé.
5 Ils vont déménager.
6 Sa mère est triste.

7 Écrivez une réponse à Karima.

C'est triste/normal/mieux … – It's sad/normal/better …
Il faut … – You have to …
Il ne faut pas … – You mustn't …

Task

Prepare a presentation about your lifestyle. You could include:

- the sorts of foods you eat and whether they are healthy or unhealthy
- past eating habits
- how you keep fit and how you used to stay healthy in the past
- your views on smoking, alcohol and drugs
- any plans you have to change your lifestyle.

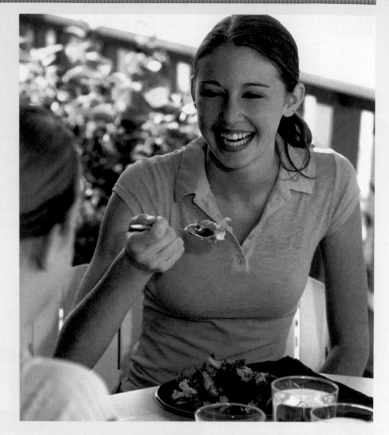

1 You will hear a model presentation by a student, Maxine. In the first part of her presentation, she covers the first three bullet points above. Before you listen, predict which of these French phrases addresses which bullet point. Then listen and check.

1 je n'ai pas assez de temps
2 quelquefois je mange mal
3 J'essaie de bien manger.
4 je choisis plutôt une banane
5 je ne saute pas de repas
6 qu'il faut faire de l'exercice si on veut rester en forme
7 quand j'étais petite je ne mangeais pas de légumes
8 Quand j'étais plus petite je jouais au foot dans une équipe
9 Moi, je suis paresseuse et je ne fais pas beaucoup de sport.
10 j'ai un faible pour les chips

2 Listen again and note down in English what Maxine says about the first three bullet points.

3 Listen to the second part of Maxine's presentation and fill in the gaps.

■ Il (**1**) ———— éviter les substances toxiques parce que c'est très dangereux pour la santé. Moi, je ne fume pas et je ne (**2**) ———— pas de drogues. Je déteste les cigarettes – c'est affreux! Mon père fume dix cigarettes par jour, mais ma mère ne fume pas. Moi, je ne vais pas (**3**) ———— à fumer parce que le tabac donne le cancer. Je ne fume (**4**) ————. J'ai des amis qui fument beaucoup, et ils (**5**) ———— que ça fait adulte et que c'est cool. Ils se disent toujours qu'ils peuvent (**6**) ———— quand ils veulent, mais en réalité c'est très difficile. Mon ami a (**7**) ———— d'arrêter plusieurs fois, mais il a toujours (**8**) ————. Moi, je pense que fumer n'est ni cool ni romantique, c'est une mauvaise habitude qui (**9**) ———— tuer.

● Merci, Maxine. Maintenant je vais te poser quelques questions. Est-ce que tu fais de l'exercice chaque jour?

■ Non, mais je fais au moins deux heures d'exercice chaque semaine. Mes copains sont (**10**) ———— sportifs que moi. Moi, je préfère lire et regarder la télé.

4 **Now listen to the final part of Maxine's presentation and answer the questions.**

1 Which tense does Maxine use to say what she 'used to do'?

2 In the final part of her presentation, Maxine uses this tense four times. Write down the four verbs she uses.

3 When Maxine talks about her friends' drinking habits, she uses several third-person plural verbs. Write down four of the verbs she uses.

4 What does Maxine intend to do to improve her lifestyle in the future?

5 What three things would she say to encourage people to give up smoking?

5 **Now it's your turn! Prepare your answers to the task, then give a presentation to your teacher or partner.**

● Use ResultsPlus and the work you have done in exercises 1–4 to help you.

● Make yourself a prompt sheet (A5 size, containing no more than 30 words) and practise your presentation until you are fluent.

● Record your presentation and play it to a partner. Discuss with your partner what questions the teacher could ask you about your presentation.

Award each other one star, two stars or three stars for each of these categories:

● pronunciation
● confidence and fluency
● range of tenses
● variety of vocabulary and expressions
● using longer sentences
● taking the initiative.

What do you need to do next time to improve your performance?

 Results**Plus**

 To rmake sure you produce a good answer, you should:
◆ include a range of **connectives** (e.g. *mais, cependant, et, parce que, quand*) and **adjectives** (e.g. *bien, dangereux, affreux, difficile, agressif, sportif*)
◆ use a range of tenses:
  – Maxine uses the **present tense** to talk about what she does now: *je mange, je bois, je joue, je ne fume pas.*
  – She uses the **near future** and **simple future** to describe what her plans are: *je vais essayer d'acheter moins de bonbons, je regarderai …*
  – She uses the **perfect tense** to say that her friend tried to give up smoking: *Mon ami a essayé d'arrêter.*

 To go a step further, you need to:
◆ show you can use other tenses such as the **imperfect**. Maxine uses this tense to talk about what she did when she was younger: *Quand j'étais petite, je mangeais, je jouais.*
◆ use **comparatives**: *plus que … moins que …* Notice how Maxine tells us that her friends are more sporty than her.

Brille à l'oral!

◆ Maxine makes some impressive concluding statements which you could use in your own presentation to sum up what you are talking about: *premièrement* (firstly), *de plus* (in addition), *mais la raison la plus importante* (but the most important reason).

 For a really impressive answer:
◆ **relative pronouns** (*qui* and *que*). How does Maxine use these in her presentation?
◆ some more **complex negative expressions**. Notice where Maxine does this: *fumer n'est ni cool ni romantique. Je ne fume jamais.*
◆ **verbs which use a preposition** to combine with the infinitive of other verbs, e.g. *commencer à* (to begin to), *essayer de* (to try to).

Controlled assessment practice

La forme

Comme je sais que j'ai quelques kilos en trop et que ce n'est pas bon pour la santé, je fais des efforts pour bien manger afin de garder la forme. Je ne fais pas de régime particulier, mais je ne mange plus de chips et je ne bois plus de boissons gazeuses. Le matin, je mange un yaourt, des céréales et je bois un jus d'orange.

D'habitude, à midi, je déjeune à la cantine. Généralement, la nourriture qu'on nous donne est équilibrée, et les repas sont bons. Malheureusement, les frites du self sont délicieuses, les meilleures frites du monde! Heureusement, je ne mange rien entre les repas, sauf peut-être un fruit, mais le soir, quand je rentre, j'ai une faim de loup et je mange un yaourt et des crudités.

Le soir, au dîner, généralement il y a du potage avec du pain, de la salade, du jambon, du fromage et un fruit en dessert. Ensuite, je me couche tôt. En fait, je vais au lit, et je regarde une vidéo ou je lis un livre.

Quand j'étais petite, je ne mangeais jamais de yaourt, je préférais les tartines au Nutella que je trempais dans mon bol de chocolat chaud. Beurk! En rentrant, j'avais toujours très faim et je mangeais plusieurs cookies et je buvais encore du lait.

Puisque pour garder la forme il faut aussi faire de l'exercice, j'ai décidé de faire un jogging ou une balade en vélo chaque jour, mais quand il pleut je trouve toujours une excuse. Alors, j'ai pris une nouvelle résolution: à l'avenir, je vais faire deux parties de squash par semaine avec mon copain et je vais m'inscrire à un cours de karaté, mais je ne peux commencer qu'après les examens, les vacances de Noël, les vacances de Pâques ...!

Corinne

1 **Find the French equivalent of these phrases in the text and copy them out.**

  1 I don't follow a particular diet
  2 generally
  3 I don't eat anything between meals
  4 except perhaps
  5 when I get back
  6 when I was small
  7 I was always very hungry
  8 I used to eat
  9 I decided
  10 I am going to sign up for a course

2 **For each sentence in exercise 1 (apart from sentences 2 and 4), write 'present', 'perfect', 'imperfect', or 'near future'.**

3 **Choose the correct answer: a, b or c.**

  1 Corinne ...
    (**a**) is very overweight.
    (**b**) is on a diet.
    (**c**) tries to watch what she eats.
  2 Between meals, Corinne eats ...
    (**a**) nothing. (**b**) fruit. (**c**) raw vegetables.
  3 Corinne goes to bed ...
    (**a**) early. (**b**) after watching a video.
    (**c**) late.
  4 When she was younger, she enjoyed ...
    (**a**) yoghurt.
    (**b**) chocolate-spread sandwiches.
    (**c**) cakes.
  5 Corinne ...
    (**a**) gets lots of exercise.
    (**b**) always puts off doing exercise.
    (**c**) goes jogging and cycling every week.

4 **You might be asked to write about your lifestyle as a controlled assessment task. Use ResultsPlus to help you prepare.**

Results **Plus**

 To produce a good answer, you need to use key tenses correctly. Corinne uses:
- the **present tense** to say what she does now: *je mange un yaourt, je déjeune à la cantine*
- the **perfect tense** to say what she has decided: *j'ai décidé de faire un jogging, j'ai pris une nouvelle résolution*
- the **near future** to say what she is going to do: *je vais faire deux parties de squash, je vais m'inscrire à un cours de karaté.*

 To go a step further, you should use other tenses and a range of different negative expressions.
- Use the **imperfect tense** to say what you used to do when you were young.
- Add variety by using different **negative expressions**. Corinne uses:
  – *ne … pas* to say what she doesn't do
  – *ne … plus* to say what she no longer does
  – *ne … rien* to say 'nothing/not anything'
  – *ne … jamais* to say what she has never done.

 For a really impressive answer:
- include some **adverbs**: *d'habitude/ (mal)heureusement*
- add **humour**: look at how Corinne uses the word *Beurk* to convey what she now thinks of what she used to do.

Brille à l'écrit!
- Can you construct a really complex sentence like Corinne does? Look at how she links *puisque, pour, il faut* and *décidé de* to say 'Since to keep fit you have to exercise, I have decided to …'

5 **Now write an account of your lifestyle.**
- Adapt Corinne's text and use language from unit 2.
- If you need to write something which is not in the book, keep it simple.
- If you have to look up new words in a dictionary, make sure you choose the correct French word. Look carefully at any example sentences given and think about the context, e.g. *trempé(e)* means 'wet/soaked'; but *tremper* here means 'to dunk'.

Introduction
Outline what you ought to do to be healthy.

Main section
Talk about your present eating habits.
Talk about your present exercise habits.
Talk about what you used to do.
Say what you have resolved to do in the future

Conclusion
Say what your plans are for the future (use the immediate future tense).

Say what you intend to do to improve the situation (if you need to).

Check what you have written carefully. Check:
- spelling and accents
- gender and agreement (e.g. adjectives, past participles of *être* verbs)
- the different forms of the verbs in the first person:
  je mange, j'ai mangé, je mangeais, je vais manger, je bois, je buvais, j'ai bu, je vais boire.

Bon appétit!
Enjoy your meal!

Mon repas préféré, c'est le poulet.	My favourite meal is chicken.
Je mange ...	I eat ...
des céréales (f)	cereals
du pain grillé	toast
une tartine (beurrée)	a slice of bread and butter
du yaourt liquide	drinking yoghurt
de la viande	meat
un steak haché	a burger

du chou-fleur	cauliflower
des légumes (m)	vegetables
des oignons (m)	onions
un biscuit	a biscuit
une mousse au chocolat	chocolate mousse
des petits gâteaux (m)	small cakes
un fruit	a (piece of) fruit
une orange	an orange
Je bois du thé.	I drink tea.

Le corps
The body

le bras	arm
le cou	neck
le dos	back
le nez	nose
le ventre	stomach
la bouche	mouth
la gorge	throat
la langue	tongue
la main	hand

la tête	head
l'estomac (m)	stomach
les dents (f)	teeth
les doigts (m)	fingers
les jambes (f)	legs
les oreilles (f)	ears
les pieds (m)	feet
les yeux (m)	eyes

Je suis malade
I'm ill

J'ai mal au bras/à la jambe/à l'oreille.	I've got a sore arm/leg/ear.
J'ai mal aux dents.	I've got toothache.
Je suis enrhumé(e).	I've got a cold.
Je me suis cassé la jambe.	I've broken my leg.

J'ai été piqué(e) par une guêpe.	I've been stung by a wasp.
J'ai ...	I've got ...
une grippe	flu
de la fièvre	a fever
Je tousse.	I'm coughing.

Qu'est-ce qui ne va pas?
What's wrong?

Si vous avez (mal à la tête), ...	If you have (a headache), ...
Il faut ...	You need ...
prendre de l'aspirine/des comprimés	to take some aspirin/pills
sucer une pastille antiseptique	to suck a throat sweet
mettre de la crème antiseptique	to put on some antiseptic cream
un pansement	bandage
des pansements adhésifs	plasters
une paire de ciseaux	a pair of scissors
une solution antiseptique	disinfectant (for cuts, etc.)
Je dois ...	I must ...
rester à la maison/au lit	stay at home/in bed

boire beaucoup d'eau	drink lots of water
me reposer	rest
Il m'a fait une ordonnance.	He gave me a prescription.
Il faut prendre le médicament toutes les deux heures.	I have to take the medicine every two hours.
Il faut/Il a fallu aller à l'hôpital pour faire une radio/un examen	I have to/had to go to the hospital for an x-ray/examination
Il vaut mieux prendre ...	It would be better to get ...
un rendez-vous chez le dentiste	a dentist's appointment
un rendez-vous chez le médecin	a doctor's appointment

Garder la forme / To keep fit

Je suis en forme.	I'm fit.
Pour garder la forme, ...	To keep fit ...
je mange sainement	I eat healthily
je ne bois que de l'eau	I only drink water
je ne mange pas de sucreries	I don't eat sweet things
je ne mange pas beaucoup de graisses	I don't eat much fat
je fais beaucoup d'exercice	I do lots of exercise
je fais de l'exercice regulièrement	I exercise regularly
Je mangeais/buvais/faisais ...	I used to eat/drink/do ...
Je pourrais manger/boire/faire ...	I could eat/drink/do ...
Je pourrais faire un régime.	I could go on a diet.

Quand et comment? / When and how?

d'habitude	usually	régulièrement	regularly
également	equally/also	sainement	healthily
finalement	finally	seulement	only
généralement	generally	tellement	so
lentement	slowly	uniquement	solely
heureusement	fortunately	bien	well
malheureusement	unfortunately	mal	badly
personnellement	personally	mieux	better
rapidement	quickly	toujours	always

La dépendance / Addiction

Les cigarettes coûtent cher.	Cigarettes are expensive.	Ils nous montrent le mauvais exemple.	They set a bad example.
Ses vêtements sentent la fumée.	His/Her clothes smell of smoke.	Ça me donne confiance.	It gives me confidence.
C'est dégoûtant.	It's disgusting.	Il est mort d'un cancer des poumons	He died of lung cancer.
C'est déstressant.	It's relaxing.	C'est difficile d'arrêter.	It's difficult to stop.
Le problème le plus grave, c'est ...	The most serious problem is ...	Je fume depuis (quatre ans).	I've been smoking for (four years).
le tabagisme	smoking	Je suis devenu(e) dépendant(e).	I got hooked/addicted
l'alcool (m)	alcohol	C'est presque impossible de ...	It's almost impossible to ...
le SIDA	AIDS		
la drogue	drugs	à mon avis	in my opinion
l'anorexie (f)	anorexia	selon moi	in my opinion
Ils ne remarquent pas quand ils ont trop bu.	They don't notice when they've had too much to drink.	je pense que ...	I think that ...
		je trouve que ...	I find that ...
Ce n'est pas bon pour la santé.	It's not good for your health.	je suis pour/contre ... parce que ...	I'm for/against ... because ...
C'est du gaspillage.	It's a waste.		
Ça coupe l'appétit.	It suppresses your appetite.		

Plus tard / In the future

Je (ne) veux (pas) me marier.	I (don't) want to get married.	Je veux ...	I want ...
On veut avoir des enfants.	We want to have children.	devenir médecin	to become a doctor
Je ne veux pas avoir d'enfant.	I don't want to have children.	tomber amoureux/euse	to fall in love
Nous voulons vivre ensemble.	We want to live together.	un grand mariage	a big wedding
Les enfants coûtent cher.	Children are expensive.	un petit copain riche	a rich boyfriend
Il faut s'occuper d'eux tout le temps.	You have to look after them all the time.	Ils se disputent.	They argue.
		divorcé(e)	divorced
		séparé(e)	separated

9 Le monde en danger

1 On devrait faire ça! Discussing world issues
The conditional of modal verbs

écouter 1 Quel est le plus grand problème du monde, selon ces personnes? (1–6)
Trouvez la bonne photo pour chaque personne.

1 Mathis
2 Éléa
3 Tariq
4 Blanche
5 Vincent
6 Jade

a le SIDA
b la pauvreté
c la guerre
d la faim
e le terrorisme
f le réchauffement de la planète

lire 2 Trouvez la seconde partie de chaque phrase.
Copiez la phrase complète et traduisez-la en anglais.

1 Il y a assez à manger dans le monde, ...
2 Pour combattre le SIDA, nous devrions ...
3 Qu'est-ce que tu voudrais ...
4 Le gouvernement devrait donner ...
5 Pour aider les gens pauvres, ...
6 Un jour, je voudrais voir ...
7 Les pays riches du monde ...
8 Nous pourrions organiser ...

a ... plus d'argent à l'Afrique et à l'Inde.
b ... des activités pour collecter de l'argent.
c ... devraient arrêter le réchauffement de la planète
d ... un monde sans pauvreté.
e ... donner des médicaments aux pays en voie de développement.
f ... faire pour sauver la planète?
g ... vous pourriez donner de l'argent aux bonnes causes.
h ... donc on pourrait arrêter la faim.

écrire 3 Écrivez une réponse aux questions. Utilisez ou adaptez les phrases de l'exercice 2.

À votre avis, qu'est-ce qu'on devrait ou pourrait faire ...
1 pour combattre la faim?
2 pour aider les pays en voie de développement?
3 pour arrêter la pauvreté?
4 pour combattre le SIDA?

Expo-langue →→→→

Grammaire 224

You use the conditional of modal verbs to say what could and should be done, or what you would like. Add the endings below to the stem of each verb.

devoir → **devr-**	je	**–ais**	nous	**–ions**
pouvoir → **pourr-**	tu	**–ais**	vous	**–iez**
vouloir → **voudr-**	il/elle/on	**–ait**	ils/elles	**–aient**

On **devrait** faire quelque chose. = We *should* do something.
Les gens **pourraient** vivre en paix. = People *could* live in peace.
Je **voudrais** voir un monde sans guerre. = I'*d like* to see a world without war.

À deux. Discutez avec votre partenaire. Changez les détails en bleu et complétez le dialogue ci-dessous.

■ À ton avis, quel est le plus grand problème du monde?

● Pour moi, c'est le SIDA.

■ Qu'est-ce qu'on pourrait faire pour combattre le SIDA?

● On devrait donner des médicaments aux pays en voie de développement. Quel est le problème le plus grave, selon toi?

■ À mon avis, c'est ...

● Qu'est-ce qu'on pourrait faire pour combattre ...?

■ On ...

 Qu'est-ce qu'il faut faire pour aider les gens des pays en voie de développement? Lisez les textes et les questions en dessous. Écrivez le bon prénom pour chaque question.

Il faut absolument combattre le SIDA et d'autres maladies graves, mais il faut vendre moins cher les médicaments aux pays en voie de développement. **Sébastien**	Si tout le monde achetait des produits issus du commerce équitable, comme le café ou les fruits, il y aurait moins de gens pauvres dans le monde. **Yasmina**
On devrait organiser plus de grands événements télévisés, comme Band Aid et Live 8. Les gens sont plus prêts à écouter les chanteurs que les gouvernements. **Omar**	L'aide arrive souvent trop tard. On devrait réagir plus rapidement quand il y a de la famine pour empêcher les gens de mourir de faim. **Frédéric**
Tout le monde pourrait faire quelque chose. À mon lycée, on va faire une course à vélo. On demandera aux gens de faire un don pour chaque kilomètre parcouru. **Laure**	À mon avis, il faut persuader les hommes et les femmes politiques de faire quelque chose, en leur envoyant des lettres ou des e-mails. **Élodie**
La priorité, c'est les petits. Une très bonne chose qu'on peut faire, c'est de parrainer un enfant, par exemple, en Afrique ou en Inde. **Nicolas**	On pourrait faire un don aux organisations qui travaillent avec les gens dans des pays en voie de développement, par exemple à Médecins Sans Frontières. **Nadal**

Who thinks ...

1 that everyone could do activities to raise money?

2 that people should give money to good causes?

3 that pop music is more powerful than governments?

4 that it's necessary to think about what you buy?

5 that it's the children who should be helped first?

6 that it's necessary to reduce the cost of medicines?

7 that people should write to the government to ask them to do something.

8 that it's necessary to send food parcels very quickly to the people who have nothing to eat?

1 Quels sont les problèmes à Nulleville? Écoutez et mettez les phrases dans le bon ordre.

a

Il n'y a qu'un bus par jour pour aller au centre-ville.

b

Le club des jeunes est fermé et il n'y a plus de cinéma.

c

On ne peut pas respirer à cause de la pollution.

d

Les jeunes n'ont rien à faire.

e

Le dimanche, on ne voit personne.

f

Il y a souvent des vols, mais la police ne vient jamais.

g

Il n'y a aucun travail, donc beaucoup de gens sont au chômage.

h

Il n'y a ni poubelles ni centres de recyclage, donc on jette les déchets par terre.

2 Trouvez les phrases qui vont avec celles de l'exercice 1, puis copiez les paires de phrases.

1 Mais parfois, c'est trop tranquille. Par exemple, …

2 Le pire, c'est la criminalité. La nuit, …

3 Les transports en commun sont nuls: …

4 Ils s'ennuient ici parce que …

5 Il y a trop de circulation et certains jours, …

6 Avant, il y avait des distractions. Mais maintenant, …

7 La ville est sale aussi puisqu' …

8 Les habitants sont pauvres car …

Expo-langue →→→→

Grammaire **216**

Negative expressions are usually in two parts and go around the verb:

On **ne** peut **pas** respirer. = You can't breathe.
La police **ne** vient **jamais.** = The police never come.
On **ne** voit **personne.** = You don't see anyone.
Les jeunes **n'**ont **rien** à faire.
= Young people have nothing to do.

With **il y a**, the negative goes around **y a**:

Il **n'**y a **plus** de cinéma.
= There's no longer a cinema.
Il **n'**y a **qu'**un bus par jour.
= There's only one bus a day.
Il **n'**y a **aucun** travail et **aucune** distraction.
= There's no work and no entertainment.
Il **n'**y a **ni** poubelles **ni** centres de recyclage.
= There are neither rubbish bins nor recycling points.

3 Écrivez des phrases positives en adaptant les phrases des exercices 1 et 2.

La ville n'est pas sale puisqu'il y a beaucoup de poubelles et de centres de recyclage. …

4 Écoutez. Quel est le problème? Pour chaque personne, écrivez la bonne lettre. (1–6)

a la circulation
b le recyclage
c les transports en commun
d les distractions
e la pollution
f la criminalité

 5 À deux. Parlez de votre ville, de votre quartier ou de votre village.
Adaptez les phrases en bleu et complétez le dialogue.

■ Ce qui est bien dans le quartier où j'habite, c'est les transports en commun.
Il y a beaucoup d'autobus pour aller au centre-ville. Ce qui est nul, c'est le
recyclage. Il n'y a aucun centre de recyclage. Et toi, quelle est ton opinion?

● Ce qui est nul aussi/dans le village où j'habite, c'est ... Par contre, ce qui est
bien, c'est ...

 6 Lisez l'article. Pour chaque phrase en dessous, écrivez
P (Positive), N (Négative) ou P/N (Positive-Négative).

Là où j'habite: le pour et le contre

Dans mon quartier, la plupart
des gens habitent, comme moi,
dans de grands bâtiments qu'on
appelle des HLM (habitations à
loyer modéré). Heureusement
qu'ils sont modernes,
confortables et pas chers. On
a créé aussi des espaces verts
où les enfants peuvent jouer
en sécurité. Mais il y a peu
d'autobus et tout le monde va
au travail en voiture, ce qui veut
dire que, pendant les heures
de pointe, il y a toujours des
embouteillages et c'est très
bruyant.
Farid

Ma famille a déménagé il y a
un an. Avant, on habitait dans
un appartement en ville, mais
maintenant, on habite une vieille
maison individuelle en pleine
campagne. Elle est parfaite et
ce qui est bien ici, c'est que
l'air n'est pas pollué, donc je
ne souffre plus d'asthme. Bien
sûr, dans un petit village, on
ne trouve ni cinéma ni boîte et
le samedi soir, je m'ennuie un
peu. Cependant, il y a beaucoup
de choses à faire pendant la
journée. Par exemple, on peut
aller à la pêche, faire du VTT et
faire des randonnées.
Célia

Moi, j'habite une maison jumelle
dans la banlieue. Il y a trois ans,
on a créé une zone piétonne
dans le centre-ville, donc il n'y
a plus de voitures ou de gros
camions et on peut faire ses
courses tranquillement, ce que
je trouve idéal. De chez moi, on
peut prendre le bus, le train ou le
métro. Les transports en commun
passent souvent, mais ça coûte
un peu cher, surtout si on a une
grande famille. Le seul problème
dans ma ville, c'est qu'on jette
les bouteilles, les journaux, les
boîtes, etc. à la poubelle au
lieu de les recycler, ce qui est
mauvais pour l'environnement.
Pascal

1 Farid: (a) le logement (b) les transports en commun (c) la circulation
2 Célia: (a) le logement (b) la pollution (c) les distractions
3 Pascal: (a) la circulation (b) les transports en commun (c) le recyclage

 7 Écrivez un paragraphe sur les avantages et les inconvénients
de votre ville, de votre quartier ou de votre village.

1 Écoutez et lisez. Trouvez les deux bonnes images pour chaque personne qui parle. (1–4)

Pourquoi l'environnement va-t-il mal?

1

2

3

4

On gaspille l'énergie et l'eau. Par exemple, on n'éteint pas la lumière quand on quitte une pièce, on ouvre les fenêtres sans baisser le chauffage central et on laisse le robinet ouvert quand on se brosse les dents. Tout ça est mauvais pour l'environnement.

Nous jetons nos déchets dans de gros trous dans la terre et nous utilisons trop d'emballages. Par exemple, quand tu achètes des bonbons, ils sont emballés dans du plastique. Si tu achètes un frigo ou une télé, c'est encore pire: des masses d'emballage en plastique que tu ne peux pas recycler.

Les gens utilisent trop leurs voitures. Les voitures produisent des gaz qui causent de la pollution et qui contribuent au réchauffement de la terre. Cette pollution détruit aussi la couche d'ozone qui nous protège contre les rayons du soleil.

Si vous achetez des produits non-bios ou pas verts au supermarché, vous ne pensez pas à l'environnement. Les fruits et les légumes bios sont cultivés sans utiliser des produits chimiques qui empoisonnent la terre. Il y a aussi des produits verts, comme la lessive ou le liquide vaisselle, qui sont mieux pour l'environnement.

a
b
c
d
e

f
g
h

Expo-langue

Some verbs are irregular in the present tense.
éteindre (to switch off)
→ **j'éteins, on éteint, ils éteignent**
ouvrir (to open)
→ **j'ouvre, on ouvre, ils ouvrent**
produire (to produce)
→ **je produis, on produit, ils produisent**

2 Copiez et complétez le vocabulaire en utilisant les textes de l'exercice 1.

1 gaspiller ⬚ – to waste energy
2 éteindre la ⬚ – to turn off the light
3 ⬚ le chauffage central – to turn down the ⬚
4 laisser le ⬚ ouvert – to ⬚ the tap running
5 utiliser trop ⬚ – to ⬚ too much packaging
6 détruire la ⬚ – to ⬚ the ozone layer
7 empoisonner ⬚ – to poison the earth
8 des produits ⬚ – organic products
9 des ⬚ verts – environmentally friendly products

écrire 3 Écrivez six règles pour la protection de l'environnement.
Utilisez *il faut* ou *il ne faut pas*.

Il ne faut pas gaspiller l'énergie.
...

écouter 4 On parle de ce qu'on fait pour protéger l'environnement. (1–4)
Pour chaque phrase, écrivez «Marie», «Luc», «Zoé» ou «Thierry».

1 J'économise l'eau et l'énergie.

2 J'achète des produits verts ou recyclés.

3 Je n'utilise jamais la voiture.

4 Je recycle le verre, le carton et le papier.

lire 5 C'est au présent ou au futur? Pour chaque phrase, écrivez P ou F.

1 J'achèterai plus de produits bios.

2 Je recyclerai le verre et les boîtes.

3 J'éteins la lumière quand je quitte la pièce.

4 Je fermerai le robinet quand je me brosserai les dents.

5 J'utilise les transports en commun.

6 Je baisserai le chauffage et je mettrai un pull.

7 J'irai au collège à vélo.

8 J'essaie d'utiliser des produits verts.

Expo-langue →→→→ *Grammaire 224*

Some verbs are irregular in the future tense, e.g. **aller** → **j'irai**.

In a sentence with **quand** and a future tense, <u>all</u> the verbs have to be in the future.

Quand je **quitterai** la pièce, j'**éteindrai** la lumière. = *When I (will) leave the room, I will turn off the light.*

écrire 6 Copiez les phrases de l'exercice 5 en les changeant
du présent au futur ou du futur au présent.

parler 7 À deux. Qu'est-ce que vous faites pour l'environnement? Qu'est-ce
que vous ferez plus tard?

■ Qu'est-ce que tu fais pour l'environnement?
● Je recycle le verre et les boîtes. Et je vais toujours au collège à pied.
  Mais je veux faire plus pour l'environnement.
■ Qu'est-ce que tu feras plus tard, alors?
● Quand je me brosserai les dents, je fermerai le robinet. Et ...

1 Mettez l'histoire d'Écofille dans le bon ordre.

a

Puis, après avoir pris mon petit déjeuner, je me suis brossé les dents. J'ai fait ça sans laisser le robinet ouvert pour économiser de l'eau.

b

Après avoir fait les courses, je suis allée au magasin Oxfam parce que j'avais reçu un nouveau portable comme cadeau d'anniversaire de mes parents.

c

Mais je l'ai partagée avec trois autres. C'est mieux pour l'environnement s'il y a plusieurs personnes dans une voiture.

d

Au supermarché, je n'ai pas pris de sacs en plastique, mais j'ai utilisé des sacs en toile. J'ai fait ça parce que les sacs en plastique qu'on jette à la poubelle ne sont pas biodégradables.

e

Tout de suite après les cours, j'ai dû faire les courses pour ma mère. Bien sûr, je n'ai acheté que des produits bios ou verts.

f

Malheureusement, là où j'habite, les transports en commun sont nuls, donc je suis allée au collège en voiture.

g

Tout d'abord, je me suis douchée au lieu de me baigner parce qu'avec une douche, on consomme moins d'eau qu'avec un bain.

h

Au lieu de jeter mon vieux portable à la poubelle, je l'ai recyclé en le donnant à Oxfam et il sera utilisé dans un pays en voie de développement.

2 Écoutez et vérifiez.

au lieu de – instead of

Expo-langue →→→→

Grammaire **220**

In the perfect tense, direct object pronouns go in front of the auxiliary **avoir**. The past participle must agree with the pronoun.

Le portable? – Je **l'**ai recyclé.	The mobile? – I recycled *it*.
La voiture? – Je **l'**ai partagé**e**.	The car? – I shared *it*.
Les sacs? – Je **les** ai utilisé**s**.	The bags? – I used *them*.
Les courses? – Je **les** ai fait**es**.	The shopping? – I did *it*. (= *them* in French)

---

3 Écrivez les six choses qu'Écofille a faites pour l'environnement.

1 Elle s'est douchée au lieu de se baigner.
…

 4 À deux. Qui a fait plus pour l'environnement la semaine dernière? Il faut exagérer!

- ■ La semaine dernière, j'ai recyclé du verre et des journaux.
- ● Moi, j'ai recyclé du verre, des journaux et des boîtes. Et je suis allé(e) au collège à pied tous les jours.
- ■ Oui, mais moi, j'ai/je suis/je me suis …

5 Quel était le problème environnemental avant? Qu'est-ce qu'on a fait pour changer la situation? Copiez et complétez la grille en français. (1–5)

	problème	action
1	circulation	zone piétonne

The letter **e** with no accent sounds a bit like 'uh' (on j**e**tait).

è (with a grave accent) sounds a bit like the 'e' in *egg* (apr**è**s).

é (with an acute accent) sounds a bit like 'ay' (on a jet**é**).

The two acute accents in *cr**éé*** are both pronounced – 'crayay'.

 6 Qu'est-ce qu'on a fait pour l'environnement dans votre ville/votre village/votre quartier? Interviewez votre partenaire. Utilisez les idées ci-dessous ou vos propres idées.

- ■ Avant, dans mon quartier, on jetait tous les déchets à la poubelle.
- ● Qu'est-ce qu'on a fait pour changer la situation?
- ■ Il y a deux ans, on a installé des containers pour le verre, le plastique et le papier.
  Qu'est-ce qu'on a fait pour l'environnement dans ta ville/ton village/ton quartier?

a

Ma ville

L'année dernière,

b
Mon village

Il y a un an,

c

Mon quartier

Il y a un mois,

d

Dans ma famille

Hier,

construire – to build
(past participle construit)
installer – to install, put in
(past participle – installé)

 7 Écrivez une lettre en français à votre copine Sophie. Répondez à ces questions:

- ● Quels sont les problèmes environnementaux dans votre ville ou village?
- ● Qu'est-ce qu'on a déjà fait pour l'environnement là où vous habitez?
- ● Qu'est-ce que vous faites pour l'environnement dans votre famille?
- ● Qu'est-ce que vous ferez plus tard?

 In tasks like this, always look carefully at the tense of each question and answer in the correct tense.

lire 1 Lisez les extraits et trouvez le gros titre correspondant à chacun.

1 Suite à une marée haute extraordinaire, le village de Boscastle a été inondé par la mer. Plusieurs habitants ont dû quitter leurs maisons et l'eau a fait des dégâts sérieux.

2 Des centaines d'hectares du paysage portugais ont été détruits par le feu.

3 Un manque de pluie depuis dix mois a rendu le paysage complètement sec et les agriculteurs n'ont rien pu cultiver cette année.

4 Des vents d'une puissance incroyable ont détruit non seulement des maisons, mais aussi des routes, des ponts et des bâtiments publics.

5 Plusieurs kilomètres de la côte normande sont menacés par une fuite de pétrole qui a déjà tué des centaines d'oiseaux marins et de poissons.

a La Nouvelle-Orléans est dévastée par l'ouragan Katrina

b Désastre pétrolier tue la vie marine

c Inondations graves en Cornouailles

d Sécheresse totale

e Incendies de forêt au Portugal

- Look for words from the same 'family' which link the news stories and headlines (e.g. **sec/sécheresse**).
- Use context and logic. (e.g. In **3**, what do you think **un manque de pluie** might mean?)
- Beware of false friends. (e.g. **pétrole** does not mean *petrol*. What does it mean?)

lire 2 Trouvez l'équivalent en français.

1 serious floods
2 forest fires
3 drought
4 hurricane
5 an oil spillage
6 high tide
7 serious damage
8 hundreds of
9 of incredible strength
10 destroyed by fire
11 has already killed
12 flooded by the sea

Expo-langue →→→→

The passive is used to describe things that **are done** (or have been done, will be done, etc.) to someone or something. It consists of the relevant tense of **être**, plus a past participle. The past participle must agree with the subject.

Present Plusieurs kilomètres de côte **sont menacés.**
  Several kilometres of coastline *are threatened.*
Perfect La forêt **a été détruite.**
  The forest *has been destroyed.*
Future Le village **sera inondé.**
  The village *will be flooded.*

The passive can often be avoided by changing a sentence around:
La forêt a été détruite par le feu. → Le feu a détruit la forêt.

écrire 3 Réécrivez ces phrases sans le passif.

1 La côte est menacée par une fuite de pétrole.
2 Le paysage est détruit par le manque de pluie.
3 Le village a été inondé par la mer.
4 Des dégâts ont été faits par l'eau.
5 La ville sera dévastée par l'ouragan. (infinitif: dévaster)

écouter 4 Écoutez. On parle de quel désastre?

a **inondation**   b **incendie**   c **fuite de pétrole**   d **ouragan**

parler 5 Imaginez que vous êtes présentateur ou présentatrice du journal télévisé. Inventez un reportage sur un désastre dans votre région. Si possible, enregistrez-le en audio ou en vidéo.

■ Aujourd'hui, à Blackpool, la mer a inondé une partie de la ville. Plusieurs habitants ont dû quitter leurs maisons et ...

écrire 6 Écrivez votre reportage, avec un gros titre aussi.

lire 7 Copiez le texte et remplissez les blancs avec les mots en dessous.

La conservation: Il faut sauver ces animaux!

Partout dans le monde, des (1) _____ et des oiseaux sont (2) _____ d'extinction. En Amazonie, des milliers d'arbres (3) _____ été coupés pour l'agriculture et pour créer des produits en bois, comme des (4) _____ et des chaises. La dévastation de cette (5) _____ énorme a (6) _____ l'habitat de beaucoup de créatures exotiques, comme le jaguar. C'est le même problème au Congo, en (7) _____, et à Bornéo où le gorille et l'orang-outan deviennent de plus en plus rares. Et dans moins de vingt (8) _____, il n'y aura peut-être (9) _____ de tigres en Inde. Si vous voulez sauver ces animaux fascinants, vous pourriez (10) _____ membre du WWF, qui travaille pour la conservation des espèces en voie d'extinction.

forêt   ont   Afrique   menacés   inondé

ans   environnement

détruit   devenir   plus

tables   animaux

Controlled assessment picture discussion

Task

Prepare a discussion based on a photograph of an environmental disaster or issue. You could include:

- why you chose the picture
- problems caused by the environmental disaster and reasons for it
- what can be done about environmental problems
- what you do for the environment
- what you plan to do in the future for the environment
- what you do to conserve energy/water
- environmental issues in your town/area.

1 You may be asked why you have chosen this photo. Prepare three possible ways of answering the question.

2 You will hear a model conversation between Rachel and her teacher, based on the photograph above. Listen to the first part of the conversation and note down answers to the questions.

1 What reason does Rachel give for choosing this photo?

2 Rachel uses four tenses: present, perfect, imperfect and conditional. Note down one example of each.

3 Note down an example of the passive.

3 Listen to the question-and-answer section of Rachel's conversation and fill in the gaps.

■ Et toi, qu'est-ce que tu fais pour l'environnement?

● Je vais toujours au collège à pied et je (**1**) ▭▭▭ le verre et les boîtes de conserve, mais je voudrais faire (**2**) ▭▭▭ pour l'environnement.

■ Qu'est-ce que tu feras plus tard alors?

● J'essayerai d'acheter des produits verts, je baisserai le chauffage et je (**3**) ▭▭▭ un pull. À mon avis, on gaspille l'énergie, n'est-ce pas?

■ Oui, je suis d'accord. Qu'est-ce que tu fais pour ne pas gaspiller l'énergie et l'eau?

● Je ferme le robinet quand je (**4**) ▭▭▭ les dents et je me douche (**5**) ▭▭▭ prendre un bain. À l'avenir, je (**6**) ▭▭▭ d'éteindre la lumière quand je (**7**) ▭▭▭ la pièce. C'est une bonne idée de mettre un petit panneau à côté du bouton (**8**) ▭▭▭!

■ Il y a des problèmes écologiques dans ta ville?

● Moi, j'habite dans un petit village, (**9**) ▭▭▭ un bus par jour pour aller en ville et il n'y a (**10**) ▭▭▭ gare. Par conséquent, tout le monde va au travail ou au collège en voiture.

4 **Now listen to the final part of Rachel's conversation and answer the questions.**

  1 What are the two questions Rachel is asked in this final section?

  2 Find examples of these in the final part of the conversation:

    a a negative

    b a conditional of a modal verb plus infinitive

    c a future of a modal verb plus infinitive

    d the perfect tense (one example with *avoir* and one with *être*)

    e *pour* plus the infinitive.

5 **Now it's your turn! Choose a photograph showing an environmental issue and prepare a discussion about it.**

  ● Use ResultsPlus and the work you have done in exercises 1–4 to help you.

● Look back through the module for more ideas.

● Practise your discussion with a partner, using your photograph until you feel confident. When you are practising, you might want to prepare some prompt cards to help you remember what to talk about. These could be visuals.

● Consider how the discussion might develop and try to prepare appropriate answers. Remember to include a range of tenses.

Award each other one star, two stars or three stars for each of these categories:

● pronunciation

● confidence and fluency

● range of tenses

● variety of vocabulary and expressions

● using longer sentences

● taking the initiative.

What do you need to do next time to improve your performance?

 Results Plus

 To make sure you produce a good answer, you need to show that you can use a variety of tenses, structures and expressions.

◆ Rachel uses the **present tense** to talk about what she does for the environment nowadays (*je recycle*), the **perfect** to talk about her visit to the park last weekend (*j'y suis allée*) and the future tense to talk about what she will do in the future for the environment (*je baisserai le chauffage*).

◆ Use **intensifiers** to add emphasis to your opinions. Rachel uses *assez*, *très* and *vraiment*.

◆ Use a variety of ways of expressing **opinions**. Here are some examples that Rachel uses: *À mon avis, …* *Selon moi, …* *C'est une bonne idée.*

 To go a step further, you need to use:

◆ other tenses such as the **imperfect** and the **conditional**. You need to plan where you will try to include these in your discussion. Rachel uses the conditional when giving her opinions of what she would like to do (*je voudrais faire encore plus*) and the imperfect to describe what it was like there (*c'était vraiment dégoûlant*).

◆ **reflexive verbs** (*je me brosse les dents, je me douche, je m'intéresse*)

◆ a range of **negative expressions**. How many can you find in Rachel's discussion?

 For a really impressive answer, you will need to make sure that you:

◆ include an example of *pour* + **the infinitive**. Where does Rachel use this?

◆ use the **pronoun y** meaning 'there', *pour les encourager à y aller en vélo*

◆ use the **construction ni … ni …**, meaning 'neither … nor …'. Notice where Rachel uses this.

Brille à l'oral!

◆ Impress the examiner by using the conditional of a modal verb plus the infinitive for a memorable ending to your discussion. For example: *l'environnement, c'est la responsabilité de tous et tout le monde **devrait contribuer** à sa protection.*

Controlled assessment practice

Un problème environnemental

Madame/Monsieur

Il y a quelques jours, je suis allé faire un pique-nique avec ma famille au lac des Roseaux. C'était ma première visite au lac et j'ai été choqué par ce que j'ai vu.

Il y avait des déchets partout sur l'herbe: des papiers, des boîtes en aluminium, des bouteilles, des emballages de fast-food, etc. C'était dégoûtant. Moi, je voulais aller à la pêche, mais le lac était trop sale et j'ai vu plusieurs poissons morts. À mon avis, c'est à cause des jet-skis et des bateaux de ski nautique qui ont pollué l'eau.

C'est un désastre environnemental et il faut qu'on fasse quelque chose. Le week-end prochain, mes amis et moi, on ira au lac et on ramassera tous les déchets. On recyclera les boîtes, les bouteilles, le papier, etc., et on jettera le reste. Mais que fera l'administration locale?

Premièrement, il faut arrêter les jet-skieurs et les skieurs nautiques. Si on ne fait pas ça, la pollution de l'eau continuera et il n'y aura plus de poissons.

Deuxièmement, il est important pour la conservation de protéger d'autres espèces aussi, comme les grenouilles et les oiseaux aquatiques. On pourrait installer un panneau qui dirait «ne pas déranger les animaux et les oiseaux».

Troisièmement, il faut installer beaucoup de poubelles autour du lac. Si on créait aussi un centre de recyclage, il serait facile pour les gens de recycler les déchets.

Finalement, on devrait nettoyer régulièrement le lac.

Si on fait tout ça, le lac des Roseaux deviendra un site pittoresque qui attirera beaucoup de gens.

Nicolas Godard

> d'autres espèces – other species
> les grenouilles (f) – frogs
> qui attirera – which will attract

---

1 **Find the French equivalent of these phrases in the text and copy them out.**

1 a few days ago
2 I was shocked by what I saw
3 everywhere on the grass
4 it was disgusting
5 we must do something
6 the local council
7 we could put up a sign which would say
8 do not disturb the animals and the birds
9 we should clean the lake regularly
10 will become a picturesque spot

2 **Which phrases from exercise 1 are in …**

1 the imperfect tense?
2 the conditional?
3 the future tense?

How many other examples of these three tenses can you find in Nicolas's text?

3 **Find the four correct statements.**

1 Nicolas had been to the lake before.
2 There was a lot of rubbish on the ground.
3 He went fishing in the lake.
4 He thinks the lake has been polluted by factories.
5 He wants the local council to stop water sports on the lake.
6 He also wants the wildlife to be protected.
7 He thinks there should be lots of rubbish bins around the lake.
8 Nicolas says he and his friends will clean the place regularly.

4 You might be asked to write about environmental problems as a controlled assessment task. Use ResultsPlus to help you prepare.

ResultsPlus

 To produce a good answer, you need to use key tenses correctly. Look at how Nicolas does this.
- ◆ He uses the **perfect tense** to say when he went to the lake and to describe his reaction to what he saw.
- ◆ He uses the **future tense** to say what he and his friends will do next weekend and what will happen if the council takes up all of his suggestions.
- ◆ He also uses *Il faut* + **infinitive** to say what must be done.

 To go a step further, you should use the imperfect tense and the conditional, as well as a range of connectives, time and frequency expressions.
- ◆ Look at how Nicolas uses the **imperfect tense** to describe what the lake was like when he visited it.
- ◆ Look at how he uses the **conditional** to say what could or should be done, using *on pourrait* and *on devrait*.
- ◆ Try using *premièrement, deuxièmement, troisièmement, finalement* to create an interesting structure, as Nicolas has done.

 For a really impressive answer:
- ◆ include **adverbs**. As well as *régulièrement*, you could use *complètement* (completely), *vraiment* (really), *malheureusement* (unfortunately), *personnellement* (personally), *bien* (well) and *mal* (badly).
- ◆ use **relative pronouns**. Nicolas uses *qui* to explain who or what has polluted the water and to describe what the lake will become if the council follows his advice.

Brille à l'écrit!
- ◆ Include the expression *Il faut qu'on fasse quelque chose* (We must do something), like Nicolas. The verb is in the subjunctive mood. Find out what this is from a grammar book – or ask your teacher!

5 Now write a letter to a French newspaper about an environmental problem or problems you have seen during a visit to France (it can be imaginary if you wish).

- You could write about a single problem, as Nicolas has done, or write about a number of environmental issues in an area you have visited. Adapt phrases from Nicolas's text.
- Write in paragraphs. Give your text a clear and logical structure (see the blue box).
- Here are some useful phrases for your concluding paragraph:
  j'espère que – I hope that
  espérons que – let's hope that
  bientôt – soon
  améliorer la situation – to improve the situation
  résoudre le problème – to solve the problem.

Introduction

Say how the problem came to your attention. Did you witness it yourself (as Nicolas did), did you read about it or did you see something on television?
Say when you first came across the problem and where.
Give your reactions to what you saw, read or heard.

Main paragraphs

Say what you personally are going to do about it.
Say what you want other people to do.
Say what must, could or should be done.

Conclusion

Finish on a positive note, summarising your hopes.

Check what you have written carefully. Check:
- spelling and accents (especially tricky words, like *régulièrement*)
- gender and agreement (e.g. adjectives, past participles of *être* verbs)
- verb endings for the different persons: *je/on/il/elle*, etc.
- formation of all tenses, but especially the perfect tense, which has two parts: have you included the part of *avoir* or *être*?

Les problèmes mondiaux

World problems

Le plus grand problème du monde, c'est …	*The biggest problem in the world is …*
le SIDA	*AIDS*
le terrorisme	*terrorism*
le réchauffement de la planète	*global warming*
la faim	*hunger*
la guerre	*war*
la pauvreté	*poverty*
l'Afrique (f)	*Africa*
l'Inde (f)	*India*
les pays (m) en voie de développement	*developing countries*
les produits issus du commerce (m) équitable	*fair trade products*
la famine	*famine*
la paix	*peace*
la sécurité	*safety*
les médicaments (m)	*medicine*
On devrait …	*We should …*
On pourrait …	*We could …*
Il faut …	*We must …*
collecter de l'argent	*collect money*
combattre le SIDA	*fight AIDS*
donner de l'argent aux bonnes causes	*give money to charity*
écrire au gouvernement	*write to the government*
faire quelque chose	*do something*
organiser des événements	*organise events*
parrainer un enfant	*sponsor a child*

Les problèmes locaux

Local problems

Ce qui est bien/nul, c'est …	*The good/bad thing is …*
On ne peut pas respirer à cause de la pollution.	*You can't breathe because of the pollution.*
Il n'y a qu'un bus par jour.	*There's only one bus a day.*
Il n'y a plus de cinéma.	*There's no longer a cinema.*
Le club des jeunes est fermé.	*The youth club is closed.*
Il n'y a ni poubelles ni centres de recyclage.	*There are neither rubbish bins nor recycling points.*
On jette des déchets par terre.	*Rubbish is thrown on the ground.*
Les jeunes n'ont rien à faire.	*Young people have nothing to do.*
On ne voit personne.	*You don't see anyone.*
La police ne vient jamais.	*The police never come.*
Il n'y a aucun travail.	*There's no work.*
Beaucoup de gens sont au chômage.	*Lots of people are unemployed.*
le camion	*lorry*
la criminalité	*crime*
la circulation	*traffic*
la zone piétonne	*pedestrian precinct*
les distractions (f)	*entertainment*
les embouteillages (m)	*traffic jams*
les heures (f) de pointe	*rush hour*
les transports (m) en commun	*public transport*
le quartier	*district, part of town*
la maison individuelle	*detached house*
la maison jumelle	*semi-detached house*
l'HLM (habitation à loyer modéré) (f)	*council flat/house*
bruyant(e)	*noisy*
dangereux/euse	*dangerous*
pollué(e)	*polluted*
propre	*clean*
rapide	*fast*
sale	*dirty*
tranquille	*quiet*

L'environnement — *The environment*

Il faut …	*We must …*	détruire la couche d'ozone	*destroy the ozone layer*
éteindre la lumière	*switch off the light*	empoisonner la terre	*poison the earth*
baisser le chauffage central	*turn down the central heating*	utiliser trop les voitures	*use cars too much*
		le carton	*cardboard*
acheter des produits bios/verts	*buy organic/ environmentally friendly products*	le frigo	*fridge*
		les gaz (m) d'échappement	*exhaust fumes*
		le journal	*newspaper*
recycler	*recycle*	le recyclage	*recycling*
Il ne faut pas …	*We mustn't …*	le sac en plastique/toile	*plastic/cloth bag*
gaspiller l'énergie	*waste energy*	le verre	*glass*
laisser le robinet ouvert	*leave the tap running*	la boîte	*can, tin*
utiliser trop d'emballages	*use too much packaging*		

Pour changer la situation — *To change the situation*

Je me douche au lieu de me baigner.	*I take a shower instead of a bath.*
Je partage la voiture avec trois autres.	*I share the car with three others.*
J'ai recyclé mon portable.	*I recycled my mobile.*
On a installé des containers pour le verre.	*We installed containers for glass.*
On a construit un petit parc.	*We made a little park.*
On a créé un espace vert/une zone piétonne.	*We created a green space/a pedestrian precinct.*
On recyclera/utilisera/éteindra …	*We will recycle/use/switch off …*
On ne gaspillera pas …	*We won't waste …*

À la une — *In the headlines*

le désastre	*disaster*	la vie marine	*marine life*
le feu	*fire*	un manque de pluie depuis dix mois	*a lack of rain for 10 months*
l'ouragan (m)	*hurricane*		
la fuite	*leak, spillage*	sec/sèche	*dry*
l'incendie (m)	*fire*	plusieurs	*several*
l'inondation (f)	*flood*	des centaines (f) de	*hundreds of*
la sécheresse	*drought*	les dégâts (m)	*damage*
la conservation	*conservation*	les espèces (f) en voie d'extinction	*endangered species*
l'arbre (m)	*tree*		
la forêt	*forest*	détruit(e) par	*destroyed by*
le paysage	*countryside*	dévasté(e) par	*devastated by*
la côte	*coast*	inondé(e) par	*flooded by*
la mer	*sea*	menacé(e) de	*threatened by*
le pétrole	*crude oil*	tué(e) par	*killed by*

lire 1 Qui est … ? Trouvez le métier de chaque personne.

> architecte
> coiffeuse
> comptable
> hôtesse de l'air
> journaliste
>
> médecin
> photographe
> secrétaire
> serveuse
> standardiste

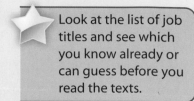

Look at the list of job titles and see which you know already or can guess before you read the texts.

1
Géraldine, la mère de Patrice, travaille dans un cabinet médical. Elle reçoit et examine les malades. Elle leur prescrit un traitement, si besoin.

2
M. Bouleau, le père de Nicolas, passe son temps à écrire et à voyager. Il travaille pour un journal.

3
Marie-Claude, la grande sœur d'Alice, travaille chez Air France. Elle s'occupe de la sécurité et du bien-être des voyageurs durant le vol.

4
Richard, le père de Marc, travaille avec plusieurs types d'appareils. Il utilise aussi bien des films et des négatifs que des clés USB et une imprimante.

5
Corinne, la mère de Hugo, travaille dans un salon. Elle coupe les cheveux, elle fait des couleurs, des mèches et des mises en plis.

6
Mathieu, le père de Damien, travaille sur ordinateur. Il crée les plans des bâtiments à construire.

7
Mme Hiver, la mère de Valentin, travaille dans une grande entreprise. Elle répond au téléphone et passe les appels aux personnes demandées.

lire 2 Trouvez les mots/les phrases dans les textes.

1   2   3   4

écrire 3 Décrivez la famille de Théo.

Exemple: Le grand-père de Théo est suisse. Il est agriculteur.

Théo

4 Lisez le texte et mettez les images dans le bon ordre.

Lundi soir, je suis allé à l'entraînement de karaté après l'école. Mardi soir, j'ai fait une balade à vélo dans les bois avec mes copains. Mercredi matin, je suis allé en ville avec ma copine pour faire du lèche-vitrines et retrouver des amis. L'après-midi, nous sommes allés à la piscine et le soir, nous sommes allés au cinéma. Le lendemain était jour de congé. Il a plu toute la journée, donc je suis resté à la maison. J'ai joué du piano, j'ai lu des magazines et j'ai regardé une série à la télé. C'était débile. Puis j'ai envoyé un texto à ma copine pour lui demander de venir chez moi. Vendredi, on a fait le pont, c'est-à-dire: comme jeudi était jour de congé, on nous a donné vendredi comme jour de congé aussi! Super … un jour en plus! Le matin, je suis allé retrouver les autres en ville. Nous avons mangé dans un fast-food et puis nous sommes allés dans le parc où j'ai fait du skate. Après ça, nous sommes rentrés et nous avons regardé un DVD. Samedi, comme il n'y avait pas d'école, j'ai fait la grasse matinée. L'après-midi, j'ai joué au basket et le soir, j'ai envoyé un e-mail. Et dimanche? J'ai dû faire les devoirs que je n'avais pas faits dans la semaine et j'ai dû bosser pour préparer un devoir sur table en maths! **Sébastien**

a b c d e f

5 Trouvez la bonne définition.

1 «faire du lèche-vitrines» signifie
  a acheter beaucoup de choses
  b sucer une sucette
  c regarder les étalages et les magasins

2 «le lendemain» veut dire
  a le jour qui précède le jour mentionné
  b le jour qui suit le jour mentionné
  c le même jour dans une semaine

3 «c'était débile» signifie
  a c'était intéressant
  b c'était génial
  c c'était stupide

4 «faire la grasse matinée» veut dire
  a rester au lit jusqu'à midi
  b manger beaucoup de graisse (huile, beurre, crème, etc.)
  c manger le matin et jeûner le reste de la journée

5 «faire le pont» c'est
  a traverser un fleuve ou une rivière
  b prendre un jour de congé supplémentaire
  c faire un pique-nique

6 «un e-mail»
  a un message laissé sur un répondeur
  b un SMS envoyé par un portable
  c un message envoyé par voie électronique

7 «bosser» veut dire
  a passer un examen
  b travailler dur
  c être chef

un devoir sur table – class test

6 Qu'est-ce que tu as fait la semaine dernière?

Lundi soir, je suis allé(e) … et j'ai …

lire 1 Lisez les annonces et trouvez les abréviations.

A

PALAIS DES CONGRÈS

(1813 places) Place de la porte Maillot (17e). M° Porte Maillot. 01.40.68.00.05

À 20h30 Mar, Mer, Jeu, Ven. À 21h Sam. À 15h Dim. Spectacle en anglais, surtitré en français. Pl.: 34€ à 78€. Du 21 juin au 3 juillet.

Mamma mia!

Comédie musicale de Benny Andersson et Björn Ulvaeus. Une mère. Une fille. Trois hommes … Qui est le père? Une comédie irrésistible d'après les chansons d'Abba.

B

Cirque Diana Moreno Bormann

112 rue de la Haie Coq (19e). 01.48.39.04.47 et 06.10.71.83.50 (résa). Pl: 10€ à 30€. Ven: 20€. Gratuit jusqu'à 4 ans (sf gpes). Tarif gpes sur demande. Bus 65 (direction Porte d'Aubervilliers) arrêt Place Skanderbeg ou PC 3 arrêt Porte d'Aubervilliers. Mer, Sam, Dim 15h, Ven 20h45. **Ça, c'est du cirque:** spectacle de cirque traditionnel avec tigres, éléphants, autruches, zèbres, chameaux, chiens dressés, mais aussi acrobates, trapézistes, funambules, clowns et numéro de colombes.

C

SON ET LUMIÈRES

Spectacle historique de Montfort

Cavaliers, chanteurs, danseurs, figurants … font revivre en 10 tableaux l'histoire de cette ville. Les 17, 18, 24, 25 juin, 1er, 2 et 3 juillet à la tombée de la nuit (vers 22h30). Entrée: 15€ – 12 ans: 6€. Repas champêtre au château: 17€– de 12 ans: 10,50€. **Château des Cèdres**, 4 rue de l'Église 93-Montfort. Rens. et résa: 01.41.70.70.80.

D

Pop-rock

Café de la danse

5 passage Louis Philippe (11e). M° Bastille. 01.47.00.57.59. **Camille**, chanson. Du Mar 14 au Jeu 16, 20h (**complet**). **Fisherspooner**, électro: Ven 17, 20h. Pl: 26, 40€. **13 and God + Demotic**, électro: Sam 18, 19h30. Pl: 20€.

1 vendredi   *Ven*
2 dimanche
3 places
4 groupes
5 réservations
6 premier
7 moins de douze ans
8 métro

You will not be allowed to use a dictionary in the exam, so use all your reading strategies to help you understand new words:

- Look for (near-)cognates (e.g. *cirque*).
- Use context to work out meanings (e.g *d'après les **chansons** d'Abba*).
- Use logic (e.g. *Du Mar 14 au Jeu 16, 20h (**complet**)*. Why are no prices given for these dates, as they are for the next day? What word in English does *complet* remind you of? What might it mean here?)

lire 2 Relisez les annonces et répondez aux questions en anglais.

1 At what time on a Wednesday is the performance of *Mamma mia!*?
2 On which day of the week is there no performance of this show?
3 This show is based on the songs of which pop group?
4 The circus is free for children up to what age?
5 Name four types of animal you could see at this circus.
6 How much is the entrance fee to the Sound and Light show for children under 12?
7 In which building does the meal at this show take place?
8 The Sound and Light show starts at nightfall. When is this, according to the advert?
9 What is the name of the nearest métro (underground) station to the Café de la danse?
10 Why is there no point in trying to see Camille at the Café de la danse?

écrire 3 Écrivez une annonce en utilisant les détails suivants. Utilisez des abréviation appropriées.

Club Paradis, 64 rue de l'Étoile
Nearest métro station Saint-Michel   Ticket reservations: 01.35.66.00.23
Coldplay: Wednesday 21 to Saturday 24, 8.30 p.m. (full)
Robbie Williams: Monday 27 to Thursday 30, 9.00 p.m.
Tickets 25€

lire 4 Lisez les phrases. Notez la lettre de la bonne annonce de l'exercice 1.

1 Ce genre de musique n'est pas mon truc, mais l'entrée n'était pas trop chère, seulement vingt euros – et on a beaucoup dansé quand même.

2 Je trouve ça un peu cruel de voir des animaux qui ne sont pas en liberté, mais les trapézistes étaient impressionnants.

3 J'ai beaucoup aimé les chansons et l'actrice qui jouait le rôle de la mère était très douée.

4 Malheureusement, il n'y avait pas de places le jeudi. C'était complet.

5 Je ne m'intéresse pas beaucoup à l'histoire, mais c'était sympa de manger dans l'ambiance du château.

6 C'était gratuit pour ma petite sœur parce qu'elle a seulement trois ans et demi.

7 Il s'agit d'une fille qui veut découvrir qui est son père.

8 Il a commencé assez tard – vers dix heures et demie du soir – et il y avait des chanteurs, des danseurs et beaucoup d'autres choses.

lire 5 Trouvez la seconde partie de chaque phrase.

1 Samedi dernier, je suis allé …
2 On a vu une comédie …
3 L'entrée était …
4 Le spectacle a commencé à 20 heures et …
5 Il s'agit d'une fille qui s'appelle Sandy, qui tombe …
6 L'acteur qui jouait …
7 D'habitude, je n'aime pas les …

a le rôle principal était très drôle.
b au théâtre avec ma famille.
c comédies musicales, mais je me suis bien amusé.
d assez chère – 35€ par personne.
e amoureuse d'un garçon qui s'appelle Danny.
f musicale, qui s'appelle *Greuse*.
g il a fini vers 22 heures 15.

écrire 6 Écrivez une description d'une visite à un des divertissements de l'exercice 1, page 184. Utilisez des phrases des exercices 4 et 5 ci-dessus, si vous voulez.

Mentionnez:
● où vous êtes allé(e), quand et avec qui
● le prix des billets
● l'heure
● de quoi il s'agit ou ce que vous y avez fait
● si vous vous êtes amusé(s): pourquoi?

lire 1 Trouvez les mots dans le texte.

Maison à vendre

Propriété pleine de charme située dans un cadre très calme et naturel avec superbe vue panoramique, sur un terrain de 20 000m² à proximité du centre du village et des commerces.

Au rez-de-chaussée: cuisine aménagée, grand salon avec cheminée, WC indépendants, garage, buanderie

À l'étage: une chambre avec salle d'eau attenante (douche + WC), deux chambres, salle de douche, WC indépendants

Grand jardin

1 surroundings	7 fitted kitchen
2 view	8 fireplace
3 property	9 laundry/utility room
4 near	10 en-suite bathroom
5 shops	11 shower room
6 ground floor	12 separate toilet

écrire 2 Écrivez une annonce: *Maison à vendre ...*

écrire 3 Faites une annonce pour votre maison.

4 Lisez le texte. Écrivez V (Vrai), F (Faux) ou ? (pas mentionné).

La Normandie

Le nom de la région signifie «hommes du nord» et vient de l'anglais «North men» ou Vikings parce que la région a été colonisée par les Vikings. Guillaume le Conquérant était duc de Normandie.

C'est une région humide et tempérée, où il ne fait ni très chaud ni très froid. À cause du climat, la région est très fertile et le paysage est vert et pittoresque. Les fermes traditionnelles sont à colombages, avec un toit en chaume. Les activités principales sont l'élevage de vaches et la production de lait pour la fabrication de beurre et de fromages, comme le camembert, ainsi que la culture des pommes pour la fabrication d'eaux-de-vie comme le calvados. L'agriculture reste une activité importante dans la région. L'un des desserts régionaux typiques est la tarte aux pommes.

On y trouve aussi une centrale nucléaire importante et plusieurs sites pétroliers.

Le port du Havre est la capitale administrative de la région, mais la ville de Rouen est probablement plus connue. La place du Vieux Marché en centre-ville marque l'endroit où on a brûlé Jeanne d'Arc. La ville, qui est traversée par la Seine, était autrefois un port très important. Aujourd'hui, le port est moins important, mais la ville est très fréquentée par les touristes anglais qui viennent admirer la cathédrale, visiter les musées, dîner dans les restaurants et se promener dans le vieux quartier.

à colombages – half-timbered
le chaume – thatch
l'élevage (m) de vaches – cattle rearing
ainsi que – as well as
la centrale nucléaire – nuclear power station

1 Les Vikings ont donné leur nom à la région. V
2 La capitale est Rouen. ?
3 Il fait froid en hiver et chaud en été. F
4 Un grand fleuve traverse la région. ?
5 Rouen est un port important. F
6 La région est connue pour son agriculture, son fromage et ses pommiers. T
7 Jeanne d'Arc a été brûlée au Havre. T
8 Le Havre est le port le plus important du nord de la France. F

5 Écrivez un texte sur une région que vous connaissez.

(La Région des lacs) est situé(e) ...
La région a été (fondée/colonisée par les Romains). C'est une région (agricole) ...
Le paysage est (pittoresque) ...
Les maisons traditionnelles sont (petites) ...
La ville la plus importante s'appelle ... C'est une ville .....

6 Lisez le texte et répondez aux questions.

J'aime la Normandie. J'y suis allé en vacances en famille. L'année dernière, nous avons loué un gîte dans une ancienne ferme à la campagne pour deux semaines. D'abord, nous sommes allés à Bayeux pour voir la Tapisserie et puis aux Plages du Débarquement de 1944. Quand il faisait beau, nous avons passé des journées entières sur la plage et nous avons fait des pique-niques et des balades en vélo. Un jour, il a fait moins beau, alors nous avons fait un tour de la région en voiture. Nous sommes allés à Rouen pour voir la Grosse Horloge et la cathédrale et puis à Giverny pour admirer les jardins et les peintures de Claude Monet.

1 Où est-il allé en vacances, avec qui, quand et pendant combien de temps?
2 Qu'est-ce qu'ils ont vu?
3 Qu'est-ce qu'ils ont fait quand il faisait beau et le jour où il a plu?
4 Comment a-t-il trouvé les vacances, à votre avis?

1 Lisez la publicité du magasin, puis trouvez l'équivalent français des mots et expressions en anglais.

1 summer sale
2 rock-bottom prices
3 15% reduction
4 open
5 except Sunday
6 opening times
7 closed

Soldes d'été chez Monachat Aimé

Prix plancher au mois de juillet!

Rabais de 15% sur:
Tee-shirts (homme/femme) 6€
Shorts pour homme 10,90€
Maillots de bain – pour hommes 5€
– pour femmes 6,50€

Jupes coton 12€

Ouvert tous les jours
sauf dimanche
Heures d'ouverture:
9h–18h
(fermé du 2 au 15 août)

2 Imaginez que vous voulez aller chez Monachat Aimé pour acheter des vêtements pour vos vacances en Espagne. Écrivez un e-mail à un copain/une copine français(e). Mentionnez:

● ce que vous voulez faire
● quand vous voulez y aller et pourquoi
● ce que vous allez acheter
● combien ça va coûter.

Invitez votre copain/copine à vous accompagner.

You could use:
● **je veux** + infinitive to say what you want to do *or*
● **je voudrais** + infinitive to say what you would like to do, *plus*
● **aller** + infinitive to say what you are going to do.

 3 Lisez la publicité. Imaginez que vous allez faire un pique-nique avec quatre ami(e)s. Écrivez une liste de ce que vous allez acheter. Vous avez un budget de 20€!

CHARCUTERIE LIBRE-SERVICE

4,58€
JAMBON DE BAYONNE
la barquette de 8 tranches (160 g)

RAYON PÂTISSERIE
LES 2 TARTELETTES

1,75€
2 tartelettes aux fraises

TRAITEUR

5,28€
SALADE NIÇOISE AU THON STAVALEN
le kilo
Thon, tomates, haricots, poivrons rouges, artichauts, œufs

BOISSONS D'ÉTÉ

1,47€
PUR JUS D'ANANAS
la brique de 1 litre
le distributeur de 10 boîtes de 33 cl dont 1 gratuite

3,56€
BOISSON RAFRAÎCHISSANTE COCA-COLA

CRÉMERIE

3,35€
YAOURTS AUX FRUITS SUCRÉS
le pack de 16 pots de 125 g (2 kg)
avec une réduction immédiate de 0,50€
le prix indiqué tient compte de la réduction

2,13€
CHIPS CROUSTILLANTES & FINEMENT SALÉES VICO
le lot de 2 paquets de 150 g

 4 Faites une liste des nouveaux mots utiles dans la publicité ci-dessus et traduisez-les en anglais.

5 Regardez l'horaire des trains. Pour chaque phrase ci-dessous, écrivez V (Vrai), F (Faux) ou PM (Pas Mentionné).

numéro de train		3139	50437	3141
notes à consulter		*12*	*9*	*13*
		🍷 ♿ 🚲	🚲	🍷 ♿
Paris-St-Lazare	Dép.	12.40	–	13.45
Rouen-Rive-Droite	Arr.	13.46	–	14.55
Rouen-Rive-Droite	Dép.	13.48	14.18	14.57
Le Havre	Arr.	14.38	15.13	15.46

🍷 Bar ou vente ambulante

🚲 Train acceptant les vélos

♿ Place(s) handicapés

Jours de circulation et services disponibles
9 tous les jours sauf les sam, dim et fêtes
12 tous les jours sauf les dim et sauf les 15 août et 1er nov.
13 les sam et les 14 juil., 15 août et 11 nov.

1 Il y a un train de Paris à Rouen qui part à 12h40.
2 Ce train arrive à Rouen à 13h48.
3 On peut acheter quelque chose à boire dans ce train.
4 Il y a aussi un restaurant dans le train.
5 On peut emporter son vélo dans ce train.
6 Il n'y a pas de train à 12h40 le samedi.
7 Il y a des places pour handicapés dans le train de 14h18.
8 On peut prendre le train de 13h45 le 14 juillet.

6 Regardez les images qui racontent un voyage désastreux. Trouvez le bon texte pour chaque image. Ensuite, traduisez les 14 phrases en bleu. Utilisez un dictionnaire si nécessaire.

1
2
3
4
5
6
7

a
Notre avion est parti avec un retard de trois heures et le vol était complet. C'était désagréable parce qu'il faisait très chaud et je me sentais malade.

b
Mais ce n'est pas tout! Notre voiture est tombée en panne sur l'autoroute et le mécanicien a mis une heure pour la réparer. C'était la panique!

c
Il y a deux ans, ma famille et moi sommes partis en vacances en Espagne. Le jour de notre départ, notre taxi pour l'aéroport n'est pas venu parce qu'il avait un pneu crevé.

d
On est enfin arrivés à notre hôtel à deux heures du matin et on s'est couchés tout de suite parce qu'on était morts de fatigue. Quel voyage désastreux!

e
Puis, quand on est enfin arrivés à l'aéroport, il y avait des queues énormes à cause d'une grève des bagagistes. Quelle horreur!

f
Donc on est partis en voiture. Mais il y a eu un accident au rond-point. Une moto roulait trop vite, elle est montée sur le trottoir et elle a heurté un arbre. Heureusement que personne n'a été blessé.

1 Lisez le texte sur les droits (*rights*) et les devoirs (*duties*) des élèves dans une école. Ils ont transgressé quel article?

1 Chloé a refusé d'aider Thomas.
2 Medhi a utilisé son portable en cours.
3 Louis a dit que Damien était idiot.
4 Alexandra est arrivée en retard à l'école.
5 Sébastien a apporté un couteau à l'école.
6 Yasmina a perdu son livre de maths.
7 Blanche s'est moquée d'Arthur.
8 Karim a fait trop de bruit en cours d'anglais.

You don't need to understand everything, so don't waste time looking up every new word. Only look up the words you need to know to do the exercises.

2 Que dit le professeur à chaque personne de l'exercice 1? Utilisez *il faut* ou *il ne faut pas*.

Exemple: 1 Chloé, il faut aider les autres.

Les règles de la vie de classe

Les ***droits*** et ***devoirs*** d'écoliers.

ARTICLE 1
Nous avons le ***droit*** d'être respecté et le ***devoir*** de respecter les autres.
(s'écouter, ne pas s'insulter, ne pas se moquer, ne pas se battre …)

ARTICLE 2
Nous avons le ***droit*** d'avoir du matériel pour travailler et le ***devoir*** d'en prendre soin.
(prendre soin de ses affaires et de celles de la classe)

ARTICLE 3
Nous avons le ***droit*** d'aller à l'école et le ***devoir*** de travailler de notre mieux.
(être à l'heure, écouter les consignes, apprendre ses leçons, soigner son travail)

ARTICLE 4
Nous avons le ***droit*** d'apprendre dans de bonnes conditions et le ***devoir*** de laisser travailler la classe.
(se déplacer en silence, demander la parole, chuchoter avec son voisin, ne pas faire sonner sa montre)

ARTICLE 5
Nous avons le ***droit*** d'être aidé et le ***devoir*** d'aider les autres.
(partager ce que l'on sait et demander ce que l'on ne sait pas, s'entraider, coopérer)

ARTICLE 6
Nous avons le ***droit*** d'être en sécurité à l'école et le ***devoir*** de ne pas mettre en danger les autres.
(ne pas agresser les autres, ne pas apporter d'objets dangereux, ne pas jouer ou courir dans les couloirs)

3 Écrivez une liste des droits et des devoirs dans votre collège.

Follow the model of the text above:

● Use the **nous** form: **nous avons le droit de** + infinitive … **et le devoir de** + infinitive.
● Use the infinitive to give examples for each article: **écouter le professeur**, **ne pas faire l'idiot en cours** …

J'étudie les arts plastiques

C'est en rentrant en seconde que j'ai choisi d'aller à Annecy pour prendre l'option arts plastiques au lycée et pouvoir ainsi faire du dessin six heures par semaine et en savoir plus sur l'histoire de l'art.

Comme j'habite loin, je suis interne. Peut-être que tu as déjà vécu cette expérience, mais je trouve qu'au début, c'est difficile de s'habituer à l'internat. Heureusement, je me suis rapidement fait des amies, à commencer par les deux filles qui partagent ma chambre.

La semaine de cours débute le lundi matin à huit heures, c'est pourquoi je me lève à sept heures. Comme je suis interne, j'ai de la chance. Je peux me réveiller bien plus tard que mes amis qui sont externes et qui habitent loin. Vers sept heures et demie, quand mes colocataires et moi-même sommes prêtes, nous descendons au self prendre le petit déjeuner et à huit heures nous filons en cours. Mon premier cours de la journée, c'est un cours d'arts plastiques, pendant quatre heures d'affilée! Heureusement, tout le monde dans la classe apprécie ce cours. Ainsi, chaque élève fait ce qu'il a à faire et tout se déroule dans la bonne humeur.

Mais déjà midi sonne. Tous les élèves se précipitent pour aller manger au self. Les menus varient chaque jour de la semaine et, en règle générale, ils ne sont pas trop mauvais. Le pire menu? Les épinards! Et le meilleur certainement les frites car bien sûr, tout le monde aime les frites! Comme les cours ne reprennent qu'à treize heures trente, nous avons donc le temps de faire du sport: badminton, danse, aviron, escalade, basket, volley et plein d'autres encore.

Afin d'éviter d'être en retard au cours suivant, nous rentrons au lycée au pas de course. C'est le français. Pour les élèves, c'est un défi de rester réveillé. Je caricature un petit peu, comme tous les élèves du monde le font avec leurs profs, n'est-ce pas? Car il faut avouer que le cours reste toutefois supportable! Ensuite, il faut aller en anglais où le prof nous attend pour aborder l'étude d'un extrait de roman, d'un film ou d'une chanson. La sonnerie de trois heures et demie retentit et les cours sont terminés pour la classe de première littéraire. **Alizée**

 4 Trouvez la bonne définition.

1	aviron	a	participe passé de «vivre»
2	colocataire	b	élève logé et nourri dans un établissement scolaire
3	externe	c	la peinture et la sculpture
4	internat	d	élève qui n'habite pas dans l'établissement scolaire
5	interne	e	établissement où les élèves peuvent loger
6	les arts plastiques	f	personne qui partage un logement
7	vécu	g	sport de canotage

 5 Relisez et répondez en anglais.

1 About how old do you think Alizée is?
2 What do you think her favourite subject is?
3 What day is she writing about?
4 Suggest two reasons why she might consider herself lucky.
5 What do you think she thinks of her lessons in general?
6 How would you describe the writing: formal? chatty? businesslike? journalistic? Give two examples from the letter to justify your choice.

6 Relisez et trouvez les mots.

Read the text again and make a list of the opening word or phrase in each sentence. What do they mean? If you don't know, look them up.

 7 Écrivez un paragraphe.

Write a short paragraph in a similar style about a day at your school. Try to use at least four of the opening words or phrases.

1 Lisez les deux textes et répondez aux questions en anglais.

Je travaille de 2h à 10h et de 17h à 20h, cinq jours par semaine. Quand on aime son travail, on ne compte pas. C'est qu'avec mes six employés, je dois fournir chaque jour 600 baguettes «Tradition d'antan», c'est-à-dire d'un style traditionnel. C'est notre spécialité. La qualité du pain, c'est une condition indispensable pour tous mes clients.

Je suis fille d'infirmière et j'ai finalement décidé de suivre le chemin de ma mère – c'est un virus! Je travaille actuellement à temps partiel parce que je réserve mes mercredis pour m'occuper de mon fils de quatre ans. Je gagne 1400€ mensuels pour mon travail (souvent week-ends compris). J'aime la bonne ambiance avec mes collègues et le contact avec les patients.

Pascal, boulanger-pâtissier

Cécile, infirmière

Who ...

1 works part-time?
2 works 11 hours a day?
3 often works weekends?
4 likes the good atmosphere at work?
5 works as part of a team of seven?
6 followed in his/her mother's footsteps?
7 believes quality is essential to customers?
8 doesn't count the hours because of a love for his/her work?
9 has a four-year-old son?
10 doesn't work in the afternoons?

2 Répondez aux questions pour Pascal et Cécile.

Pascal, ...

1 quels sont vos horaires de travail?
2 vous avez combien d'employés?
3 vous devez faire combien de baguettes par jour?

Cécile, ...

4 que fait votre mère comme métier?
5 pourquoi vous ne travaillez pas le mercredi?
6 quel est votre salaire?

3 Vous lisez cette annonce dans un journal français. Écrivez une lettre en posant votre candidature, comme à la page 115. Utilisez les détails ci-dessous.

Madame/Monsieur,

J'ai vu votre annonce dans le journal d'hier et je voudrais poser ma candidature pour une formation de cascadeur/cascadeuse ...

ACTION TRAINING ÉCOLE DE CASCADE

POUR LE CINÉMA. T.V. ÉVÉNEMENTIEL
DEVENEZ CASCADEUR

Combats – Explosifs (Pyrotechnie – FX) – Armes à feu – Armes blanches

Percussions humaines – Défenestrations – Torches humaines

Ceci n'est pas une offre d'emploi

Intérêts: films d'action, arts martiaux
membre du club dramatique au collège
judo, kickboxing, musculation
Qualités personnelles: en forme, discipliné(e), courageux/courageuse

4 Lisez les textes et répondez aux questions en français.

En France, on n'a pas le droit de travailler avant seize ans. Mais mon correspondant anglais, Ben, a déjà un petit boulot. Il livre des journaux dans les rues près de chez lui. Il doit se lever très tôt – vers six heures du matin – pour faire ça avant d'aller au collège. D'abord, il lui faut aller chercher les journaux à la papeterie, puis il fait ses livraisons à vélo. Ça lui prend une heure et il fait ça sept jours sur sept. Il dit que c'est souvent très fatigant. Cependant, il est assez bien payé; il gagne trente livres par semaine et à Noël, il reçoit un pourboire de certains de ses clients. Malgré cela, je ne voudrais pas faire un tel travail, surtout en hiver ou quand il pleut. De plus, je n'aimerais pas me lever de si bonne heure. Je préférerais rester au lit!
Abdul

Ma correspondante britannique, Kirsty, m'a dit qu'elle venait de commencer un nouveau petit job. Elle travaille le samedi dans un supermarché qui se trouve pas loin de chez elle. Elle doit ranger les produits et remplir les rayons. Elle dit que c'est un peu ennuyeux, bien qu'elle trouve les gens avec qui elle travaille assez sympa. Le pire pour elle est de devoir travailler dans les rayons de viande parce qu'elle est végétarienne et ça lui donne mal au cœur! Je voudrais bien avoir un petit travail comme ça parce que je m'ennuie toujours le samedi et j'aimerais bien gagner un peu d'argent pour partir en vacances.
Laure

1 Pourquoi Ben doit-il se lever à six heures du matin?
2 Qu'est-ce qu'il doit faire avant de livrer les journaux?
3 Comment trouve-t-il son petit boulot?
4 Combien d'argent Ben gagne-t-il?
5 Pourquoi Abdul ne voudrait-il pas faire cela?

6 Quel petit job fait Kirsty?
7 Nommez **deux** choses qu'elle doit faire au travail.
8 Que pense-t-elle des gens avec qui elle travaille?
9 Quels sont les **deux** inconvénients de son travail?
10 Pourquoi Laure aimerait-elle avoir un tel travail?

When you are answering questions in French, you can often use part of the question in your answer, but remember to change the word order where necessary.
Pourquoi Ben **doit-il se lever** à six heures du matin?
Il doit se lever à six heures du matin parce que …

5 Imaginez. Votre copain ou copine a un des petits boulots ci-dessous. Écrivez un paragraphe sur son job. Adaptez les textes de l'exercice 4, si vous voulez.

vendeur/vendeuse de poissons au marché

promeneur/promeneuse de chiens

plongeur/plongeuse dans un restaurant

1 Trouvez les mots ou les phrases dans le texte.

**Veuillez trouver ci-après les conditions
pour réserver un chalet ou une caravane.**

Chalets No 1, 2, 3, 4, 5 tout confort   550€
Chalets No 6–10 sans sanitaires   350€

L'accès à la piscine, aux douches chaudes gratuites, terrain de pétanque, volley

Fournis dans l'hébergement: gaz, électricité, vaisselle, réchaud, frigo, meubles de jardin

Non-fournis: Couchage: draps, duvets, oreillers; serviettes
Sanitaires: Les chalets sans sanitaires sont situés à proximité des sanitaires collectifs tout confort avec mitigeur individuel dans chaque douche.
Arrhes: La location se monte à 150€ par semaine pour les chalets.
Désistement: En cas de désistement moins de 30 jours avant l'arrivée prévue, les arrhes resteront entièrement acquises au camping.
Personne supplémentaire: Le tarif se monte à 50€ par personne et par semaine.
Dépôt de garantie: Une caution de 100€ vous sera demandée à l'arrivée, puis restituée au départ, sous réserve de l'état de logement et d'éventuelles dégradations.
Animaux: Les chiens sont interdits dans les structures locatives.

1 free hot showers
2 crockery
3 cooker
4 garden furniture
5 bedding
6 sheets
7 pillows
8 towels
9 mixer tap
10 deposit
11 cancellation
12 a breakages deposit

Use the context to work out any French words you don't know.

2 Vos parents veulent en savoir plus. Répondez en anglais aux questions qu'ils vous posent.

1 *How much does it cost for a chalet without toilet facilities?*

2 *How much more is it for one with facilities?*

3 *How much deposit do you have to pay?*

4 *Can we take the dog?*

5 *Is there a breakages deposit to pay?*

6 *Is there a swimming pool?*

7 *Is there a paddling pool?*

8 *What is provided and what do you need to take?*

4 Lisez le texte et trouvez les mots français.

Danger!

Un fumeur absorbe jusqu'à 4 000 substances chimiques et toxiques chaque fois qu'il fume une cigarette

Cadmium (utilisé dans les batteries)

Arsenic (poison violent)
Acétone (dissolvant utilisé pour enlever le vernis à ongles)
Naphtalène (antimite)

Chlorure de vinyle
Méthanol (carburant pour fusée)

Toluène (solvant industriel)
Ammoniac (détergent)
Acide cyanhydrique (gaz mortel)

DDT (insecticide)
Pyrène

La moitié des ados ont commencé à fumer à 14 ans. Malheureusement, 85% des fumeurs touchent à leur première cigarette avant 16 ans.

Si ton meilleur ami fume, tu as 13 fois plus de risques de fumer.

Les raisons évoquées pour ne pas arrêter de fumer sont:
● je vais grossir
● je vais devenir plus nerveux
● je peux arrêter quand je veux
● mon grand-père a fumé toute sa vie et il est mort à 80 ans.

Le tabac irrite la gorge, encrasse les poumons, fatigue le cœur, durcit les artères et réduit l'acuité visuelle.

Si tu fumes 20 cigarettes par jour pendant sept ans, cela fait en tout 50 000 cigarettes.

Les statistiques révèlent que c'est la pression sociale et l'acceptation des autres qui arrivent en tête dans les habitudes du jeune fumeur et non la dépendance à la nicotine.

Parmi les enfants qui fument, la moitié mourra des suites du tabagisme.

Le cancer du poumon est le tueur numéro un des fumeurs. Le tabagisme tue plus de gens que l'alcool, le SIDA, les accidents de voiture et les suicides réunis.

Le cancer du poumon est difficile à traiter étant donné que les symptômes apparaissent une fois que la maladie est avancée.

Which toxic substance is used ...
1 for removing nail varnish?
2 as a rocket fuel?
3 for cleaning?
4 for gassing animals?
5 as an industrial solvent?

Remember, to work out unknown words:

● use the context to help you
● look out for words which are similar to English words
● use what you know to eliminate wrong options.

5 Pour chaque phrase, écrivez V (Vrai), F (Faux) ou ? (pas mentionné).
1 La moitié des jeunes fumeurs vont mourir d'une maladie due au tabagisme.
2 La plupart des jeunes commence avant l'âge de 16 ans.
3 La plupart pourrait s'arrêter en se mettant un patch Nicorette.
4 Plus de jeunes meurent du SIDA que du tabagisme.
5 On risque de grossir si on renonce à fumer.

6 Écrivez une réponse au cri du cœur de Florence.

S'il vous plaît, aidez-moi. Mon copain ne veut pas fumer, mais quand il est avec ses copains, ils se moquent de lui s'il ne fume pas. Qu'est-ce que je peux dire pour l'aider?

lire **1** Lisez le texte. Puis mettez les phrases en anglais dans l'ordre du texte.

Cinq gestes simples pour aider l'environnement

Vous voulez faire plus pour l'environnement? Voici cinq choses que tout le monde peut faire et qui demandent peu d'effort:

1 Vous voulez de l'eau chaude pour faire du thé ou du café? Ne chauffez que la quantité d'eau dont vous avez besoin. Par exemple, si vous allez boire une tasse de thé, chauffez une tasse d'eau!

2 Éteignez votre ordinateur quand vous arrêtez de travailler pour manger ou pour faire autre chose. Éteignez l'écran et l'imprimante aussi quand vous ne les utilisez pas. Vous économiserez 120 watts d'énergie à chaque fois!

3 Évitez d'acheter des vêtements qu'il faut nettoyer à sec. Le nettoyage à sec utilise des produits chimiques toxiques qui sont mauvais pour l'environnement.

4 Quand vous achetez des magazines emballés dans du plastique, ne jetez pas l'emballage. Ouvrez-le soigneusement et utilisez-le comme sac pour sandwichs.

5 On utilise environ 750 milliards de sacs en plastique chaque année! Au lieu de prendre des sacs en plastique au supermarché, achetez des sacs que vous pouvez réutiliser, par exemple des sacs en toile.

Nettoyer à sec

a open it carefully and use it as a sandwich bag
b only heat the amount of water you need
c avoid buying clothes which you have to dry-clean
d instead of taking plastic bags

e dry-cleaning uses toxic chemicals
f if you are going to drink one cup of tea
g switch off your computer
h buy reusable bags, such as cloth bags
i switch off the monitor and printer too
j don't throw away the packaging

écrire **2** Écrivez une phrase pour chaque conseil de l'exercice 1 en utilisant *il faut*, *on devrait* ou *on pourrait*.

On devrait chauffer la quantité d'eau dont on a besoin.

écrire **3** Créez un poster pour protéger l'environnement. Donnez au moins cinq conseils (avec des images) qui ne sont pas dans le texte de l'exercice 1.

 Posters and advice leaflets often use the **vous**-form imperative to tell people what to do or not to do. Try using the imperative in exercise 3. For a reminder of how to form the imperative, see page 53.

Évitez d'utiliser la voiture.

Utilisez les transports en commun.

lire **4** **Copiez le texte dans le bon ordre.**

Je m'appelle Claire. Dans ma ville, il y avait une rivière qui …

la rivière est propre et on peut aller à la pêche. Un jour, j'ai même vu

vieux vélo (que mon frère a réparé et qu'il a vendu!). On a planté

a trouvé dans l'eau plein de bouteilles et de boîtes qu'on a

copains et moi, nous y sommes allés pour la nettoyer. On

des arbres aussi pour combattre la pollution. Maintenant,

ce que nous avons fait pour notre ville et pour l'environnement.

recyclées, un chariot de supermarché (qu'on a rendu au magasin) – et un

la pollution et c'était trop sale pour les oiseaux. Donc, mes

une petite grenouille plonger dans l'eau. Je suis fière de

était pleine de déchets. Il n'y avait plus de poissons à cause de

lire **5** **Imaginez que vous êtes Claire. Répondez aux questions en français.**

1 Quel était le problème avec la rivière?
2 Pourquoi n'y avait-il pas de poissons?
3 Qu'est-ce que vous avez fait?
4 Qu'est-ce que vous avez recyclé?
5 Qu'est-ce que vous avez fait du vieux vélo?
6 Pourquoi avez-vous planté des arbres?
7 Comment savez-vous que l'eau est propre maintenant?
8 Pourquoi êtes-vous fière?

écrire **6** **Regardez les images et écrivez un paragraphe sur ce que vous avez fait pour l'environnement. Adaptez le texte de l'exercice 4.**

1

2

3

4

5

The present tense of regular verbs

What are regular verbs?

Regular verbs are verbs which follow the same pattern. In French, they can be divided into three groups, which all follow a different ending pattern: *–er*, *–ir* and *–re* verbs (e.g. *jouer, finir, attendre*).

When do I use them?

All the time! Most verbs are *–er* verbs, which are all regular except *aller* (to go). Once you've learned the three patterns, you will know how to use any regular verb with any subject, so you can be really creative!

Why are they important?

You can't speak a language without using verbs. They are the basic building blocks.

Things to watch out for

French doesn't make any distinction between 'I play' and 'I am playing' – *Je joue* translates both of those meanings.

How do they work?

The ending of the verb changes according to the person of the verb.

	jouer (to play)	finir (to finish)	attendre (to wait)
je/j' (I)	joue	finis	attends
tu (you)	joues	finis	attends
il/elle/on (he/she/it/one)	joue	finit	attend
nous (we)	jouons	finissons	attendons
vous (you)	jouez	finissez	attendez
ils/elles (they)	jouent	finissent	attendent

- **–er verbs:** Take the *–er* ending off the infinitive and add *–e, –es, –e, –ons, –ez, –ent*.

- **–ir verbs:** Take the *–ir* ending off the infinitive and add *–is, –is, –it, –issons, –issez, –issent*.

- **–re verbs:** Take the *–re* ending off the infinitive and add *–s, –s, –, –ons, –ez, –ent*.

■ Personal pronouns

Singular

- **Je** (I) becomes *j'* in front of a verb beginning with a vowel or silent *h*.

- **Tu** (you) is used when talking to someone younger than you or to someone you know well.

- **Il** (he/it) is used when the 'it' stands for a masculine noun (e.g. It (the dog) is black = *Il est noir*).

- **Elle** (she/it) is used when the 'it' stands for a feminine noun (e.g. It (the car) is red = *Elle est rouge*).

- **On** is very common in spoken French and means 'we', 'we-as-a-group'.

Plural

- **Nous** (we)
- **Vous** (you) is used when talking to more than one person; it is also used when talking to one person whom you don't know well or who is older than you.

- **Ils** (they) is used if there is at least one male in the group.

- **Elles** (they) is only used if ALL the people or things being referred to are female.

■ Reflexive verbs

- The infinitive of reflexive verbs includes the reflexive pronoun *se*: **se** laver = to wash oneself, **se** lever = to get up, **se** coucher = to go to bed

- The reflexive pronouns are: *me/m', te/t', se/s', nous, vous, se/s'*. e.g. je **me** lave, tu **t'**habilles, elle **se** lève, nous **nous** couchons, vous **vous** disputez, elles **s'**amusent.

1   Choose the right pronoun.

You are talking …

1	about yourself:	*je / tu / vous*
2	about a girlfriend:	*il / elle / nous*
3	about a male friend:	*il / elle / ils*
4	about yourself and a friend:	*je / il / nous*
5	to a child:	*tu / elle / vous*
6	to a stranger:	*je / vous / il*
7	about a group of girls or women:	*elle / ils / elles*
8	about the boys and girls in your class:	*il / elles / ils*
9	about the boys in your class:	*ils / elles / nous*

2   Complete the sentences with the correct part of the verbs given, then translate the sentences.

habiter

1   J'▬ chez mes parents.
2   Nous ▬ un grand immeuble.
3   Mes grands-parents ▬ à la campagne.
4   Mon copain ▬ au bord de la mer.
5   Où ▬-vous?
6   On y ▬ depuis toujours.

finir

7   D'habitude, nous ▬ à 17h00.
8   Le lundi, je ▬ à 15h00.
9   Les cours ▬ à 15h30.
10 La leçon de judo ▬ à 20h00.
11 À quelle heure ▬-vous?
12 Le vendredi, on ▬ à 16h00.

attendre

13 Il m'▬ devant le cinéma.
14   J'▬ le bus.
15 Nous ▬ depuis une demi-heure.
16 Nos amis nous ▬ à la pizzeria.
17 Depuis combien de temps ▬-tu?
18 Elles m'▬ depuis un quart d'heure.

se coucher

19   À quelle heure vous ▬?
20 D'habitude, je ▬ vers 21h30.
21 Mon frère ▬ plus tard.
22 En vacances, nous ▬ plus tard.
23 Le samedi, tu ne ▬ pas tôt.
24 Mes copains ne ▬ jamais tôt.

3   Rewrite the sentences using the prompts given. Then translate the sentences.

1   Nous nous disputons pour la salle de bains. → elles
    Elles se disputent pour la salle de bains.
2   Ma sœur se moque toujours de moi. → tu
3   Tu t'occupes de ton petit frère? → vous
4   Il ne s'entend pas bien avec elle. → je
5   Je m'endors à 10h00. → on
6   Elles ne se réveillent pas de bonne heure. → il
7   Vous vous couchez plus tard. → nous
8   Je m'amuse bien. → ils

Remember to make the verb ending match the person.

The present tense of irregular verbs

What are irregular verbs?

They are the verbs that don't follow the normal patterns of regular –er, –ir and –re verbs.

When do I use them?

All the time! Unfortunately, the most common and useful verbs in French are irregular.

Why are they important?

You can't speak a language without knowing the most important verbs, like 'to be', 'to have', 'to do' and 'to go'. They are the basic building blocks.

Things to watch out for

French doesn't make any distinction between 'I go' and 'I am going' – *Je vais* translates both of those meanings.

How do they work?

The most important irregular verbs to learn are:

	être	avoir	aller	faire	prendre
je/j'	suis	ai	vais	fais	prends
tu	es	as	vas	fais	prends
il/elle/on	est	a	va	fait	prend
nous	sommes	avons	allons	faisons	prenons
vous	êtes	avez	allez	faites	prenez
ils/elles	sont	ont	vont	font	prennent

- When learning irregular verbs, always look for patterns! For example, look at:
  - **ending patterns:** the second person singular always ends in –s; the third person plural of all the above verbs ends in –nt: *sont, ont, vont, font*
  - **stem patterns:** when you learn a new verb, try to remember another verb which would follow the same pattern. Look at the following groups of verbs:

lire	je lis	tu lis	il lit	nous lisons	vous lisez	ils lisent
dire	je dis	tu dis	il dit	nous disons	vous dites	ils disent
dormir	je dors	tu dors	il dort	nous dormons	vous dormez	ils dorment
partir	je pars	tu pars	il part	nous partons	vous partez	ils partent
pouvoir	je peux	tu peux	il peut	nous pouvons	vous pouvez	ils peuvent
vouloir	je veux	tu veux	il veut	nous voulons	vous voulez	ils veulent
voir	je vois	tu vois	il voit	nous voyons	vous voyez	ils voient
savoir	je sais	tu sais	il sait	nous savons	vous savez	ils savent
devoir	je dois	tu dois	il doit	nous devons	vous devez	ils doivent
boire	je bois	tu bois	il boit	nous buvons	vous buvez	ils boivent

- Verbs like *manger* (*nager, plonger*, etc.) which end in –ger always add *e* before *o* or *a* to make the pronunciation easier, e.g. *nous mangeons, nous nageons*.

- Some verbs add or change an accent with *je, tu, il, ils*:

  | se lever | je me lève, ils se lèvent | BUT | nous nous levons, vous vous levez |
  | préférer | je préfère, tu préfères | | nous préférons |

- Some verbs double a consonant:

  s'appeler je m'appelle, tu t'appelles, il/elle s'appelle, ils s'appellent
  BUT nous nous appelons, vous vous appelez

1 **Which verb(s) would you use to translate these sentences?**
Aller, avoir, être or faire?

1 Nathan has a sister.
2 His parents are divorced.
3 He goes mountain-biking.
4 He is quite tall.

5 He is 15.
6 They are going into town.
7 He is going to be late.
8 He is always hungry.

2 **Write the correct form of the verbs in brackets, then translate the sentences.**

1 Nathan et sa sœur (*avoir*) les cheveux blonds.
2 Sa sœur (*avoir*) les yeux bleus et elle (*être*) plus grande.
3 Nous (*être*) tous les deux bavards.
4 Moi, je (*être*) plutôt timide.
5 En classe, Nathan (*faire*) des bêtises.
6 Tu (*être*) intelligent, mais tu ne (*faire*) pas ses devoirs.
7 Elle n' (*avoir*) jamais ses affaires.
8 Le mercredi, il (*aller*) souvent en retenue.

Check that the ending you choose matches the person.

3 **Choose the correct form of the verbs.**

1 Le bébé *dors / dort / dorm* profondément.
2 Nous ne *mange / mangeons / mangons* pas de viande.
3 Vous *prennez / prenez / prennent* le bus?
4 Les filles *boivent / boient / buvons* du jus de pommes.
5 Je me *léve / lève / leve* de bonne heure.
6 Le bus *part / pars / parts* à huit heures.
7 J' *espère / éspère / espére* réussir mes examens.
8 Comment vous vous *appellez / appelez / apellez*?

4 **Complete the email with the correct forms of *avoir*, *aller*, *être* or *faire*, then translate it.**

Chère Julie

Je m'ennuie le dimanche, je ne (**1**) ▬ rien. Mon copain Nathan et ses parents (**2**) ▬ sportifs, ils (**3**) ▬ à la campagne et (**4**) ▬ du vélo. Ils (**5**) ▬ du VTT. Moi et mes parents, nous ne (**6**) ▬ pas sportifs. Le samedi, nous (**7**) ▬ en ville et le soir, on (**8**) ▬ au cinéma s'il y a un bon film, mais le dimanche, nous ne (**9**) ▬ rien de particulier.

Je ne (**10**) ▬ pas de vélo parce que je n'en (**11**) ▬ pas. Et vous? Que (**12**) ▬ -vous le weekend? (**13**) ▬ -tu un vélo? (**14**) ▬ -tu sportive?

A plus!
Maryse

5 **Write the correct form of the verbs in brackets.**

Je ne (**1**) (*pouvoir*) pas sortir ce soir parce que je (**2**) (*devoir*) m'occuper de mon petit frère et je ne (**3**) (*savoir*) pas à quelle heure mes parents vont rentrer. Mon copain et moi (**4**) (*vouloir*) voir le dernier film de Di Caprio, mais nous ne (**5**) (*pouvoir*) pas aller au cinéma. Je (**6**) (*vouloir*) acheter le film en DVD. Mes autres copains (**7**) (*vouloir*) le voir aussi, mais ils ne (**8**) (*pouvoir*) pas non plus. Ils (**9**) (*devoir*) travailler pour gagner de l'argent.

The near future tense

What is the near future tense?
The near future tense is one way of talking about what is going to happen (e.g. tonight, tomorrow, in a couple of days or in a week). It is called *le futur proche* in French.

Why is it important?
Because you often want to say what you or other people are going to do. This is something that you will frequently be expected to do.

How does it work?
You use the verb *aller* (in the present tense) + an **infinitive**.

The present tense of *aller* is:

je **vais**	nous **allons**
tu **vas**	vous **allez**
il/elle/on **va**	ils/elles **vont**

*La semaine prochaine, je ne **vais** pas **jouer** au tennis. On **va faire** de la plongée.*
Next week, I'm not going to play tennis. We're going to go diving.

1 **Rearrange the words to make correct sentences. <u>Underline</u> the part of *aller* and the infinitive in each one. Then translate the sentences.**

1 jouer vais foot je au
2 prendre on bus le va
3 vas la natation? de faire tu
4 allez match regarder le vous
5 au sports allons nous de aller centre
6 à va prendre elle une part compétition
7 une faire heure va Thomas musculation de
8 ils équipe vont première dans la être

2 **Fill in the gaps with the correct part of *aller* and an infinitive that makes sense.**

- Demain, on (**1**) ▭ ▭ au centre de sports.
- Vous (**2**) ▭ ▭ le bus?
- Non, on (**3**) ▭ ▭ le train.
- Qu'est-ce que vous (**4**) ▭ ▭ comme sport?
- Moi, je (**5**) ▭ ▭ du judo. Ma copine, Julie, (**6**) ▭ ▭ au basket. Après, nous (**7**) ▭ ▭ un sandwich dans la cafétéria.
- Et Alex et Théo?
- Ils (**8**) ▭ ▭ à la maison. Et toi? Qu'est-ce que tu (**9**) ▭ ▭?
- Je ne suis pas sportif, moi. Je (**10**) ▭ ▭ le sport à la télé!

3 **Rewrite the text, changing the verbs from the present to the near future tense. There are 17 verbs that need changing.**

Exemple: Mes parents et moi, on **va garder** la forme…

Mes parents et moi, on garde la forme. On est très actifs et tous les jours, on va au centre de sports. Moi, je joue au volley ou au tennis et en plus, je fais de la natation cinq fois par semaine. Je prends part à des compétitions, donc je mange des choses saines. Mes parents font beaucoup de cyclisme et ils vont aussi au centre de sports pour s'entrainer. Ils passent deux heures dans la salle de gym, puis ils nagent dans la piscine. Mon frère Nathan, lui, ne va pas au centre de sports. Il reste à la maison et il regarde le sport à la télé. De plus, il mange des hamburger et des frites et il boit du coca. Quelle horreur! Et toi? Qu'est-ce que tu fais pour garder la forme?

Caroline

Asking questions

Why is it important?
You can't get far in any language without being able to understand and ask questions!

Things to watch out for
- Some questions use inversion, i.e. you swap the position of the subject and the verb.
- Don't confuse *Est-ce que …?* with *Qu'est-ce que …?* (meaning 'what …?')
- *Quel* (meaning 'which?' or 'what?') is an adjective. It must agree with the noun.
  Quelle est votre date de naissance?   What is your date of birth?
  Quels sont les inconvénients?   What are the disadvantages?

How do questions work in French?
- You can ask straightforward 'yes/no' questions in three ways:
  1 Change a statement into a question by using rising intonation (i.e. making your voice go up) at the end of the sentence.

  Vous aimez votre travail?   Do you like your job?

  2 Put *Est-ce que* at the start of the sentence. ***Est-ce que*** *vous aimez votre travail?*
  3 Use inversion (i.e. swap the order of the subject and the verb) and insert a hyphen.
  Aimez-vous *votre travail?*
  An extra t is added between two vowels, to make pronunciation easier
  *Aime-**t**-il son travail?*   Does he like his job?

- Some questions need question words. Question words can be followed by *est-ce que* and a statement, or by inversion.
  Où est-ce que vous travaillez?   ***Pourquoi*** *aimez-vous votre travail?*

- Other key question words:

qui?	who?	quand?	when? (day or date)
à quelle heure?	when? (time)	depuis quand?	since when/how long?
comment?	how?	pourquoi?	why?
combien de?	how many?	que?	what?

1 **Turn the statements into questions by saying them with rising intonation. Then rewrite them as questions, using *est-ce que* in 1–5 and inversion in 6–10.**

1 Vous travaillez comme infirmière.
2 Vous aimez votre travail.
3 Le salaire est bon.
4 Les horaires sont longs.
5 C'est stressant comme métier.

6 Vous travaillez souvent la nuit.
7 Vous aimez le contact avec les gens.
8 Votre patronne, elle est sympa.
9 Elle a beaucoup de responsabilités.
10 Elle écoute les problèmes des infirmiers.

2 **Match the beginnings of the questions (1–10) with the correct endings (a–j), then copy them out and translate them.**

1 Quel
2 Où
3 Combien d'
4 Depuis quand
5 Comment
6 Pourquoi
7 Quels
8 À quelle heure
9 Qu'est-ce que
10 Quand

a aimez-vous ce métier?
b partez-vous en vacances? En juillet?
c sont les avantages et les inconvénients de votre travail?
d métier faites-vous?
e est-ce que vous faites ce travail?
f heures par semaine travaillez-vous?
g vous faites après le travail?
h allez-vous au travail? En voiture?
i est-ce que vous travaillez? À Paris?
j est-ce que vous commencez le travail?

Adjectives and possessive adjectives

What are adjectives? Why are they important?

Adjectives are describing words. They describe a noun, a person or a thing. They make your work more interesting and personal. Make sure you use a variety of adjectives accurately.

Things to watch out for

■ In French, adjectives have to 'agree' with the person or thing they describe.

■ Most French adjectives and all adjectives of colour come *after* the noun.

How do they work?

1 Make your adjectives agree with the person or thing they describe.

- to make it feminine, add –*e* and pronounce the last consonant. (If it already ends in –*e*, it stays the same.)
- to make it plural, add –*s*

Singular		Plural	
masc.	**fem.**	**masc.**	**fem.**
petit timide	petite timide	petits timides	petites timides

■ Some adjectives follow a different pattern.

sportif	sportive	sportifs	sportives
paresseux	paresseuse	paresseux	paresseuses
blanc	blanche	blancs	blanches
génial	géniale	géniaux	géniales
beau*	belle	beaux	belles
vieux*	vieille	vieux	vielles
nouveau*	nouvelle	nouveaux	nouvelles

(* Before a word beginning with a vowel or silent *h*, the masculine becomes *bel*, *vieil* or *nouvel*.)

■ Some adjectives never change: the colours *marron* and *orange*, colours made up of two words (e.g. *bleu marine*, *vert clair/foncé*) and adjectives from other languages (e.g. *cool*).

■ Adjectives which are shortened (e.g. *sympathique → sympa*) only agree in number, e.g. des copains (m) sympas, des copines (f) sympas, des produits (m) bios, des bananes (f) bios.

2 Put your adjectives in the correct place.

- ■ Most adjectives come after the noun, including all adjectives of colour.
- ■ These adjectives come in front of the noun: grand   petit   nouveau   vieux   haut   bon   mauvais   beau   joli   jeune.
  To help you remember them, learn them together with a noun (e.g. *une belle ville*).

What are possessive adjectives?

Possessive adjectives are the words for 'my', 'your', 'his', 'her', etc.

	masc.	**fem.**	**plural**
my	mon	ma	mes
your	ton	ta	tes
his/her	son	sa	tes
ours	notre	notre	nos
your	votre	votre	vos
their	leur	leur	leurs

Things to watch out for

They agree with the person or thing they describe, not with the person it belongs to.

1 Choose the correct form of the adjective.

Check if the subject is masculine, feminine, singular or plural.

1 Mon copain Julien est *grand / grande*.
2 Sa sœur est *petite / petit*.
3 Elle est *sportif / sportive*.
4 Il est *paresseuse / paresseux*.
5 Mes amis ne sont pas bien *organisés / organisées*.
6 Sarah est *gentil / gentille*.
7 Ses parents sont *sympas / sympa*.
8 Yannick est le plus *intelligente / intelligent* de la classe.

2 Rearrange the words to make correct sentences, then translate them.

1 Le chat chasse la souris blanche noir petite grand
2 copain a les les cheveux et yeux bleus blonds Mon
3 frère Gilles paresseux grand Son est
4 sœur porte une robe et un chapeau petite joli rose Sa bleu
5 Le soleil brille dans un ciel avec des nuages bleu blancs petits
6 J'habite une maison dans un village vieille petit joli
7 Dans le jardin il y a beaucoup de fleurs et orange grand belles clair bleu
8 Dans la ville il y avait des rues et des sites étroites historiques vieille petites

3 Write out the sentences adding the correct form of the adjective(s) in brackets in the correct place(s).

1 J'ai un chien. (*petit, noir*)
2 Je porte un jean et une chemise. (*bleu, blanc*)
3 Ma copine porte des sandales, une robe et un gilet. (*blanc, rouge, bleu*)
4 Les filles aiment danser. (*jeune*)
5 C'est un hôtel. (*beau*)
6 Lou habite une maison. (*joli*)
7 Notre appartement est en banlieue. (*nouveau*)
8 Le prof est toujours de humeur. (*vieux, mauvais*)

4 Translate the sentences into French.

1 My brother is big and lazy, but nice.
2 He wears old blue jeans and a new red sweatshirt.
3 My sister is small, talkative and funny.
4 She is wearing a pretty pale-green dress with white flowers.
5 She has grey-green eyes and curly, blond hair.
6 Our mother has brown eyes and straight hair.
7 Their parents are generous and nice.
8 Her brother has a new red car.

5 Add ten adjectives of your own choice to the text. Try to use some more unusual ones!

Exemple: Tobi regardait la vue panoramique, …

Tobi regardait la vue, c'était comme une peinture. Le village se trouvait au bord d'une rivière. Les arbres qui bordaient la rivière fournissaient de l'ombre aux promeneurs. Il y avait peu de nuages dans le ciel. Les gens qui étaient assis à la terrasse du café regardaient les joueurs de boules pendant que leurs enfants s'amusaient dans la fontaine.

Mémo grammaire

What is it?

The perfect tense is one of the tenses you use to talk about the past.
It is called *le passé composé* in French.

When do I use it?

You use it when you want to talk about single events in the past.

Why is it important?

You often want to say what you or someone else did. Without it, you couldn't tell a story.
Talking about the past is one of the things that you will frequently be expected to do.

Things to watch out for

In French, there is no difference between 'I bought' and 'I have bought'. You always
have to include the French word for 'have', even if you want to say 'I bought'.

How does it work?

- To form the perfect tense, you use **an auxiliary + a past participle**.
  - Most verbs use *avoir* (to have) as the auxiliary.

j'**ai**	nous **avons**
tu **as**	vous **avez**
il/elle/on **a**	ils/elles **ont**

  - You form the **past participle** of regular –*er*, –*ir* and –*re* verbs as follows:

–*er* verbs (e.g. *jouer*):	Replace –*er* with –*é*	*jou**é***
–*ir* verbs (e.g. *finir*):	Replace –*ir* with –*i*	*fin**i***
–*re* verbs (e.g. *attendre*):	Replace –*re* with –*u*	*attend**u***
I played/I have played football.		*J'ai joué au foot.*
He finished/He has finished the book.		*Il a fini le livre.*
We waited for/We have waited for the bus.		*Nous avons attendu le bus.*

  - Some important verbs have an irregular past participle. These have to be learned by heart.
    Some of the key ones are:

Infinitive	Past participle
boire (to drink)	*bu*
faire (to do/make)	*fait*
écrire (to write)	*écrit*
lire (to read)	*lu*
prendre (to take)	*pris*
recevoir (to get/receive)	*reçu*
voir (to see)	*vu*

- In the perfect tense, the negative makes a 'sandwich' around the **auxiliary**.

*Je n'ai **pas** écouté le CD.*	I didn't listen/haven't listened to the CD.
*Ils n'ont **rien** fait.*	They didn't do/haven't done anything.

- As in the present tense (see page 205), you can use rising intonation or *est-ce que*
  to ask questions in the perfect tense.

Vous avez vu le film?	Did you see/Have you seen the film?
Est-ce qu'il a mangé le gâteau?	Did he eat/Has he eaten the cake?

- To use inversion to form a question, swap the positions of the subject and the auxiliary and
  insert a hyphen. Add *t* between two vowels to make pronunciation easier with *il*, *elle* and *on*.

*Où **as-tu** acheté ton tee-shirt?*	Where did you buy your T-shirt?
***A-t-elle** lu le livre?*	Did she read/Has she read the book?

1 **Put the verbs in brackets into the perfect tense, using the correct part of *avoir* and the past participle.**

Exemple: Samedi soir, je (*regarder*) Indiana Jones en DVD.
Samedi soir, j'**ai regardé** Indiana Jones en DVD.

1 Samedi dernier, je (*acheter*) deux CD.
2 Le soir, on (*écouter*) de la musique dans ma chambre.
3 Vous (*jouer*) au foot dans le parc dimanche?
4 Non, nous (*finir*) nos devoirs.
5 Mon frère (*vendre*) des livres sur eBay.
6 Qu'est-ce que tu (*faire*) hier?
7 Je (*prendre*) des photos avec mon portable.
8 Mes parents (*voir*) un film d'horreur au cinéma.
9 Lucy n'aime pas la limonade. Elle (*boire*) du coca.
10 Dimanche matin, je (*ne pas lire*) le journal, mais je (*écrire*) des emails.

2 **Thomas has made a mistake in every perfect tense verb in his email! Sometimes the mistake is in the auxiliary and sometimes in the past participle. Copy out the text, correcting all 15 mistakes.**

Samedi dernier, je pris le bus et j'ai retrouve mon copain Damien en ville. D'abord, on a fais les magasins. Damien as acheté un CD et moi, je choisi un livre de Harry Potter. Ensuite, nous mangé une pizza et nous bavardé. On as bu du coca aussi. L'après-midi, je n'ai écouté pas de musique, je joué sur l'ordinateur avec ma sœur. Elle as gagné! Le soir, mes parents regardé un film à la télé, mais moi, j'ai lis mon livre. Je fini le livre à une heure du matin! Et toi, qu'est-ce que tu a fait?

Thomas

Some of the most common mistakes people make using the perfect tense are:

- forgetting the acute accent, e.g. *j'ai joue* ✗ *j'ai joué* ✓
- forgetting the auxiliary, e.g. *nous mangé* ✗ *nous **avons** mangé*
- confusing *as* and *a*, e.g. *Tu a vu le film?* ✗ *Tu **as** vu le film?* ✓
- putting *pas* in the wrong place, e.g. *Il n'a fait pas ses devoirs.* ✗ *Il n'a **pas** fait ses devoirs.* ✓

3 **Translate the text into French, paying particular attention to the perfect tense verbs!**

Last Saturday, I played football in the park with my friend David. Then we ate a sandwich in the café. I drank a Coke and David drank an orange juice. In the afternoon, we took the bus to go to the cinema. We saw an action film. In the afternoon, I did some shopping. I bought a T-shirt and a DVD. In the evening, my parents listened to music and played cards, but I watched my DVD. On Sunday morning, I didn't swim. I answered my emails and read a sports magazine. In the afternoon, I chatted to my friend Lisa on the telephone, then I finished my homework. What about you? Did you watch TV? Or did you do some sport?

The perfect tense with *être*

What is it? When do I use it?
When you want to use reflexive verbs and verbs of movement in the past. The perfect tense (*le passé composé* in French) is one of the tenses you use to talk about single events in the past. In some cases, the auxiliary used to form it is *être*, not *avoir*.

Why is it important?
You often need to use verbs of movements like 'to go', 'to go out', 'to leave' in the past.

Things to watch out for
- Thirteen key verbs and all reflexive verbs use *être* (to be), not *avoir*, as the auxiliary in the perfect tense, e.g. to say 'he has left', you say *Il est parti* (not *Il a parti*).

- When you use *être* as the auxiliary, you have to make the past participle agree with the subject, e.g. *elle est partie* (she has left).

How does it work?
- You take part of the **auxiliary** (*être*) + **the past participle**. The parts of *être* are:
  je **suis**   tu **es**   il/elle/on **est**   **nous sommes**
  vous êtes   ils/elles **sont**

- Learn the 13 verbs taking *être* as pairs of opposites (e.g. 'to come'/'to go') or learn the first letter of each one which make the phrase MR DAMP'S TAVERN.

Most of them have regular past participles (e.g. *aller* → *allé*), but a few have irregular past participles (shown by *).

- Other related verbs, such as *rentrer* (to come/go home) and *revenir* (to come/go back), also take *être*. The verb *passer* takes *être* when it means 'to pass by'.

- You must make the past participle of verbs which take *être* agree with the subject of the sentence.
  - Add *–e* if the subject is feminine singular: ***elle** est arrivée* (she arrived/she has arrived)
  - Add *–s* if the subject is masculine plural: ***ils** sont sortis*
  - Add *–es* if the subject is feminine plural: ***elles** sont*

Note: If the subject is a combination of masculine and feminine nouns, you treat it as masculine plural: *Robert et Sophie sont partis.* (Robert and Sophie left/have left.)

infinitive	meaning	past participle
aller venir	to go to come	allé venu*
arriver partir	to arrive to leave	arrivé parti
entrer sortir	to enter to go out	entré sorti
monter descendre	to go up to go down	monté descendu
naître mourir	to be born to die	né* mort*
rester	to stay	resté
tomber	to fall	tombé
retourner	to return	retourné

- With reflexive verbs, the part of *être* comes after the reflexive pronoun (*me*, *te*, *se*, etc.).
  *Je **me** suis levé(e) de bonne heure.* — I got up early.
  *Nous **nous** sommes couché(e)s tard.* — We went to bed late.

- In the perfect tense, negatives make a 'sandwich' around the part of *être*. With reflexive verbs, the negative goes around the reflexive pronoun (*me*, *te*, *se*, etc.) and the part of *être*.
  *Elle **n'**est **pas** venue au match.* — She didn't come to the match.
  *On **ne** s'est **pas** douchés.* — We didn't have a shower.

- Questions in the perfect tense are formed in a similar way to questions with verbs which take *avoir* (see page 208), using intonation, *est-ce que* or inversion.
  Tu es allé(e) au match? — Did you go to the match?
  Est-ce que vous êtes sorti(e)(s) hier? — Did you go out yesterday?
  Quand est-il né? — When was he born?

1 **Add agreement to the past participles which need it. Check the gender of the subject of the sentences in a dictionary if necessary.**

1 Julie est resté à la maison pour regarder le sport à la télé.
2 Mes copains sont allé au match.
3 Le score était 2–0 et nous sommes sorti vainqueurs.
4 «Tu es rentré du match à quelle heure, Louise?»
  «Je suis rentré à dix heures et je me suis couché tout de suite.»
5 Les skateurs sont monté et descendu à une vitesse incroyable.
6 Nous nous sommes amusé au match de tennis.
7 La joueuse de tennis Amélie Mauresmo est né en 1979.
8 Mon frère n'est pas venu à la Coupe du Monde.
9 Un des coureurs est tombé de son vélo.
10 Les deux équipes sont entré dans le stade.

2 **Put the verbs in brackets into the perfect tense, using the correct part of *être*, the past participle and agreement (where necessary).**

Hugo: Alors, tu (**1**) ▬▬ (*aller*) à Paris pour voir le match samedi dernier?
Marie: Oui, je (**2**) ▬▬ (*aller*) au match. Ma copine Justine (**3**) ▬▬ (*venir*) aussi.
Hugo: (**4**) ▬▬ (*vous/partir*) de bonne heure?
Marie: Ah, oui! Je (**5**) ▬▬ (*se lever*) à six heures et demie et le train (**6**) ▬▬ (*partir*) à huit heures.
Hugo: À quelle heure (**7**) ▬▬ (*vous/arriver*) au stade?
Marie: Nous (**8**) ▬▬ (*arriver*) vers quatorze heures. On a acheté les billets et on (**9**) ▬▬ (*entrer*) dans le stade.
Hugo: Tes frères (**10**) ▬▬ (*ne pas aller*) pas au match?
Marie: Non, ils (**11**) ▬▬ (*rester*) à la maison, pour regarder le match à la télé.
Hugo: Et vous avez gagné le match?
Marie: Oui, on (**12**) ▬▬ (*sortir*) vainqueurs! Je (**13**) ▬▬ (*rentrer*) à la maison très contente.
Hugo: Tu (**14**) ▬▬ (*ne pas se coucher*) tôt, je suppose!
Marie: Non, je (**15**) ▬▬ (*se coucher*) vers minuit. J'étais bien fatiguée!

3 **Rewrite the text, changing the verbs from the present tense to the perfect tense. Some of the verbs take *avoir* and some take *être*. There are 29 verbs that need changing.**

Samedi, je vais au match de foot. Je me lève vers sept heures, je prends le bus et je descends à l'arrêt de bus du stade. J'arrive vers deux heures et je retrouve ma copine, Claire. On achète les billets et on entre dans le stade. Nous attendons trente minutes avant le début du match. On boit du coca et Claire mange un hot-dog, mais moi, je ne mange rien. Claire prend des photos avec son portable. Enfin, les joueurs sortent du tunnel et le match commence! Notre équipe marque un but, mais un de nos meilleurs joueurs tombe et il part en ambulance. Quelle horreur! Mais on marque un deuxième but et on gagne le match! Le match finit vers 16h30 et nous sortons du stade. Je rentre chez moi très content. Mes parents, eux, restent à la maison et ils regardent le match à la télé. Ils nous voient parmi les autres supporteurs du stade! Je me couche de bonne heure. Je lis un peu, puis je dors.

Vincent

The imperfect tense

What is it?
The imperfect is another tense that you use to talk about the past. It is called *l'imparfait* in French.

When do you use it?
You use the imperfect to describe what happened over a period of time (was or were –ing), past habits (used to …), what something was like (it was/there was/there were …) and ongoing actions which were interrupted (I was –ing when …).

Why is it important?
To talk about the past, you need to be able to describe people, feelings, what someone was doing, etc. You often want to say what something was like, and you will frequently be expected to do this. If you can combine the imperfect with the perfect tense correctly, you will be able to produce a more sophisticated answer.

Things to watch out for
Use the **perfect tense** for single events in the past and the **imperfect** for repeated or continuous actions in the past.

How does it work?

1 ■ Take the *nous* form of the present tense, drop the *nous* and take off the –*ons* ending. This leaves you with the 'stem'.
nous habitons → ~~nous habitons~~ → habit–

■ Note that *être* is the only verb with an irregular stem (*ét–*).
Quand j'étais petit …   When I was young …

2 ■ Add the following endings to the stem:

je	–**ais**	nous	–**ions**
tu	–**ais**	vous	–**iez**
il/elle/on	–**ait**	ils/elles	–**aient**

■ Verbs with a stem ending in *g* add an *e* in front of *a*.
Il mangeait une pizza.   He was eating a pizza.

■ Make sure you know these key examples of the imperfect:
j'étais (I was), *c'était* (it was), *il y avait* (there was/were)

3 When you are talking or writing about the past, you often need to use a mixture of perfect tense and imperfect tense verbs.

Imperfect (what happened over a period of time)

Imperfect (what it was like)

Imperfect (habit: 'used to')

Perfect (single past action)

Perfect (single past action)

*Quand on **habitait** à Paris, je **sortais** avec mes copains tous les soirs. Mais ma mère **a changé** de travail, donc on **a déménagé**. C'**était** affreux.*

When we lived in Paris, I went out with my friends every evening. But my mother changed jobs, so we moved. It was terrible.

Imperfect (was/were –ing)

Perfect (single past action)

Perfect (single past action)

Imperfect (what it was like)

*J'**allais** au collège quand j'**ai vu** l'accident. Il y **avait** beaucoup de monde. J'**ai appelé** les secours.*

I was going to school when I saw the accident. There were lots of people. I called the emergency services.

1   Put the correct imperfect endings on the verbs. Then translate the text.

Quand j' (**1**) ét___ petit, on (**2**) habit___ à la campagne. Pour aller à l'école, je (**3**) pren___ le car de ramassage scolaire avec mon frère. On se (**4**) lev___ à six heures et demie, on (**5**) mang___ un croissant et on (**6**) quitt___ la maison à sept heures. Le car (**7**) arriv___ à l'école à huit heures. Je (**8**) n'aim___ pas habiter à la campagne, parce que c' (**9**) ét___ ennuyeux. Il n'y (**10**) av___ rien à faire. Le soir et le week-end, je (**11**) rest___ à la maison. Je (**12**) regard___ la télé ou je (**13**) jou___ au foot dans le jardin avec mon frère. Je ne (**14**) sort___ pas avec mes copains parce qu'ils (**15**) habit___ en ville. C' (**16**) ét___ nul!

Guillaume

2   Put the verbs into the imperfect tense. Then use them and the pictures to make up ten new sentences for Guillaume, to describe how much better his life was after his family moved from the countryside to Paris.

Exemple: on (*habiter*)
        Plus tard, on habitait à Paris.

1   je (*se lever*)

2   je (*prendre*)

3   je (*aller*)

4   ma mère (*travailler*)

5   mon père (*être*)

6   nous (*habiter*)

7   je (*sortir*)

8   on (*faire*)

9   on (*aller*)

10   c' (*être*)

3   Perfect or imperfect? Copy out the text, choosing the correct version of each verb.

Il y a cinq ans, j' (**1**) *ai habité / habitais* avec ma famille dans une grande maison au bord de la mer. On (**2**) *a eu / avait* douze pièces et un énorme jardin, où ma sœur et moi (**3**) *avons joué / jouions* souvent au tennis. J' (**4**) *ai adoré / adorais* notre maison. Tous les week-ends en été, on (**5**) *est allés / allait* à la plage. On (**6**) *a fait / faisait* un pique-nique et après, mes parents (**7**) *ont lu / lisaient*, pendant que ma sœur et moi (**8**) *avons nagé / nagions* dans la mer. J' (**9**) *ai été / étais* très heureuse. Mais un jour, tout (**10**) *a changé / changeait*. Mon père (**11**) *a perdu / perdait* son travail et on (**12**) *a déménagé / déménageait*. On (**13**) *est partis / partait* habiter chez ma grand-mère, en ville. Son appartement (**14**) *a été / était* tout petit et il n'y (**15**) *a pas eu / avait* pas assez de place pour cinq personnes. De plus, tous mes copains (**16**) *ont habité / habitaient* loin de la ville. Mais l'année dernière, mon père (**17**) *a trouvé / trouvait* un nouveau poste et on (**18**) *est retournés / retournait* habiter au bord de la mer. Tant mieux!

> loin de – far away from
> un poste – a job
> tant mieux! – thank goodness!

Modal verbs and *il faut*

What are they?

The verbs *devoir* (to have to/must), *pouvoir* (to be able to/can) and *vouloir* (to want to) are known as **modal verbs**.

Il faut is an **impersonal verb**, it is only used in the *il* form. It means 'it is necessary to' or 'have to', 'must'. You can use it instead of *devoir*.

Why are they important?

We use modal verbs a lot. Think about how often you say 'I want', 'you can' or 'we must' in English!

How do they work?

■ The present tense of *devoir*, *pouvoir* and *vouloir* is:

	devoir	pouvoir	vouloir
je	dois	peux	veux
tu	dois	peux	veux
il/elle/on	doit	peut	veut
nous	devons	pouvons	voulons
vous	devez	pouvez	voulez
ils/elles	doivent	peuvent	veulent

■ Modal verbs and *il faut* are usually followed by an infinitive.

*Tu **veux aller** au cinéma?*	Do you want to go to the cinema?
*Je **dois faire** mes devoirs.*	I have to do my homework.
*Qu'est-ce qu'**il faut faire**?*	What do I/you/we have to do?

■ *Il faut* can mean 'I must', 'you must', 'he/she must', 'we must', 'they must' or 'people must'. It is usually clear from the context.

■ Look for patterns to help you memorise these key verbs, for example:
  – *pouvoir* and *vouloir* endings: *–eux* for *je* and *tu*, *–eut* for *il/elle/on*, *–ons* for *nous*, etc.
  – stem pattern: *peu–/veu–* for *je* and *tu*, *pouv–/voul–* for *nous* and *vous*, etc.
  – What patterns are there in the parts of *devoir*?

■ In negative sentences, the negative makes a 'sandwich' around the modal verb, separating it from the infinitive.

*Il **ne** peut **pas** jouer au foot aujourd'hui.*   He can't play football today.

■ In a question using inversion (see page 205), the modal verb and the subject pronoun (see page 200) swap places and you insert a hyphen.

*Pourquoi **voulez-vous** faire ça?*   Why do you want to do that?

■ In certain situations, modal verbs can be used without an infinitive.

*On ne **peut** pas.*	We can't.
*Je **veux** bien.*	I'd like to. / Yes, please.

1 **Rearrange the words to make correct sentences, and then translate them.**

1 veux ville matin? tu en aller samedi
2 ne désolé, je mais pas peux
3 voir doit grand-mère on aller ma
4 maison doivent à dimanche, la rester ils
5 voulez- soir? bowling au jouer demain vous
6 devons avant heures nous 22 rentrer
7 pouvons pas la venir nous ne à fête
8 parents week-end veulent pour partir mes le
9 portable son faut éteindre il
10 bien il en faut se classe tenir

2 **Translate the sentences into French.**

1 Do you want to go to the cinema tomorrow? (Use *tu*)
2 Sorry, I can't. I have to tidy my room. (Use *devoir*)
3 Hakim can't come to the party this evening.
4 He has to go out with his parents. (Use *devoir*)
5 We can't go to the concert on Saturday evening. (Use *nous* or *on*)
6 My friends want to play football on Sunday morning.
7 Do you want to watch a DVD this afternoon? (Use *vous*)
8 You have to listen to the teacher. (Use *il faut*)
9 We mustn't talk in class. (Use *il faut*)
10 Do people have to wear a uniform in France? (Use *il faut*)

3 **Find and correct the 12 mistakes in this email. Sometimes the mistakes are in the modal verb and sometimes in the infinitive.**

Salut, Mathilde!

Merci pour l'invitation à ta fête. Je suis désolée, mais je ne peut pas venir parce que je dois reste à la maison. Je doit faire mes devoirs parce que j'ai reçu de mauvaises notes. Mes parents disent que je dois bosse pour mes exams en juillet. De plus, le week-end prochain, ils voulent partir en Bretagne et mon frère et moi doivons aussi y aller. Donc, on ne peux pas aller au concert non plus. Ce n'est pas juste! D'accord, il faut travaille pour avoir de bonnes notes, mais il faut s'amuse aussi. Alors, qu'est-ce que tu fais demain? Mes parents doit aller voir ma grand-mère, donc on peut joue au basket si tu veut. Ça te dit?

Chloé

Negatives

Which ones do I need to know, and what do they mean?

ne ... pas	not	*ne ... aucun*	not any, none
ne ... jamais	never	*ne ... que*	only
ne ... plus	no longer, not any more	*ne ... ni ... ni ...*	neither ... nor
ne ... rien	nothing, not anything	*ne ... pas encore*	not yet
ne ... personne	nobody, not anybody		

When do I use them?

When you want to say 'not', 'never', 'no longer', 'none', etc.

Why are they important?

If you use a range of different negatives, you can make your work more varied and appealing.

Things to watch out for

- French negatives have two parts: *ne* before the verb and *pas* (etc.) after the verb, making a 'sandwich'.

- Before a vowel or silent *h*, *ne* becomes *n'*.

- You can't have *un/une/des* or *du/de la/de l'* after *pas*; you need to change it to *de*.
  *J'ai **un** problème.* → *Je n'ai **pas de** problème.*

How do they work?

- There are two parts to a negative, forming a sandwich round the verb.

*Je **ne** vais **pas** à Paris.*	I am **not** going to Paris.
*Il **ne** mange **jamais** de tomates.*	He **never** eats tomatoes.
*Je **ne** fume **plus**.*	I **no longer** smoke./I don't smoke **any more**.
*Je **ne** mange **rien**.*	I eat **nothing**./I don't eat **anything**.
*Je **n'**ai vu **personne**.*	I did**n't** see **anyone**.
*Il **n'**a **pas encore** diné.*	He has**n't** had dinner **yet**.
*Il **n'**y a **ni** cinéma **ni** théâtre.*	There is **neither** a cinema **nor** a theatre.
*Je **n'**ai **qu'**un ami.*	I've **only** got one friend.

- *Personne* can also come before the verb.
  Personne n'est venu.   *Nobody came.*

- *Aucun* must agree with the noun it goes with.
  *Je n'ai **aucune** sœur et **aucun** animal.*   I do**n't** have **any** sisters or pets.

Other things to look out for

- If the verb is in the perfect tense, the negative forms a sandwich round the auxiliary verb (*avoir* or *être*).
  *Je **n'ai pas** vu le film.*   I didn't see the film.

- If there are two verbs together in a sentence, most negatives form a sandwich round the first verb.
  *Je **ne veux pas** aller à Paris.*   I don't want to go to Paris.

- If there is an object pronoun in the sentence, *ne* comes before it.
  *Il **ne** le regarde pas.*   He doesn't watch it.

- With a reflexive verb, the *ne* comes before the reflexive pronoun.
  *Il **ne se** lève pas tôt.*   He doesn't get up early.
  *Elle **ne s'**est jamais réveillée en retard.*   She never woke up late.

1 **Rearrange the words to make correct sentences, and then translate them.**

Remember the negative sandwich!

1 au Je joue ne pas tennis.
2 de as n' pas stylo. Tu
3 comprends Marc me ne pas.
4 fait Louise ne rien.
5 devoirs filles font le Les leurs ménage. ne ni ni
6 disputons jamais. ne Nous nous
7 garçons Les mangé. n' ont rien
8 a aucun Elle job. n'
9 est n' Personne venu.
10 ai Je n' personne. vu

2 **Which negative expression would you use to translate the sentences?**

1 He never eats meat.
2 You don't go swimming any more.
3 I haven't seen anyone.
4 We don't want to go.
5 They didn't see anything.
6 We only went to the beach.
7 I haven't any doubt.
8 He couldn't find his mother or his father.

3 **Make these statements negative using the expressions in brackets, and then translate them.**

1 Tu as fait tes devoirs. (*ne … pas*)
2 J'ai rencontré son copain. (*ne … pas encore*)
3 Tu l'as vu. (*ne … jamais*)
4 Je sais. (*ne … rien*)
5 Tu y vas. (*ne … pas*)
6 Luc fume. (*ne … plus*)
7 Elle a un copain. (*ne … que*)
8 Elle joue au tennis et au hockey. (*ne … ni … ni …*)

4 **Translate the sentences into French.**

1 We didn't eat anything.
2 He no longer gets on with his father.
3 We have never seen the Eiffel tower.
4 They didn't say thank you.
5 She didn't buy anything.
6 We didn't go there yesterday.
7 It wasn't shut.
8 He only has one brother.

5 **Rewrite the text including as many negatives as you can.**

Exemple: *Tu es négative! Tu n'as …*

Tu es positive! Tu as déjà fait tes devoirs. Tu m'écoutes toujours. Tu parles à tout le monde. Tu aides à la maison. Tu ranges ta chambre et la salle de bains. Tu fais tout à la maison. Tu manges des burgers et des frites. Tu as le sens des responsabilités. Si tu continues comme ça, tu pourras sortir tous les samedis soirs!

Comparative and superlative of adjectives

What are they?
Comparatives and superlatives are forms of the adjectives – like 'bigger', 'more expensive', 'as tall as', 'less chatty than' or 'the funniest' – which you use when you are comparing things.

When do I use them?
- Use the comparative to compare two things and say one is bigger, better, worse, etc. than the other.

- Use the superlative to compare more than two things and say one is the best, worst, biggest, etc.

Things to watch out for
- They agree (masculine, feminine, singular, plural endings) with the noun they describe.

Why are they important?
Comparing is one step further than just describing. Showing you can use both regular and irregular comparative and superlatives correctly will help you produce more sophisticated work.

How do they work?
- **The comparative**
  Put *plus/moins/aussi … que* around the adjective if you mention what you measure it against.

plus grand(e)	bigger	*Luc est **plus** grand **que** son frère.*
moins grand(e)	less big	*Elle est **moins** grande **que** sa sœur.*
aussi grand(e)	as big	*Nous sommes **aussi** grands **que** notre mère.*

- **The superlative**
  Just add the correct definite article (*le/la/les*) in front of *plus* **or** *moins* + **adjective.**

*C'est **la plus mauvaise** en sport!*	She's the worst at sport!
*Il est **le plus sportif** de sa famille*	He is the sportiest in his family.

- Add de to say 'of'/'in'. *Elle est la moins sportive **de** sa famille.* She is the least sporty of/in her family.

- Learn the irregular ones.

Adj.		Comparative adj.	Superlative adj.
good/better/the best	bon(ne)	meilleur(e)	le/la meilleur(e)
bad/worse/worst	mauvais(e)	pire	le/la pire

  (Don't confuse them with the adverbs 'well/better/best' (*bien/mieux/le mieux*) and 'badly/worse/worst' (*mal/pire/le pire*), which describe verbs, not nouns.)

---

1 **Write sentences comparing the first person with the second (+ *plus*, – *moins*, = *aussi*).**
   Exemple: Paul + Denis (*big*)   *Paul est plus grand que Denis*

   1 Juliet – Hugo (*small*)
   2 Camille = Yannick (*clever*)
   3 Maryse et Mélinda + Sarah (*chatty*)
   4 Julie – Louis (*lazy*)
   5 Yannick = Karim (*nice*)
   6 Mon frère + moi (*big*)

2 **Complete the sentences with the comparative or superlative form of 'good' (*bon*) or 'bad' (*mauvais*).**

   1 Nicolas est ▬ en maths.
   2 Mélinda est ▬ Nicolas.
   3 Sophie est ▬▬ Nicolas.
   4 Amélie est ▬.
   5 Delphine est ▬.
   6 Karim est ▬ Théo.

Test de maths	
Amélie 19/20	*Patrice 7/20*
Sophie 15/20	*Karim 5/20*
Mélinda 14/20	*Théo 5/20*
Nicolas 14/20	*Delphine 3/20*

3 **Complete the text by translating the word in brackets into French.**

   Notre ville est (1) (*smaller than*) les autres villes de la région mais nous avons le centre commercial (2) (*biggest and newest*). Les magasins y sont (3) (*better than*) en ville. Le parking est (4) (*as big as*) douze terrains de foot et le samedi, c'est l'endroit (5) (*most visited*) du nord de l'Angleterre, mais le soir, les bouchons sont (6) (*worst in the*) monde!

What are adverbs?
Adverbs are words used to describe how an action is done. Adverbs are words like 'slowly', 'quickly', 'regularly', 'suddenly', 'badly', 'well' or 'very' which modify the meaning of verbs and adjectives.

When do I use them?
When you want to give more detail, explain or describe how something is done (how often, how quickly, how well, etc.).

Why are they important?
Because they help you give useful information, and will make your work more interesting.

Things to watch out for

- Adverbs often end in *–ment* (*–ly* in English).

- Some of the most useful adverbs are irregular!

How do they work?

- In English, you add *–ly* to adjectives to make them into adverbs. In French, you add *–ment* to the feminine form of the adjective.

	masc.	fem.	+ –ment	adverb
slow(ly)	lent	lente		lentement
generous(ly)	généreux	généreuse		généreusement
natural(ly)	naturel	naturelle		naturellement

- However, some adverbs are not formed in that way and you just have to learn them, e.g. *vraiment* (really/truly), *vite* (quickly), *d'habitude* (usually), *évidemment* (evidently), *très* (very).

- You can learn some in pairs of opposites: *bien* (well) / *mal* (badly); *mieux* (better) / *pire* (worse); *toujours* (always) / *jamais* (never).

- Adverbs usually come in front of an adjective (e.g. *Il est **vraiment beau***) or after a verb (e.g. *Il y **va souvent***) or to start a sentence (e.g. ***D'habitude**, je me lève à sept heures*).

1 Turn these adjectives into adverbs. Then translate them.

1 final
2 général
3 heureux
4 malheureux
5 normal
6 sain
7 seul
8 doux

2 Underline the adverbs in the text. Then translate them.

Notre chat, Max, a disparu. D'habitude, il rentre chaque soir, toujours vers six heures. Ce soir, soudain j'ai entendu un bruit. Ce n'était probablement rien, mais vite, je me suis précipité à la fenêtre pour mieux voir. Rien. Très doucement, j'ai ouvert la porte et j'ai été énormément surpris de voir Max avec trois petits chatons. Évidemment, Max n'est plus Max, mais Maxine.

3 Replace the English in the brackets with the corresponding French adverb.

(**1**) (*Usually*), mon père ne conduit pas (**2**) (*dangerously*). Il faut conduire plus (**3**) (*slowly*) dans les virages mais hier il était pressé, et cette fois il a conduit (**4**) (*too fast*). (**5**) (*Unfortunately*), la voiture a dérapé et heurté un arbre. (**6**) (*Fortunately*), il n'y avait pas de passager et lui-même n'a pas été (**7**) (*seriously*) blessé.

What are direct object pronouns?

- Direct object pronouns are words like 'it', 'me', 'him', 'us', etc. In French, the direct object pronouns are:

me	*me*	nous	*us*
te	*you*	vous	*you*
le	*him/it*	les	*them*
la	*her/it*		

> You shorten *me*, *te*, *le* and *la* to *m'*, *t'* and *l'* in front of a vowel or silent *h*.

When do I use them? Why are they important?

You use them when you don't want to keep repeating a noun or a name. Using pronouns makes your French sound much more natural.

How do they work?

- Pronouns usually go in front of the verb.
  *«Tu regardes le film?» «Oui, je **le** regarde.»* 'Are you watching the film?' 'Yes, I am watching **it**.'

- In a negative sentence, the direct object pronoun goes between *ne* and the verb.
  *Non, je ne **le** regarde pas.* No, I'm not watching **it**.

- If you are using a verb + infinitive, the direct object pronoun goes in front of the infinitive.
  *Est-ce que tu veux **le** regarder?* Do you want to watch **it**?

- In the perfect tense, the direct object pronoun goes in front of the part of *avoir*. The past participle must agree with the direct object pronoun.
  *Tu connais cette émission? Je **l'**ai regardée hier.* Do you know this programme? I watched **it** yesterday.
  *Tu veux ces DVD? Nous **les** avons achetés sur eBay.* Do you want these DVDs? We bought **them** on eBay.

When do you use indirect object pronouns?

- You use indirect object pronouns to replace a noun which has *à* (*au*, *aux*, etc.) in front of it. You often use them with verbs like *donner* (to give), *demander* (to ask), *dire* (to say), *parler* (to speak) and *téléphoner* (to phone).
  *«Il a téléphoné **à sa mère**?» «Oui, il **lui** a téléphoné.»* 'Has he called **his mother**?' 'Yes, he's called **her**.'

- In French, the indirect object pronouns are:

me	*to me*	nous	*to us*
te	*to you*	vous	*to you*
lui	*to him/her/it*	leur	*to them*

> Note that only *lui* and *leur* look different from direct object pronouns.

How do they work?

- Indirect object pronouns follow the same rules regarding their position in a sentence as direct object pronouns. *Ses parents **lui** donnent de l'argent de poche.*

- Unlike direct object pronouns, in the perfect tense, the past participle does not agree with indirect object pronouns. *On **leur** a parlé hier.*

When do you use y and *en*?

- You use *y* to refer to a place which has already been mentioned. It can refer to a noun, or *à/au/à la/à l'/aux* + noun.

- *Y* often means 'there', although it is not always translated in English.
  *Il adore **Paris**. Il **y** est allé hier.*　　*«Tu vas souvent **au cinéma**?» «J'**y** vais de temps en temps.»*

- You use *en* to replace a noun, or *de/du/de la/de l'/des* + noun.

En often means 'of it', 'of them' or 'some', although it is not always translated in English.
*J'aime le chocolat. J'**en** mange beaucoup.*　　*«Il faut acheter **des** pommes?» «Il faut **en** acheter un kilo.»*
You shorten *je* to *j'* in front of *y* and *en*.

How do they work?

Y and *en* go in front of the verb. Past participles do not agree with *y* and *en*.

1 **Rearrange the words to make correct sentences, using the English prompts to help you. Then underline the object pronoun in each sentence. Note: There are two object pronouns in number 5.**

1 *Soaps? I find them boring.*
ennuyeuses trouve les je les séries?

2 *TV? She watches it every evening.*
regarde télé? les la soirs tous elle la

3 *To the cinema? We go often.*
on souvent au va y cinéma?

4 *Chips? They never eat them.*
jamais en ils n' frites? mangent des

5 *I love you. Do you love me?*
aime aimes? m' tu t' je

6 *His parents give him ten euros a week.*
lui dix par ses donnent semaine euros parents

7 *My friends? I spoke to them yesterday.*
parlé je hier leur ai copains? mes

8 *Justine has invited us to a party.*
fête a à Justine une nous invités

2 **Fill in each gap with an object pronoun from the box, to make a logical sentence. Then translate the sentences.**

en   la   le   les   leur   lui   m'   nous   t'   y

1 Je n'aime pas Thomas. Je ▬ trouve arrogant.
2 «Vous regardez souvent les infos?» «Oui, je ▬ regarde tous les soirs.»
3 Tu es libre samedi? Je ▬ invite à ma fête.
4 «Qu'est-ce que tu penses de ma chemise?» «Je ▬ trouve jolie.»
5 Je finis le travail dans dix minutes. Tu ▬ attends?
6 Nous avons parlé avec Julie. Elle ▬ a téléphoné hier.
7 Marie est contente. Ses parents ▬ donnent de l'argent pour son anniversaire.
8 «Tu vas écrire à tes parents?» «Non, je vais ▬ envoyer un SMS.»
9 On va au concert ce soir. Tu veux ▬ aller avec nous?
10 Moi, j'adore le poulet, mais mon frère n' ▬ mange pas, parce qu'il est végétarien.

3 **Read this interview with a rock star. Then rewrite it, replacing the underlined words with object pronouns, to avoid repetition. Make sure you position the object pronouns correctly and make past participles agree with the pronoun where necessary.**

■ Alors, Xavier, qu'est-ce que vous aimez faire quand vous ne faites pas de musique? Vous regardez la télé?

● Oui, (1) je regarde la télé, surtout les émissions de télé-réalité. (2) Je trouve les émissions de télé-réalité marrantes.

■ Et vous allez au cinéma aussi?

● (3) Je vais au cinéma de temps en temps. (4) Je regarde souvent des films mais je préfère regarder les films en DVD. J'aime aller au théâtre aussi.

■ (5) Quelle est la dernière fois que vous êtes allé au théâtre?

● (6) Je suis allé au théâtre la semaine dernière, avec ma sœur. (7) J'ai invité ma sœur parce qu'elle adore ça, comme moi.

■ Vous n'avez pas invité votre petite copine?

● (8) J'ai téléphoné à ma petite copine, mais elle était en vacances avec ses parents. (9) Elle a offert à ses parents un voyage en Australie.

■ Pour finir, parlons un peu de votre mode de vie. Faites-vous attention à ce que vous mangez?

● Bof, je mange assez bien. (10) J'adore les fruits et je mange beaucoup de fruits. Ma faiblesse, c'est le chocolat, mais (11) je ne mange jamais de chocolat, parce que je ne veux pas prendre de kilo.

■ Merci, Xavier, et bonne chance avec votre nouvel album.

offert – *past participle of* offrir *(to offer or give as a present)*

Verbs followed by an infinitive

Which verbs are followed by an infinitive? When does it happen?
In French, when two verbs are together, the second is in the infinitive. This usually occurs with modal verbs like 'want', 'must', 'can', 'know how to' (which aren't usually used on their own) and verbs expressing likes and dislikes such as 'I like playing', 'I prefer going'.

Why are they important?
You use them to tell people what you want, when you can't do something or when you don't like something and prefer something else. For your GCSE, using modal verbs and opinion verbs correctly will help you to produce more sophisticated work.

Things to watch out for

■ When talking about likes and dislikes in English, the second verb often ends in –ing. This is the verb that goes into the infinitive in French.
I love cook**ing**/I love **to cook**.   J'adore **faire** de la cuisine.

■ Some verbs which are followed by an infinitive in English take *à* or *de* in front of the infinitive in French. There is no other way but to learn them! These are some of the most useful.
apprendre à (*to learn to*)   décider de (*to decide to*)   réussir à (*to succeed*)   refuser de (*to refuse*)
commencer à (*to begin*)   essayer de (*to try*)   inviter à (*to invite*)   oublier de (*to forget*)

1 Choose the correct form of the verb, then translate the sentences.

1 Nathan n'aime pas *travailler / travaillé / travaillez*.
2 Son frère déteste *jouez / joué / jouer* au foot.
3 Il a arrêté de *fumer / fumez / fumé*.
4 Amélie a faim, elle veut *manger / mangez / mangé*.
5 Nous devons *finissons / finir / finit* nos devoirs.
6 Il essaie de *jouer / joué / jouez* de la guitare.
7 Nous voulons *écouter / écouté / écoutez* un CD.
8 On ne peut pas y *allé / allez / aller* le dimanche.

2 Rearrange the words to make correct sentences.

1 jouer foot J' au aime
2 aime n' pas vélo faire du Théo
3 une manger préfère Louise pizza
4 coca boire veux Je un
5 soir peut Il sortir pas ce ne
6 veut cinéma Manon aller au
7 devoirs doit D'abord elle ses faire
8 de texto décidé lui J' envoyer ai un

3 Fill in the gaps with the correct prepositions, then translate the sentences.

1 Je rêve ▬ apprendre ▬ faire du ski.
2 J'ai décidé ▬ gagner de l'argent.
3 J'ai essayé ▬ trouver un job.
4 J'ai réussi ▬ en trouver un dans un café.
5 Mon copain m'a invitée ▬ sortir.
6 J'ai oublié ▬ lui répondre.
7 Il refuse ▬ sortir avec moi.
8 Il a invité ma copine ▬ sortir avec lui.

4 Translate the sentences into French.

1 On Saturday afternoon, I love going to the shopping centre.
2 My boyfriend prefers playing football.
3 What do you all like doing?
4 We have decided to go to EuroDisney next year.
5 We have dreamed of going there, without our parents!
6 My girlfriend wants to come with us.
7 She has given up smoking to save money.
8 We want to take Eurostar to go to Paris.

Relative pronouns

What are they?

who/that   *qui*   which/that/whom   *que*   whose   *dont*   where   *où*

When do I use them?

When you want to link statements together to avoid repetition and to make your French more fluent.
J'ai visité une entreprise de construction. Nicolas a fait un stage dans l'entreprise de construction.
→ *J'ai visité l'entreprise de construction **où** Nicolas a fait un stage.*

Why are they important?

Not only will you sound fluent, but if you use relatives correctly, it means you can create complex sentences.

Things to watch out for

■ In English, we sometimes omit the word 'who'/'whom'/'which', etc. but in French, you must put it in.
*Le monsieur **que** j'ai rencontré est chef d'entreprise.*   The man (whom) I met is the boss.
*C'est l'homme **que** j'ai vu hier.*   It's the man (that) I saw yesterday.

How do they work?

■ **Qui** (who, which, that) is followed by a verb (as it replaces a subject).
Elle a une sœur. ~~Sa sœur~~ est infirmière.   *Elle a une sœur **qui** est infirmière.*

■ **Que** (whom, which, that) is followed by a noun and a verb (it replaces the object of the sentence).
J'ai accepté le stage. Mon prof m'a proposé ~~le stage~~.   *J'ai accepté le stage **que** mon prof m'a proposé.*
I did the course which my teacher suggested.

■ **Dont** replaces 'whose' or 'of whom/which'.
*Je veux voir le film **dont** j'ai vu la bande-annonce.*   I want to see the film whose trailer I saw.
*C'est le livre **dont** on m'a parlé.*   It's the book (that) someone told me about.

■ **Où** (where) replaces a place.
*La maison **où** il habite a une piscine à l'intérieur.*
The house where he lives has an indoor swimming pool.

---

1 *Qui* or *que*? Fill in the gaps, then translate the sentences.

   1 Mon copain ▆▆ s'appelle Rémy a quinze ans.
   2 Il a un frère ▆▆ est coiffeur.
   3 Quel est le film ▆▆ tu veux voir?
   4 Le film ▆▆ j'ai vu était sous-titré en anglais.
   5 Le monsieur ▆▆ porte un costume est chef d'entreprise.
   6 La fille ▆▆ s'appelle Lou est la petite sœur de mon copain.

2 Fill in the gaps with the correct pronouns, then translate the sentences.

   1 Le garçon ▆▆ s'appelle Damien est dans ma classe.
   2 L'entreprise ▆▆ j'ai fait mon stage se trouve près de chez nous.
   3 Le collègue ▆▆ j'ai oublié le nom a été vraiment sympa.
   4 Le problème ▆▆ j'ai trouvé le pire c'est la discrimination.

3 Translate the phrases into French.

   1 the town where I live
   2 the people I know
   3 the first time I saw you
   4 the place where we met

   5 the people who were there
   6 the text which I sent you
   7 the job you told me about
   8 the girl who annoys me

Future and conditional

What are they?
The future (*le futur*) is used to say what you **will** do.
The conditional (*le conditionnel*) is used to say what you **would** do.

When do I use them?
When you are talking about future plans.

Why are they important?
- You need to be able to use the future and conditional to talk about the future.

- You also need to show you can use the future in combination with the present and the past tenses. This is something that you will frequently be expected to do.

- You need to distinguish between the two tenses in listening exercises (some parts sound the same) and in reading exercises (some parts have similar spellings). Recognising and using these tenses will show a good grasp of the language.

Things to watch for
- When you use *quand* to refer to the future, ALL the verbs in the sentence have to be in the future tense.
  *Quand nous **irons** à Paris, nous **verrons** la Tour Eiffel.*
  When we go to Paris, we'll see the Eiffel Tower.

- In clauses with if, you need to use the correct tense!
  - *si* + present tense + future tense
    *Si tu **viens**, moi aussi j'**irai**.*   If you come, I will go too.

  - *si* + imperfect tense + conditional
    *Si tu **mangeais** correctement, tu n'**aurais** pas faim.*   If you ate properly, you wouldn't be hungry.

How are they formed?
- Add the future or the conditional endings to the infinitive of the verb.
  (Take the final *e* off *–re* verbs first.)
  Future endings: *–ai –as –a –ons –ez –ont*
  Conditional endings: *–ais –ais –ait –ions –iez –aient*

		future	conditional
–er verbs	manger	je manger**ai**	je manger**ais**
–ir verbs	finir	tu finir**as**	tu finir**ais**
–re verbs	apprendre	ils apprendr**ont**	ils apprendr**aient**

- Note that the future endings are almost the same as the verb *avoir*, and the conditional endings are the same endings as the imperfect.

- Learn the irregular ones!

	future	conditional
aller	j'**ir**ai	j'**ir**ais
avoir	tu **aur**as	tu **aur**ais
faire	il **fer**a	il **fer**ait
pouvoir	nous **pourr**ons	nous **pourr**ions
venir	vous **viendr**ez	vous **viendr**iez
voir	ils **verr**ont	ils **verr**aient
vouloir	on **voudr**a	on **voudr**ait

There is a more complete list of irregular verbs on pages 229–231.

1 Say whether each sentence uses the future (F) or the conditional (C), then translate the sentences into English.

1 L'année prochaine, nous irons à Paris.
2 Nous pourrions faire un long voyage.
3 On verra!
4 Vous voudriez boire quelque chose?
5 Quand vous arriverez, nous dînerons.
6 Dépêchez-vous! Vous ne finirez jamais!
7 S'il fait beau, nous irons à la plage.
8 J'aimerais voir ce film.

2 Translate the sentences into French.

1 I'd like to go home.
2 When he finishes his homework, we'll watch a DVD.
3 He'll arrive late.
4 If it's fine, they'll play football.
5 We would prefer to eat in a restaurant.
6 Tomorrow it will snow.
7 I would like to go to town this afternoon.
8 Next year, we'll go to EuroDisney.

3 Complete the text using the correct form (future or conditional) of the infinitives in the brackets.

Quand je (**1** *quitter*) le collège je (**2** *aller*) au lycée. Mais si mes notes ne sont pas suffisantes, je (**3** *devoir*) redoubler. Je (**4** *vouloir*) faire un BAC scientifique mais je (**5** *voir*)!

Cette année, pendant les grandes vacances, j' (**6** *aller*) au bord de la mer où je (**7** *faire*) un stage de sport. J' (**8** *aimer*) apprendre à faire de la planche à voile. Je (**9** *chercher*) un stage sportif sur Internet. D'abord, je (**10** *devoir*) gagner de l'argent parce que je n'en ai pas. Le week-end, je (**11** *travailler*) dans le bar de mon oncle. Je (**12** *laver*) la vaisselle et je (**13** *débarrasser*) les tables. Je (**14** *pouvoir*) aussi faire du baby-sitting ou donner des leçons de maths. Je suis fort en maths!

The pluperfect tense

What is it?
The pluperfect is another past tense, like the perfect and the imperfect.
It is called *le plus-que-parfait* in French.

When do I use it?
You use the pluperfect to talk about an event which happened one step further back than another past event. Whereas the perfect tense means 'I did something' or 'I have done something', the pluperfect means 'I **had done** something'.

Why is it important?
Using the pluperfect means that you can talk about events in the past in more detail.
Using it correctly shows a good grasp of more complicated grammar.

How does it work?
- Like the perfect tense, you form the pluperfect by using an auxiliary (*avoir* or *être*) + a past participle. The difference is that you use the **imperfect tense** of the auxiliary.
  J'avais fait de la voile toute la journée, donc j'étais très fatigué.
  I had sailed (been sailing) all day, so I was very tired.

- The verbs which take *être* are the same ones which take *être* in the perfect tense (see page 210). Remember that the past participle of *être* verbs must agree with the subject of the sentence.
  Mes parents étaient partis en vacances et j'étais seul à la maison.
  My parents had gone on holiday and I was alone in the house.

- Sometimes, you use the pluperfect in the same sentence as the perfect, to explain what happened before something else took place.
  Elle avait fini son petit déjeuner quand son frère est arrivé.
  She had finished breakfast when her brother arrived.

1 **Match the sentence halves, then translate the sentences.**

1	J'avais toujours voulu	a	partie en vacances avec son petit copain.
2	On avait	b	mon portable dans l'appartement.
3	Nous étions	c	aller à Nice, mais mes parents ont décidé d'aller en Bretagne.
4	Heureusement, nous	d	partis de bonne heure, mais il y avait beaucoup de circulation.
5	Ma sœur était	e	avions emporté des sandwichs.
6	Mes parents	f	sortis en bateau, quand il a commencé à pleuvoir.
7	Un jour, nous étions déjà	g	avaient loué un appartement au bord de la mer.
8	J'avais laissé	h	pris la voiture et on est arrivés tard.

2 **Use your imagination and complete these sentences with a phrase in the pluperfect tense that describes a family holiday.**

1 J'/Je ▬ avec mes parents, mais c'était un désastre!
2 On ▬, donc on est arrivés de bonne heure.
3 Mon frère ▬ à la maison parce qu'il n'aime pas les vacances en famille.
4 Mes parents ▬ qui était grand(e) et très confortable.
5 Un jour, nous ▬ quand il a commencé à pleuvoir.
6 Malheureusement, j'/ je ▬ et le lendemain, j'étais malade.
7 C'était la première fois qu'on ▬, et on s'est bien amusés.
8 Je voulais envoyer un texto à ma copine, mais j'/je ▬.

pleuvoir – to rain

What are they?

Demonstrative adjectives are: 'this', 'these', 'that' and 'those', followed by a noun.
Demonstrative pronouns are: 'this one', 'these ones', 'that one' and 'those ones'.

Why are they important?

They help you to clarify which person or thing you are referring to. Using them correctly shows a good grasp of more complicated grammar.

How do they work ?

Demonstrative adjectives must agree with the noun they refer to:

Masculine singular	Feminine singular	Masculine plural	Feminine plural
ce (cet *in front of a vowel or silent* h)	cette	ces	ces

To distinguish between 'this' and 'that' or 'these' and 'those', you add *–ci* or *–là* to the noun.

cette cravate-*ci*　　this tie　　　　*ces* gants-*là*　　those gloves

To say 'this one', 'that one', 'these ones' or 'those ones', you use a demonstrative pronoun. They must agree with the noun they are referring to.

celui	celle	ceux	celles

As with demonstrative adjectives, you use –ci or –là to be more specific.

*«Quel chapeau?» «**Celui-là.**»*　　　'Which hat?' 'That one.'

*«Quelles chaussettes?» «**Celles-ci.**»*　　'Which socks?' 'These ones.'

To ask 'which one?' or 'which ones?', you use the following pronouns. They must agree with the noun they refer to.

Lequel?	Laquelle?	Lesquels?	Lesquelles?

*«J'aime cet imperméable.» «**Lequel?**» «Celui-ci.»*　　*«Je vais acheter cette casquette.» «**Laquelle?**» «Celle-là.»*
'I like this raincoat.' 'Which one?' 'This one.'　　'I'm going to buy that cap.' 'Which one?' 'That one.'

1　Fill in the correct form of the demonstrative adjective, then translate the phrases.

1 ▬ chemise-ci　　3 ▬ jogging-là　　5 ▬ garçon-là　　7 ▬ bananes-ci

2 ▬ gants-là　　　4 ▬ baskets-ci　　6 ▬ boulangerie-ci　　8 ▬ œuf-là

2　Copy out and complete the dialogue, using the words in the box.

> ce　celle　celles　celui　ces　cette　ci　là　laquelle　lequel　lesquelles

■ Théo, regarde la photo. Je sors avec (**1**) ▬ fille demain soir!

● (**2**) ▬? La fille aux cheveux blonds?

■ Non, (**3**) ▬-là, la fille aux cheveux noirs. Elle s'appelle Claire.

● Elle est jolie! Qu'est ce que tu vas porter? Pas (**4**) ▬ tee-shirt moche!

■ Non, je vais porter ma nouvelle chemise et (**5**) ▬ baskets.

● (**6**) ▬? Celles-(**7**) ▬ ou (**8**) ▬-là?

■ Celles-(**9**) ▬, les Nike.

● D'accord, ça va. Et vous allez où?

■ Au cinéma. On va voir un film d'action.

● (**10**) ▬? Indiana Jones?

■ Non, (**11**) ▬ au Cinéma Gaumont: le dernier James Bond.

● Alors, amusez-vous bien!

Mémo grammaire

Regular verbs

Learn the patterns and you can use any regular verbs!

INFINITIVE	PRESENT TENSE (stem + present tense endings)	PERFECT TENSE (auxiliary + past participle)	FUTURE TENSE (infinitive + future endings)	IMPERFECT TENSE (stem + imperfect endings)
regarder to watch	je regard**e** tu regard**es** il regard**e** nous regard**ons** vous regard**ez** ils regard**ent**	j'ai regard**é** tu as regardé il a regardé nous avons regardé vous avez regardé ils ont regardé	je regarder**ai** tu regarder**as** il regarder**a** nous regarder**ons** vous regarder**ez** ils regarder**ont**	je regard**ais** tu regard**ais** il regard**ait** nous regard**ions** vous regard**iez** ils regard**aient**
finir to finish	je fin**is** tu fin**is** il fin**it** nous fin**issons** vous fin**issez** ils fin**issent**	j'ai fini tu as fini il a fini nous avons fini vous avez fini ils ont fini	je finir**ai** tu finir**as** il finir**a** nous finir**ons** vous finir**ez** ils finir**ont**	je finissais tu finissais il finissait nous finissions vous finissiez ils finissaient
attendre to wait	j'attend**s** tu attend**s** il attend nous attend**ons** vous attend**ez** ils attend**ent**	j'ai attend**u** tu as attendu il a attendu nous avons attendu vous avez attendu ils ont attendu	j'attendr**ai** tu attendr**as** il attendr**a** nous attendr**ons** vous attendr**ez** ils attendr**ont**	j'attendais tu attendais il attendait nous attendions vous attendiez ils attendaient
se connecter to connect	je **me** connecte tu **te** connectes il **se** connecte nous **nous** connectons vous **vous** connectez ils **se** connectent	je me suis connecté(e) tu t'es connecté(e) il s'est connecté nous nous sommes connecté(e)s vous vous êtes connecté(e)(s) ils se sont connecté(s)	je me connecterai tu te connecteras il se connectera nous nous connecterons vous vous connecterez ils se connecteront	je me connectais tu te connectais il se connectait nous nous connections vous vous connectiez ils se connectaient

Key irregular verbs

INFINITIVE	PRESENT TENSE (Watch out for the change of stems)	PERFECT TENSE (auxiliary + past participle)	FUTURE TENSE (stem + future endings)	IMPERFECT TENSE (stem + imperfect endings)
avoir to have	j'**ai** tu **as** il **a** nous **avons** vous **avez** ils **ont**	j'ai **eu** tu as eu il a eu nous avons eu vous avez eu ils ont eu	j'**aur**ai tu auras il aura nous aurons vous aurez ils auront	j'avais tu avais il avait nous avions vous aviez ils avaient
être to be	je **suis** tu **es** il **est** nous **sommes** vous **êtes** ils **sont**	j'ai **été** tu as été il a été nous avons été vous avez été ils ont été	je **ser**ai tu seras il sera nous serons vous serez ils seront	j'étais tu étais il était nous étions vous étiez ils étaient
faire to do/make	je **fais** tu **fais** il **fait** nous **faisons** vous **faites** ils **font**	j'ai **fait** tu as fait il a fait nous avons fait vous avez fait ils ont fait	je **fer**ai tu feras il fera nous ferons vous ferez ils feront	je faisais tu faisais il faisait nous faisions vous faisiez ils faisaient
aller to go	je **vais** tu **vas** il **va** nous **allons** vous **allez** ils **vont**	je **suis** allé(e) tu **es** allé(e) il **est** allé nous **sommes** allé(e)s vous **êtes** allé(e)(s) ils **sont** allés	j'**ir**ai tu iras il ira nous irons vous irez ils iront	j'allais tu allais il allait nous allions vous alliez ils allaient
prendre to take (also applies to: apprendre, comprendre …)	je **prends** tu **prends** il **prend** nous **prenons** vous **prenez** ils **prennent**	j'ai **pris** tu as pris il a pris nous avons pris vous avez pris ils ont pris	je prendrai tu prendras il prendra nous prendrons vous prendrez ils prendront	je prenais tu prenais il prenait nous prenions vous preniez ils prenaient
vouloir to want	je **veux** nous **voulons** ils **veulent**	j'ai **voulu** nous avons voulu ils ont voulu	je **voudr**ai nous voudrons ils voudront	je voulais nous voulions ils voulaient
pouvoir can/to be able to	je **peux** nous **pouvons** ils **peuvent**	j'ai **pu** nous avons pu ils ont pu	je **pourr**ai nous pourrons ils pourront	je pouvais nous pouvions ils pouvaient
devoir must/to have to	je **dois** nous **devons** ils **doivent**	j'ai **dû** nous avons dû ils ont dû	je **devr**ai nous devrons ils devront	je devais nous devions ils devaient

Other useful irregular verbs

INFINITIVE	PRESENT TENSE (Watch out for the change of stems)	PERFECT TENSE (auxiliary + past participle)	FUTURE TENSE (stem + future endings)	IMPERFECT TENSE (stem + imperfect endings)
appeler to call	j'appelle nous nous appelons ils appellent	j'ai appelé nous avons appelé ils ont appelé	j'appellerai nous appellerons ils appelleront	j'appelais nous appelions ils appelaient
boire to drink	je **bois** nous **buv**ons ils **boiv**ent	j'ai **bu** nous avons bu ils ont bu	je boirai nous boirons ils boiront	je buvais nous buvions ils buvaient
conduire to drive	je **condui**s nous **conduis**ons ils conduisent	j'ai **conduit** nous avons conduit ils ont conduit	je conduirai nous conduirons ils conduiront	je conduisais nous conduisions ils conduisaient
connaître to know	je **connai**s nous **connaiss**ons ils connaissent	j'ai **connu** nous avons connu ils ont connu	je connaîtrai nous connaîtrons ils connaîtront	je connaissais nous connaissions ils connaissaient
croire to believe	je **croi**s nous **croy**ons ils **croi**ent	j'ai **cru** nous avons cru ils ont cru	je croirai nous croirons ils croiront	je croyais nous croyions ils croyaient
dire to say	je **di**s nous **dis**ons ils disent	j'ai **dit** nous avons dit ils ont dit	je dirai nous dirons ils diront	je disais nous disions ils disaient
dormir to sleep	je **dor**s nous **dorm**ons ils dorment	j'ai dormi nous avons dormi ils ont dormi	je dormirai nous dormirons ils dormiront	je dormais nous dormions ils dormaient
écrire to write	j'**écri**s nous **écriv**ons ils écrivent	j'ai **écrit** nous avons écrit ils ont écrit	j'écrirai nous écrirons ils écriront	j'écrivais nous écrivions ils écrivaient
envoyer to send	j'**envoi**e nous **envoy**ons ils **envoi**ent	j'ai envoyé nous avons envoyé ils ont envoyé	j'**enverr**ai nous enverrons ils enverront	j'envoyais nous envoyions ils envoyaient
essayer to try	j'**essai**e nous **essay**ons ils **essai**ent	j'ai essayé nous avons essayé ils ont essayé	j'essayerai nous essayerons ils essayeront	j'essayais nous essayions ils essayaient
se lever (also applies to: acheter)	je me **lè**ve nous nous **lev**ons ils se **lè**vent	je me suis levé(e) nous nous sommes levé(e)s ils se sont levés	je me **lè**verai nous nous **lè**verons ils se **lè**veront	je me levais nous nous levions ils se levaient
lire to read	je **li**s nous **lis**ons ils lisent	j'ai **lu** nous avons lu ils ont lu	je lirai nous lirons ils liront	je lisais nous lisions ils lisaient

INFINITIVE	PRESENT TENSE (Watch out for the change of stems)	PERFECT TENSE (auxiliary + past participle)	FUTURE TENSE (stem + future endings)	IMPERFECT TENSE (stem + imperfect endings)
manger to eat (*also applies to* nager, partager**)**	je mange nous mang**e**ons ils mangent	j'ai mangé nous avons mangé ils ont mangé	je mangerai nous mangerons ils mangeront	je mang**e**ais nous mangions ils mang**e**aient
mettre to put	je **met**s nous **mett**ons ils mettent	j'ai **mis** nous avons mis ils ont mis	je mettrai nous mettrons ils mettront	je mettais nous mettions ils mettaient
ouvrir to open	j'ouvre tu ouv**re**s il ouv**re** nous ouv**r**ons vous ouv**re**z ils ouv**r**ent	j'ai **ouvert** tu as ouvert il a ouvert nous avons ouvert vous avez ouvert ils ont ouvert	j'ouvrirai tu ouvriras il ouvrira nous ouvrirons vous ouvrirez ils ouvriront	j'ouvrais tu ouvrais il ouvrait nous ouvrions vous ouvriez ils ouvraient
partir to leave	je **par**s nous **part**ons ils partent	je suis parti(e) nous sommes parti(e)s ils sont partis	je partirai nous partirons ils partiront	je partais nous partions ils partaient
préférer to prefer	je préf**è**re nous préf**é**rons ils préf**è**rent	j'ai préféré nous avons préféré ils ont préféré	je préférerai nous préférerions ils préféreront	je préférais nous préférions ils préféraient
rire to laugh	je **ri**s nous rions ils rient	j'ai ri nous avons ri ils ont ri	je rirai nous rirons ils riront	je riais nous riions ils riaient
savoir to know	je **sai**s nous **sav**ons ils savent	j'ai **su** nous avons su ils ont su	je **sau**rai nous saurons ils sauront	je savais nous savions ils savaient
se sentir to feel	je me **sen**s nous nous **sent**ons ils se sentent	je me suis senti(e) nous sommes senti(e)s ils se sont sentis	je me sentirai nous nous sentirons ils se sentiront	je me sentais nous nous sentions ils se sentaient
sortir to go out, leave	je **sor**s nous **sort**ons ils sortent	je suis sorti(e) nous sommes sorti(e)s ils sont sortis	je sortirai nous sortirons ils sortiront	je sortais nous sortions ils sortaient
venir (*also applies to* devenir)	je **vien**s nous **ven**ons ils **vienn**ent	je suis **venu**(e) nous sommes venu(e)s ils sont venus	je **viendr**ai nous viendrons ils viendront	je venais nous venions ils venaient
voir to see	je **voi**s nous **voy**ons ils **voi**ent	j'ai **vu** nous avons vu ils ont vu	je **verr**ai nous verrons ils verront	je voyais nous voyions ils voyaient

Vocabulaire *français – anglais*

A

il y en a pour tout le monde	there's something for everyone
à bientôt	see you soon
à demain	see you tomorrow
à moi/à toi	mine/yours
à peu près	about
abîmé(e)	broken/damaged/ worn out
aborder	to tackle
l' abréviation (f)	abbreviation
abriter	to shelter
absorber	to absorb
l' acceptation (f)	acceptance
l' accès (m)	access
l' accro (m/f)	addict/fan
l' accueil (m)	welcome
les achats (m)	purchases
s' acheter	to buy oneself
acquis(e) à	kept by
actuellement	at present
l' acuité visuelle	sharpness of vision
l' adhésion (f)	membership
administratif/ve	administrative
s' adresser à	to be aimed at
l' adversaire (m/f)	opponent
les affaires (f)	things/kit
d' affilée	in a row
affreux/euse	awful
afin de	so as to
l' agence (f) pour l'emploi	employment agency
s' agir de	to be about
agrandir	to enlarge
agréable	pleasant
l' agriculteur/trice	farmer
ailleurs	elsewhere
ainsi	so/in this way
être à l' aise	to be comfortable/ at ease
ajouter	to add
alimentaire	food (adj.)
l' alimentation (f)	food
allumer	to turn on
ou alors	or maybe
alors que	when
l' alpage (m)	mountain pasture
l' ambiance (f)	atmosphere
améliorer	to improve
aménagé(e)	fitted
amener	to take
l' amour (m)	love
l' ananas (m)	pineapple
ancien(ne)	old/ancient/ex
une ancienne petite copine	an ex-girlfriend
l' animateur/trice (de club)	(club) leader
l' animation (f)	activity
animé(e) par	presented by
l' annonce (f)	advert
les antibiotiques (m)	antibiotics
l' antimite (m)	mothballs
apparaître	to appear
l' appareil-photo (m)	camera
appartenir (à)	to belong (to)
apporter	to bring

apprécié(e)	appreciated/ desirable
apprécier	to appreciate/enjoy
apprendre	to learn/teach
approprié(e)	appropriate
d' après	based on
d' après lui/elle	according to him/ her
l' arme (f) à feu	firearm
les arrhes (f)	charges
il arrive que	sometimes
l' artère (f)	artery
les artichauts (m)	artichokes
les arts (m) martiaux	martial arts
les arts (m) plastiques	fine arts
l' aspect (m)	appearance
s' asseoir	to sit down
assez de	enough
assis(e)	sitting down
l' assistance (f)	help
assurer	to guarantee/ ensure
l' asthme (m)	asthma
l' atelier (m)	workshop
l' atout (m)	asset
l' attaquant(e)	striker/forward
atteindre	to reach
être atteint(e) de	to be suffering from
attenant(e)	en suite
l' attente (f)	waiting
faire attention à	to look after/pay attention to
attirer	to attract
au-delà	beyond/in addition to
au-dessus	above
avoir aucune importance	to be of no importance
auprès de	with
aussi longtemps que possible	as long as possible
l' auteur (m)	the author
autour de	around
d' autre(s)	other
autrefois	at one time/in the past
l' autruche (f)	ostrich
il n'y avait pas de place	there was no room
avancé(e)	advanced
s' avancer	to get ahead
d' avant	(from) before
avant J.C.	B.C.
à l' avenir (m)	in future
l' averse (f)	shower
l' aviron (m)	rowing
l' avocat(e)	lawyer
avouer	to admit

B

le bac (baccalauréat)	(equivalent of A levels)
les bagagistes (m)	baggage handlers
la bague	ring
la baignade	swimming

se baigner	to have a bath/ swim
le bal	dance/ball
la barquette	container/punnet
en bas	downstairs
basé(e)	based
le bassin	basin
faire du bateau à voile	to go sailing
le bâtiment	building
à la belle étoile	under the stars
avoir besoin de	to need
faire des bêtises (f)	to be silly
beurk	yuck
le bien-être	well-being
la bijouterie	jewellery department/shop
blessé(e)	injured
le bois	wood
la boisson	drink
la boîte	night club
en boîte (f)	at a night club
de bonne heure	early
bosser	to work (familiar)
la boucherie	butcher's
les boucles (f) d'oreilles	earrings
le boulot	work/job (familiar)
à bout de souffle	out of breath
la boxe	boxing
le branchement	connection
briller	to shine
le bruit (m)	noise
brûler	to burn
brûler le feu rouge	to go through a red light
la brume	mist
bruyant(e)	noisy
la buanderie	laundry
la bûche de Noël	Christmas log (cake)
la bulle	speech bubble
le but	goal

C

c'est-à-dire	that is to say
c'est pour ça	that's why
la cabine d'essayage	fitting room
le cabinet (médical/ vétérinaire)	(doctor's/ veterinary) surgery
le cadre	framework/setting
la caisse	the cash desk/ checkout
calorique	calorific
la camionnette	van
le canapé	sofa
le canapé-lit	sofa bed
la canette	can
le canotage	boating
le car de ramassage	school bus
les Caraïbes (f)	the Caribbean
le carburant pour fusée	rocket fuel
caricaturer	to caricature/ exaggerate
le carnet d'adresses	address book
le carnet de dix tickets	book of 10 tickets

French	English
le carrefour	crossroads
carrément	really
la carrière	career
la cascade	stunt
le/la cascadeur/euse	stunt man/woman
le casque	helmet
casser	to break
à cause de	because of
la caution	deposit
le/la cavalier/ère	horse rider
le CDI (centre de documentation et d'information)	school library
le CDI (contrat à durée indéterminée)	permanent contract
célèbre	famous
célibataire	unmarried/single
des centaines (f)	hundreds
cependant	nevertheless/however
certains/certaines	some
le CES (collège d'éducation supérieure)	secondary school
la chaîne hi-fi	stereo
la chaleur	heat
le chameau	camel
champêtre	rural/rustic
avoir de la chance	to be lucky
la chanson	song
le chant	singing
la charcuterie	delicatessen
avoir en charge	to be responsible for
chargé(e)	busy
charger la voiture	to load/pack the car
le chariot (de supermarché)	shopping trolley
le chauffage central	central heating
chauffer	to heat
la chauve-souris	bat
le/la chef	boss
la cheminée	fireplace
le chercheur scientifique	research scientist
la cheville	ankle
chevronné(e)	experienced
les chiffres (m)	numbers
chimique	chemical
chinois(e)	Chinese
au chômage	unemployed
le chômage	unemployment
le/la chômeur/euse	unemployed person
choqué(e)	shocked
mon petit chou	my darling (lit. my little cabbage)
chouette	great
la chute d'eau	waterfall
ci-dessous	below
ci-dessus	above
cinématographique	film (adj.)
la circulation	traffic
le jour de circulation	day when the service runs (e.g. trains)
classé(e)	seeded/ranked
la clé USB	USB flash drive
climatisé(e)	air-conditioned

French	English
la cloche	bell
au cœur de	at the heart of
le coin	corner
coincé(e)	jammed
collé(e)	stuck
collectif/ve	communal
la colline	hill
le/la colocataire	roommate/flatmate
la colombe	dove
la colonie de vacances	summer camp (for children)
colonisé(e)	colonised
le combat	fight
combattre	to fight
la combinaison de plongée	wet suit
les combles (m)	attic
commander	to order
comme ça	like that/in that way
comme d'habitude	as usual
le/la commerçant(e)	market trader/shop keeper
les commerces (m)	shops
commode	convenient
complet/ète	full
le comportement	behaviour
comprenant(e)	consisting of/including
compris(e)	including
le/la comptable	accountant
le compte	account
compter	to count/to be important
compter parmi	to be among
les comptes (m)	the accounts
le/la concierge	the caretaker
conçu(e)	designed
avoir confiance (f) en soi	to be self-confident
confirmé(e)	experienced
la confiserie	sweet shop
les confiseries (f)	sweets
la confluence	confluence (point where two rivers meet)
le congé (annuel)	(annual) holiday
le/la plus connu(e)	the best known
le/la conquérant(e)	conqueror
le conseil	piece of advice
par conséquent	as a result
conserver	to conserve
la consigne	left luggage office
consister en	to consist of/comprise
consommer	to consume/use
construire	to build
le container pour le verre	bottle bank
contaminé(e)	contaminated
le contenu	contents
le contrat	contract
le contrôle	test
convaincre	to convince
les coordonnées (f)	personal details
la coquille	shell
correspondre	to match up
le côté	side
la côtelette d'agneau	lamb chop
le couchage	bedding

French	English
tout à coup	suddenly
le coup de fil	telephone call
la cour	playground
le cours facultatif	optional lesson
la course	race
les courses (f)	shopping
coûter	to cost
couvert(e)	covered
le/la CPE (conseiller/ère principal(e) d'éducation)	attendance and discipline counsellor in a French school
craquer	to crack/break
la crêpe	pancake
je n'y crois pas	I don't believe it
croustillant(e)	crunchy/crusty
cuisiner	to cook
les cuisses (f) de grenouille	frogs' legs
cuit(e)	cooked
cultiver	to grow

D

French	English
le débarquement	landing
débile	stupid
déborder	to overflow
débraillé(e)	scruffy
au début	in the beginning
le/la débutant(e)	beginner
les déchets (m)	rubbish
la déclaration	statement
déconcentrer	to distract
la découverte	exploration/discovery
découvrir	to explore/discover
déçu(e)	disappointed
dedans	inside/in it
la défaite	defeat
le défaut	fault
se défendre	to defend oneself
défendu(e)	forbidden
la défenestration	crashing through windows
le défi	challenge
le défilé	parade
dégoûtant(e)	disgusting
la dégradation	damage
dégueulasse	disgusting
déguisé(e) en	dressed up as
se déguiser en	to dress up as
en dehors de	out of/off
déjà	already
délinquant(e)	delinquent
se demander	to ask oneself
déménager	to move house
une demi-heure	half an hour
la demi-pension	half board
démodé(e)	old-fashioned
le/la dépanneur/euse	breakdown mechanic
la dépanneuse	breakdown lorry
le déplacement	transfer
déposer	to drop off
le dépôt de garantie	security deposit
la déprime	depression
depuis longtemps	for a long time
ça ne me dérange pas	I don't mind
déranger	to upset/disturb
se dérouler	to take place
désagréable	unpleasant
le désistement	cancellation

	désormais	from now on
le	dessin	drawing/art
	dessus	on it
la	détente	relaxation
le	détergent	detergent
les	deux	both of them
	devenir	to become
le	devoir sur table	class test
	digérer	to digest
la	dinde	turkey
	dîner	to have dinner
se	dire	to say to oneself/ each other
	directement après	straight after
le/la	directeur/trice	head teacher
la/la	directeur/trice technique	technical director
	discipliner	to discipline
	disons	let's say
la	disponibilité	availability
	disponible	available
se	disputer	to argue
le	dissolvant	solvent
	distrait(e)	absent-minded/ scatty
le	distributeur de boîtes	can dispenser
le	domicile	home
	dominer	to dominate/ overlook
c'est	dommage	it's a shame
le	don	gift/aptitude/ donation
	donc	so
	donnant sur	overlooking
se	donner	to give each other
	donner à manger à	to feed
	dont	whose/of which
	doré(e)	golden
le	dossier de candidature	application
le	double-vitrage	double glazing
	doué(e)	gifted/talented
	draguer	to chat up
le	drap	sheet
	dressé(e)	trained
avoir le	droit de	to be allowed to
	drôle	funny
se	dépêcher	to hurry
	dû/due à	due to
le	duc	duke
la	dune	sand dune
	durcir	to harden
	dur(e)	hard
la	durée	length/duration
	durer	to last
	dynamique	dynamic

E

l'	eau-de-vie (f)	brandy/spirit
l'	échange (m)	exchange visit
s'	échapper	to escape
l'	éclaircie (f)	sunny interval
	économiser	to save
l'	écran (m)	screen
l'	édition (f)	edition
	éducatif/ve	educational
	effectuer	to carry out
	également	as well/equally
l'	égalité (f)	equality

l'	électroménager (m)	household appliances
	éliminer	to eliminate/vote off
	embêter	to annoy
l'	embouteillage (m)	traffic jam
s'	embrasser	to kiss each other
	empêcher	to prevent
l'	emplacement (m)	pitch (on campsite)
l'	emploi (m)	job
	emporter	to take away
	en ajoutant	adding
	en écoutant	while listening
	en plus	as well
	en trop	too much
	enceinte	pregnant
	encrasser	to clog up
	en dessous de	under
l'	endroit (m)	place
	énervé(e)	annoyed
	enfermé(e)	shut up/locked up
	enlever	to take off/remove
l'	ennemi(e)	enemy
s'	ennuyer	to get bored
	enregistrer	to record
	enrichissant(e)	enriching
	enseigner	to teach
dans l'	ensemble (m)	on the whole
	ensoleillé(e)	sunny
	ensuite	then
	entourer	to surround
	entouré(e) par	surrounded by
s'	entraîner	to train/practise
l'	entraîneur/euse	coach
	entre amis	among friends
l'	entreprise (f)	business
à l'	envers (m)	inside out/back to front
donner	envie à (quelqu'un)	to make (someone) want to
(il) me		
	fait envie	I want (it)
	environ	about
l'	épicerie (f)	grocer's shop
les	épinards (m)	spinach
l'	époque (f)	period (in history)
à cette	époque	at that time
	épouvantable	awful
l'	épouvantail (m)	scarecrow
	équilibré(e)	balanced
	équipé(e) de	equipped with
	l'escalier (m)	stairs
les	escargots (m)	snails
un	espace vert	a green space
	essayer	to try
l'	essence (f)	petrol
l'	essentiel (m)	the main points/ the gist
l'	établissement (m)	establishment/ school
l'	étage (m)	floor/storey
à l'	étage	upstairs
l'	étalage (m)	window display
	étanche	waterproof
	étant donné	in view of
l'	étape (f)	stage
l'	état (m)	state
l'	état (m) civil	marital status
s'	étendre	to extend/stretch

l'	étoile (f)	star
	étonner	to amaze
un	être humain	a human being
	étroit(e)	narrow
l'	événement (m)	event
	éventuel(le)	possible
	éviter	to avoid
un poste	évolutif	job with opportunities for advancement
	évoqué(e)	mentioned
un	exercice de calcul	a sum
un	exercice de compréhension	a comprehension exercise
	expérimenter	to try out
l'	explosif (m)	explosive
un	exposé	a talk/presentation
l'	exposition (f)	exhibition
	exprimer	to express
l'	externe (m/f)	day pupil (at a boarding school)
	extérieur(e)	outside
l'	extrait (m)	extract
	extraverti(e)	outgoing/extrovert

F

	fabriquer	to make
	face à	facing
	fâché(e)	angry
	facilement	easily
la	faculté	university
	faible	weak
le	faible	weakness
	faire de son mieux	to do one's best
se	faire des ami(e)s	to make friends
	familial(e)	family(-oriented)
se	faire mal	to be hurt/injured
en	fait	in fact
	fascinant(e)	fascinating
	fatigant(e)	tiring
il me	faut trois quarts d'heure	it takes me three quarters of an hour
le	fauteuil	armchair
le	fauteuil roulant	wheelchair
le	faux-filet	sirloin steak
	festif/ve	festive
faire la	fête	to have a party/ have a good time
la	fête nationale	the national festival
	fêter	to celebrate
la	feuille	leaf
les	feux (m) d'artifice	fireworks
	fier/fière	proud
	filer	to rush
le	filet	net
la	fin	end
le	fleuve	river
le	foie gras	foie gras (liver pâté)
des	fois	sometimes
au	fond	at the back
	fondé(e)	founded
	fondre	to melt
la	formation	training/education
la	formule	formula
	fort(e)	strong, loud
	fort(e) en	good at
	fortifié(e)	fortified
	fourni(e)	provided/supplied

fournir	to supply/provide
frais/fraîche	fresh
fréquenté(e)	visited
fréquenter	to go to
le frigo	fridge
frisé(e)	curly
la frontière	border
le/la funambule	tightrope walker
être furieux/euse contre	to be furious with

G

gallo-romain(e)	Franco-Roman
garder	to keep
gare à	be warned/beware
garé(e)	parked
les gars (m)	guys
le gaspillage	waste
gaspiller	to waste
gâté(e)	spoilt
le gazon	grass
geler	to freeze
la genouillère	knee pad
le genre	kind/type
les gens (m)	people
le geste	gesture
le gîte	holiday cottage
glissant(e)	slippery
le/la gosse	kid
le goût	taste/liking
le goûter	afternoon snack
grâce à	thanks to
la grande surface	hypermarket
grandir	to grow (up)
faire la grasse matinée	to have a lie in
gratuit(e)	free (of charge)
la grenouille	frog
la grève	strike
grignoter	to nibble
le gros titre	headline
grossir	to get fat
la grotte	cave
la GRS (gymnastique rythmique et sportive)	gymnastics
guadeloupéen(ne)	Guadaloupian
guérir	to cure/heal
le guichet	ticket window
un gymnase	a gym

H

habile	skilful
habiter	to live (in a place)
l' habitude (f)	habit
s' habituer à	to get used to
haché(e)	minced
haut(e)	high
les hauteurs (f)	the heights/high part
la haute couture	high fashion
hein	eh?
l 'hébergement (m)	accommodation
l' herbe (f)	grass
hériter	to inherit
à l' heure (f)	on time
une heure d'étude	an hour of private study
les heures (f) de pointe	rush hour
une heure de «trou»	a free lesson
heureusement	luckily

se heurter contre	to crash into
l' histoire (f) de cœur	affair of the heart
le hockey sur gazon	field hockey
en hommage à	as a tribute to/in honour of
c'est la honte	it's embarrassing/ a disgrace
l' horaire (m)	the timetable
l' horloge (f)	clock
avoir horreur de	to hate
hors de	outside
l' hôte(sse)	host/hostess
des huîtres (f)	oysters
l' humeur (f)	mood

I

l' île (f)	island
l' immigré(e)	immigrant
s' impatienter	to get impatient
important(e)	big/important
n' importe comment	any old how
n' importe quoi	any old thing
impressionnant(e)	impressive
l' imprimante (f)	printer
l' incendie (m)	fire
l' inconvénient (m)	disadvantage
indépendant(e)	separate/ independent
indiqué(e)	indicated
indiscutablement	undeniably
indiquer	to indicate/show
indispensable	essential
l' infirmier/ère	nurse
l' informatique (f)	computers
l' inondation (f)	flood
inonder	to flood
s' inquiéter	to worry
s' inscrire	to join
s' installer	to settle down
l' interdiction (f) (de)	ban (on)
intéressant(e)	attractive/ interesting
quel est l'intérêt?	what's the point?
à l' intérieur	inside
l' internat (m)	boarding house (at a school)
l' interne (m/f)	boarder (at a school)
interprété(e) par	played by
l' invité(e)	guest
irrespirable	unbreathable/ unbearable

J

jeté(e) par terre	thrown on the ground
le jeu d'équipe	team game
jeûner	to fast
la joie	joy
le jour de congé	holiday/bank holiday
de jour comme de nuit	by day and night
le journal télévisé	TV news
le/la judoka	judoka/judo player
jumeau/jumelle	twin
jusqu'à	until
juste	just/fair

L

là	there
là bas	there/over there
laisser	to let/allow/leave
laisser traîner	to leave lying around
large	baggy/wide
le latin	Latin
faire du lèche-vitrines	to go window shopping
la lecture	reading
la lessive	washing powder/ liquid
le lendemain	the next day
la lettre de motivation	application letter
la liberté	freedom
la librairie-papeterie	books and stationery department/shop
libre	free (vacant)
libre-service	self-service
le lieu	place
au lieu de	instead of
la ligne	figure
les lits (m) superposés	bunk beds
littoral(e)	coastal
littéraire	literary
la livraison	delivery
la livre	pound
la location	hire
les locaux (m)	the premises/ building
le logement	housing/ accommodation
la longueur	length
lorsque	when
le lot	batch/lot/pack
louer	to hire/rent
le loyer	rent
la luge	sledging
lutter contre	to fight against
le lycée général	general high school/sixth form school
le lycée technique	technical high school/sixth form school

M

faire les magasins (m)	to go shopping
la magie	magic
le maillot	sports shirt
à la main	in one's hand/ holding
mal garé(e)	badly parked
ça s'est mal passé	it went badly
malgré	in spite of
la mangue	mango
le mannequin	model
manquant(e)	missing
le manque de	lack of
ne pas manquer de	to have plenty of
marcher	to work
les marches (f)	steps
la marée	tide
marin(e)	marine/sea
marocain(e)	Moroccan
la marque	brand/make
marquer	to mark/score
j'en ai marre (de)	I'm fed up (with)

des masses (f) de	masses of	
le massif	the massif (group of mountains)	
un match amical	a friendly match	
maternel(le)	maternal	
la maternelle	nursery school	
le mec	bloke/guy	
le/la mécanicien(ne)	mechanic	
les mèches (f)	highlights (in hair)	
le médicament	medicine	
la meilleure partie	the best bit	
même	even	
en même temps	at the same time	
mensuel(le)	monthly	
mentionné(e)	mentioned	
mériter	to deserve	
la messe de minuit	midnight mass	
mesurer	to measure	
mettre deux heures	to take two hours	
mettre en péril	to put in danger	
mettre en prison	to put in prison	
se mettre en route	to start off/set off	
les meubles (m)	furniture	
à mi-chemin	halfway	
mince	slim	
le milieu	background/environment	
le milliard	billion	
des milliers (m)	thousands	
la mise en plis	perm (for hair)	
la mise en pratique	practical training	
le mitigeur	mixer tap	
mixte	mixed	
le mode de vie	lifestyle	
au moins	at least	
la moitié	half	
beaucoup de monde	lots of people	
mondial(e)	worldwide/in the world	
le/la moniteur/trice	instructor	
le morceau	bit/piece	
monter	to climb/to carry up	
se monter à	to amount to	
monter dans le bateau	to board the boat	
se moquer de	to make fun of	
la mort	death	
mort(e)	dead	
mortel(le)	deadly	
le moteur	engine/motor	
la moto	motorbike	
moyen(ne)	medium	

N

la navette	shuttle bus	
si nécessaire	if necessary	
la neige	snow	
nerveux/euse	nervous	
nettement plus	much more	
le nettoyage à sec	dry cleaning	
nettoyer	to clean	
le niveau	level	
notamment	notably/especially	
la note	mark/grade	
se nourrir de	to feed on/eat	
la nourriture	food	
nous-mêmes	ourselves	
à nouveau	once again	

le nuage	cloud	
nuageux/euse	cloudy	

O

s' occuper de	to look after/take care of	
l' odeur (f)	smell	
l' offre (f)	offer	
l' oiseau (m)	bird	
l' oiseau marin	sea bird	
à l' ombre	in the shade	
l' opérateur/trice	operator	
l' orage (m)	(thunder)storm	
l' orchestre (m)	stalls	
l' ordinateur (m)	computer	
l' oreiller (m)	pillow	
l' origine (f)	the origin	
l' orphelin(e)	orphan	
où bon vous semble	where you see fit	
ou … ou …	either … or …	
ou bien	or maybe	
ouvrir	to open	

P

la paire	pair	
le palais des congrès	conference hall	
c'était la panique	we were panicking	
en panne	broken down	
le panneau	sign	
les pantoufles (f)	slippers	
la papeterie	stationer's/newsagent's	
le paquet (m)	parcel/packet	
le parapluie	umbrella	
par cœur	by heart	
par contre	on the other hand	
par terre	on the floor/ground	
paraître	to seem	
le parapente	paragliding	
le parcours acrobatique	obstacle course	
parcouru(e)	travelled	
parfois	sometimes	
la parfumerie	perfume shop	
parmi	among	
le parrain	godfather	
à part	apart from/as well as	
de la part de (quelqu'un) c'est	from (someone)	
de la part de qui?	who's calling?	
le partage	sharing	
partager	to share	
le/la partenaire	partner	
participer à	to take part in	
particulier/ère	particular/special	
la partie	game/part	
partout	everywhere	
au pas de course	racing (lit. at racing pace)	
pas mal	not bad	
avoir pas mal de	to have quite a lot of	
ça s'est bien passé	it went well	
au passé composé	in the perfect tense	
passer	to spend (time)/take (an exam)/go past	

passer devant	to walk past	
passer un coup de fil	to give (someone) a call	
la passerelle	walkway	
le passe-temps	pastime	
le patin à glace	ice skating	
la pâtisserie	cake shop	
le pâtissier	pastry chef	
la pause déjeuner	lunch break	
le/la pauvre	the poor thing	
le paysage	countryside/landscape	
pédagogique	educational/teaching	
à peine	hardly	
la peinture	painting	
pendant que	while	
la pénicilline	penicillin	
la pension complète	full board	
le/la pentathlonien(ne)	pentathlete	
la percussion humaine	stunt crashes	
perdre	to lose	
la période	period	
permettre	to allow/give the opportunity	
le personnage	character	
persuader	to persuade	
la pétanque	a kind of bowls game popular in France	
le/la petit(e)	child	
le petit copain	boyfriend	
la petite copine	girlfriend	
la petite annonce	small ad	
peu	little	
peuplé(e)	populated	
le/la photographe	photographer	
la pièce	play (at theatre)/room (in house)	
au pied de	at the foot of	
pire(s)	worse	
le pire	the worst thing	
la pistache	pistachio	
pittoresque	picturesque	
le placard	cupboard	
sur place	on the spot	
plaire à	to please	
(il) me plaît	I like (it)	
le plat	dish/main course	
plein(e) à craquer	full to bursting	
en plein air	in the open air	
pleurer	to cry	
pleuvoir à verse	to pour down	
la plongée	diving	
le/la plongeur/euse	dish washer (in restaurant)/diver	
la pluie	rain	
la plupart	most	
pour la plupart	mostly	
de plus	as well	
de plus en plus	more and more	
plus tard	later	
plusieurs	several	
plutôt	rather/instead	
le pneu	tyre	
la poésie	poem	
prendre du poids	to put on weight	
les poils (m) de chat	cat hairs	

les poivrons (m) (rouges)	(red) peppers	
l'homme politique	politician	
la femme politique	politician	
les pompes (f)	press-ups	
faire le pont	(have an extra day's holiday to join a bank holiday to the weekend)	
portugais(e)	Portuguese	
poser sa candidature	to apply	
les poumons (m)	lungs	
pour	for	
le pourboire	tip	
pourtant	however/yet	
la poussette	pushchair	
pratiquer	to practise/do (a sport)	
précéder	to come before	
les précipitations (f)	precipitation/rainfall	
se précipiter	to rush	
préciser	to specify	
préférentiel(le)	favourable	
les premiers soins (m)	first aid	
se prendre au sérieux	to take oneself seriously	
prendre des cours	to have lessons	
préparatoire	preparatory	
se préparer	to get ready	
prescrire	to prescribe	
au présent	in the present tense	
le/la présentateur/trice	presenter	
presque	nearly	
pressé(e)	in a hurry	
la pression	pressure	
prestigieux/euse	prestigious	
prêt(e)	ready	
prêter	to lend	
prévu(e)	planned	
le primaire	primary education	
privilégié(e)	favoured	
prochainement	shortly/soon	
le produit	product	
profiter de	to take advantage of	
faire des progrès	to make progress	
la progression	progress	
le/la promeneur/euse de chiens	dog walker	
proposer un exposé	to give a talk/presentation	
propre	own	
la propreté	the cleanliness	
le/la propriétaire	owner	
la propriété	property	
la protéine	protein	
provenant(e) de	coming from	
à proximité de	near	
la prune	plum	
la pub	advert	
le public	the audience	
la publicité	advert	
puisque	since	
puissant(e)	powerful	
la pyrotechnie	pyrotechnics/fireworks	

Q

Qu'est-ce qu'on s'ennuie!	How boring!
quand même	even so/all the same
quant à	as for
le quartier	area (of a town)
en quelle quantité?	how much?
quelque chose de différent	something different
quelques	some
faire la queue	to queue up
quitter	to leave
quoi?	what?

R

le rabais	reduction/discount
raccourcir	to shorten
raconter	to tell
rafraîchissant(e)	refreshing
ramasser	to pick up
ramener	to take back
rapidement	quickly
rarement	rarely
se rassembler	to get together/gather
rater mes examens	to fail my exams
le rayon	shelf/department (in store)/ray
réagir	to react
le/la réalisateur/trice de films	film director
réalisé(e) par	directed by
se réaliser	to come true
récemment	recently
recevoir	to receive
le réchaud	portable stove
la recherche	research
recommander	to recommend
recruter	to recruit
récupérer	to get back/retrieve
redoubler	to repeat a year
la réduction	reduction/discount
réduire	to reduce
la règle	rule/ruler
en règle générale	as a rule/generally
rejoindre	to meet/join
un bon relationnel	good interpersonal skills
relax	relaxed
se remarier	to remarry
remarquer	to notice
le remboursement	refund
rembourser	to reimburse/refund
en remplaçant	replacing
la rencontre	meeting
le rendez-vous	meeting/appointment
pour s'y rendre	to get there
rendre (+ adj.)	to make (+ adj.)
rendre visite	to visit
renforcer	to strengthen
renoncer à	to give up
les renseignements (m)	information
réparer	to repair
le repas	meal
le repassage	ironing

le répondeur	answering machine
le reportage	report
se reposer	to rest
reprendre	to start again
requis(e)	required
réserver	to keep/reserve/save
résister	to resist/last
respirer	to breathe
ressembler à	to look like
restituer	to repay/return
retentir	to ring
retrouver	to find (again)
la réunion	meeting
réunis	together
réussir	to succeed
réutiliser	to reuse
en revanche	on the other hand
réveillé(e)	awake
le rêve	dream
le réveil	alarm (clock)
révéler	to show
faire revivre	to bring back to life
le rez-de-chaussée	ground floor
rien de plus simple	nothing could be easier
rigoler	to have a laugh
la rigueur	rigour/strictness
le roi	king
le rôle principal	the lead role
les Romains (m)	the Romans
le roman	novel
rôti(e)	roasted
la rue principale	the main street

S

le sable	sand
le sac à main	handbag
le salaire	salary
la salle d'attente	waiting room
la salle d'eau	shower room
la salle d'Informatique	computer room
le salon de coiffure	hairdresser's salon
le sang	blood
les sanitaires (m)	bathroom/toilets
sans	without
il va sans dire	it goes without saying
sauf	except
le saut en longueur	long jump
sauver la vie de	to save the life of
en savoir plus sur	to know more about
la scène	stage/scene
la scolarité	schooling/education
la séance d'entraînement	training session
en sécurité	safely
séduisant(e)	attractive
le séjour	stay
séjourner	to stay
le self	self-service restaurant
selon vous	in your opinion
faire semblant de	to pretend to
sénégalais(e)	Senegalese
le sens de l'humeur	sense of humour
la sensation	feeling

sensible	sensitive
sentir	to smell
se sentir	to feel
se sentir bien	to feel good
la série	TV serial
la seringue	syringe
ne servir à rien	to be no use
seul	only
le/la scul(c)	the only one
non seulement …	not only… but
mais aussi	also
le siècle	century
signifier	to mean
sillonner	to criss-cross
sinistre	sinister
sinon	otherwise
le site pétrolier	oil refinery
le site pittoresque	beauty spot
situé(e)	situated
la société	company
soigneusement	carefully
les soldes (m)	sales
le solvant	solvent
le sommet	summit
son et lumières	sound and light show
sonner	to ring
la sonnerie	bell
la sortie de secours	emergency exit
sortir de sa coquille	to come out of one's shell
sortir en courant	to run out
se soucier de	to care about
le souffle	breath
souffrir de	to suffer from
souhaiter	to wish
sous réserve de	subject to
sous une tente	in a tent
sous-titré(e)	sub-titled
souterrain(e)	underground
se souvenir (de)	to remember
le spectacle	show
le sport aquatique	water sport
le sport de glisse	winter sport (involving sliding)
le/la standardiste	receptionist
stratégique	strategic
la sucette	lollipop
sucré(e)	sweet (sugary)
les sucreries (f)	sweet foods
suffisamment	enough
suite à	following
la suite de l'histoire	what happens next
suivi(e) par	followed by
suivre	to follow
la superficie	area
supplémentaire	additional/extra
supportable	bearable
faire du surf	to go surfing
le surnom	nickname
surtout	especially
le/la surveillant(e)	supervisor/warder
le syndicat d'initiative	tourist information office

T

le tableau	picture/scene
la taille	size/height
talentueux/euse	talented

tandis que	while/whereas
la tapisserie	tapestry
le tarif	rate/price list
la tarte au citron	lemon tart
la tarte aux abricots	apricot tart
la tartine	piece of bread and butter
un tas	pile
la tcchno	technology/tcchno music
teint(e)	dyed
dans un tel état	in such a state
la télé-réalité	reality TV
le/la téléspectateur/ trice	TV viewer
télévisé(e)	televised
pas tellement	not much
tellement de	so many/such a lot of
tempéré(e)	temperate
à temps complet	full-time
à temps partiel	part-time
se tenir (responsable de)	to hold oneself (responsible for)
tenir compte de	to take into account/include
tenté(e)	tempted
tenter	to tempt
la tenue	outfit/kit
se terminer	to finish
terrifiant(e)	terrifying
en tête	leading
le TGV (train à grande vitesse)	fast train
le théâtre	drama
le thon	tuna
il ne tient qu'à vous	it's up to you
le tiroir	drawer
le tissu	material/fabric
le titre de transport	ticket
le titre de voyage	ticket
le toit	roof
tolérant(e)	tolerant
la tombée de la nuit	night fall
tomber amoureux	to fall in love
tomber en panne	to break down
la torche humaine	human torch (a kind of stunt)
tôt	early
toucher à	to touch
toujours	still/always
toulousain(e)	from Toulouse
le tournoi	tournament
tout à fait	completely
tout allait bien	everything was going well
tout ça	all that
tout finit bien	there's a happy ending
tout le long de	all along
tout près	very near
toutefois	nevertheless
toutes sortes	all sorts
traduire	to translate
être en train de	to be in the middle of
traîner	to drag/lie around
se traîner	to traipse around/ hang out
le traitement	treatment
traiter	to treat

le transport en commun	public transport
transporter	to take/carry (in vehicle)
à travers	through
traversé(e) par	crossed by
la traversée	crossing
traverser	to cross
trébucher	to trip up
trempé(e) jusqu'aux os	soaked to the skin
tremper	to wet/dunk
une trentaine	about thirty
se tromper	to make a mistake
le trottoir	the pavement
le trou	hole
la trousse de premiers soins	first aid kit
se trouver (pas)	to be situated
mon truc	(not) my thing
tuer	to kill
le/la tueur/euse	killer
le type	guy/bloke

U

ultérieur(e)	later on
urbain(e)	urban
l' usine (f)	factory

V

la vague	wave
vaincre	to defeat
la vaisselle	crockery/washing up
la valise	suitcase
valoriser	to enhance
varier	to vary
la vedette	star (film, etc.)
la veille de Noël	Christmas Eve
le/la vendeur/euse	the shop assistant
vendre	to sell
la vente ambulante	trolley service
vérifier	to check
la vérité	truth
le vernis à ongles	nail varnish
vers	towards
les vestiaires (m)	changing rooms/ cloakrooms
la vie personnelle	personal life
la vigne	vineyard
vivant(e)	lively
venir (me) chercher	to come and pick (me) up
un vice de moins	one less vice
par voie électronique	electronically
la voile	sailing
se voir	to see each other
les voisins (m) d'à côté	next door neighbours
le vol	flight/theft
voler	to fly/steal
le/la voleur/euse	thief
la volonté	will power
vomir	to vomit

Y

y	(at/to) there
le yaourt	yoghurt